# Enjeux Débats Expression

# Enjeux Débats Expression

## Contemporary Issues
## and
## Essay Writing
## in
## French

**Madeleine Le Cunff-Renouard**
**and**
**Dolores Ditner**

**ELM Publications**

First published March, 1989, by ELM Publications, 12, Blackstone Road, Huntingdon, Cambs, PE18 6EF (0480 – 414553) who hold the copyright on behalf of the authors.



Printed by the St Edmundsbury Press, Suffolk.

isbn 0 946139 12 1

# Table of Contents

# Acknowledgements

The publishers wish to thank all the newspapers and magazines listed in Appendix 2 for their kindness in allowing us to reproduce extracts from their publications.

We should like to thank all the students who have worked with us and particularly those of Birkbeck College, University of London. Special thanks also to Sylvie Johns, Eloise Akpan and Monique Dircks-Dilly.

To
Pierre-Yves
Tiana & Tessa

Quand tu as une idée
Qu'est-ce que tu en fais?

Robert Pinget

Chapter 1

# Ouverture

## • WHO IS THE BOOK AIMED AT?

This book is a guide to advanced students of French. It is designed for those in their final years of secondary education, College and University undergraduates, as well as for civil servants, businessmen, and the like, who have to:

- understand a discussion/debate
- make a point in French
- write an essay or analytical report requiring logical and coherent use of data.

## • HOW DOES IT CATER FOR SUCH A HETEROGENEOUS PUBLIC?

We adopt a 'graded objectives' approach presented through a wide range of topics.

- material has been carefully selected to meet the needs of students from various horizons.
- the strategies and learning devices encompass role-playing exercises and the rigorous intellectual exploration of some issues.
- the proficiency in French expected from the reader varies, according to the type of activities presented, and to the goals that each reader wants or has to achieve.

In order to give you open access to the book, we have designed it to be used either from beginning to end, or selectively, according to need, so that you can work through chapters of particular interest to you.

## • WHAT ARE ITS MAIN CHARACTERISTICS?

- It presents a variety of viewpoints on some of the most important social and political issues today.
- It challenges the notion that oral and written work should be approached separately.
- It focuses on active tasks on the part of the reader, speaker or writer.
- It therefore encourages you to assess your own perception or analysis of various issues.
- It stresses the importance of the process of thinking and analysing in a foreign language. High priority is given to communicative skills and most activities in the book are designed for two learners.
- Its approach acknowledges that the learning process varies in tempo, mode, and method from one individual to another. These differences have been catered for in its design.

## • WHAT ARE ITS OBJECTIVES?

The exercises and the questioning of ideas and values that we propose, would be meaningless if not done in a context of intellectual freedom. We therefore encourage:

- creative thinking
- critical awareness
- the right to question and analyse different opinions, sets of beliefs, values and attitudes.

Our main objective is to improve your proficiency in French. The book is also a guide on how to organise your thoughts and ideas. It acknowledges the fact that a debate or an essay is a game with rules; it is a ritual and, as such, a set of conventions.

The book emphasises the fact that competence, the ability to play this sort of 'game', is improved with practice; it is only if you train yourself to see oppositions that you will be able to work on them:

| i.e: | positif | négatif |
|---|---|---|
| | plus | moins |
| | bien | mal |
| | vrai | faux |
| | unité | multiplicité |
| | uniformité | diversité |
| | matériel | spirituel |
| | amusant | triste |
| | léger | lourd |
| | blanc | noir |
| | riche | pauvre |
| | dépendance | indépendance |
| | individu | masse |
| | quantité | qualité |
| | facilité | effort |

The more you allow yourself to play with words, the more you understand the way a text is articulated, the more you will realise how meaning is produced.

Our approach attempts to awaken your interest in recognising logical relations in an essay title as in any other text. These relationships, be they of implication, opposition, contradiction or exclusion, are very rarely obvious. First of all, we encourage you to analyse relationships, 'links' between ideas, statements and attitudes.

The structure of your essay, that is to say your argumentative strategy, should therefore be based on this analysis.

We must also stress that both debating and essay-writing are based on the assumption that there is (somewhere, somehow) a listener and/or reader, real or implied, who will be prevented from understanding the argument if s/he is not pointed in the right direction by certain 'points de repère' and shown the links and relationships established between them.

## • STUDENTS' REACTIONS TO WRITING AN ESSAY.

The following questions are, in our experience, the most commonly expressed by students, and in this order:

**1. ..."comment choisir le sujet?"...**

How do I choose a subject?
Which question do I really think I can answer well?
Which question do I know the most about?
How do I know that I understand the subject correctly?
Is it better to choose a subject that I am familiar with, and perhaps use examples that I have used before, or to choose something fresh and stimulating?

2. **..."comment trouver des idées?"...**

How do I find ideas?
How should I organise them?
How can I draw arguments to a conclusion (without reaching a certain point and getting stuck)?
What am I going to do if I run out of steam?
How can I find suitable examples to illustrate the thesis formulated?
How do I eliminate irrelevant ideas/arguments?
How can I avoid clichés?

3. **...“comment écrire correctement?”...**
**...“comment formuler mes idées correctement?”...**

Do I know enough vocabulary associated with the question to be able to answer it?
Can I express what I have to say in a clear harmonious way in French?
How can I avoid repeating the same constructions?

The present book is in fact structured to answer these questions:

- First it helps you to select an appropriate topic from a list.

  You are invited to read a large number of French texts and to do various brain-storming exercises. These are best done ‘à deux’; the process is more fun, it is challenging and that’s what an essay is about.

- It then suggests different ways of exploring questions and topics, that is to say, helping you to find ideas and analysing them (yours and other people’s).

- Finally, and only at this last stage, do we give useful expressions and constructions for writing an essay.

You are also concerned with the assessment of your work and although it is obviously impossible to take into account all policies, strategies, guidelines, expectations and standards in use in all institutions, it is in our view reasonable to say that there is a consensus about what a good essay or brief should be.

In assessing an essay, examiners look for:

- A coherent discussion of the points at issue in the subject.

- A correct way of presenting thoughts and ideas in French.

- Good communication skills, including the ability to make a point convincingly, to present your case in a logical manner, and to explore several aspects of a question, supporting each one with relevant examples.

- Accuracy in French.

A general essay is not judged on the quantity of facts, or the amount of information presented, but rather on the choice and the use made by the writer of the data available. It should also be stressed that **nobody** (however competent), has ever produced a detailed analysis on a particular issue in one, two or three hours!

The time scale of the exercise is in fact crucial as it determines the length and shape of the output, and demands an unavoidable selection of the data. This means, in practical terms, that you should:

- Train to mobilise stored knowledge quickly.
- Be capable of playing with words and ideas, exploring various ways of seeing a particular issue and of tackling the question by defining a word, making a statement, defending it, attacking it, finding examples for and against...
- Arrive at a coherent and plausible presentation of your ideas and material.
- Write fairly complex sentences in order to be able to express what you want to say in your argument, which should lead to a conclusion to the debate however provisional, modest or limited.

How then can you produce a meaningful text or argument in French? At first the task might seem ambitious, daunting, but it's rather like a game of tennis, or chess, in which each move is calculated, your opponent's reactions anticipated, your feet or your pieces placed strategically... and hopefully winning! Thus the **challenge** makes you think about what you yourself and other people think!

Furthermore, we emphasise that writing an essay involves making a choice, as in everyday life:

i.e. – voting, selecting a hobby, a TV programme or a book
– assessing a film or a political broadcast
– defending a point of view
– making a case
– challenging a view held by others
– explaining one's choices
etc.

In other words, writing an essay is a matter of entering into a debate where nothing can be taken for granted, where even what is called 'common sense' should be questioned.

French essay writing technique has continually been criticised as empty and formal governed by the rules of rhetoric, and where thinking is secondary to form. In both essays and conversation there is a need to present opinions in some sort of order. We are not questioning the value of organising ideas in 'Thèse – antithèse – synthèse', indeed the technique is well worth mastering as a basic formal structure with which you can play around.

| | |
|---|---|
| THÈSE | Yes — I agree — This is right |
| ANTITHÈSE | No — I don't agree — This is wrong |
| SYNTHÈSE | After all — I'm still not sure I agree — S/he may be right/wrong depending on how one looks at 'it' |

We have used this type of exercise successfully with students. They defend their own planned essays; and challenge others', with convincing and often passionate arguments. Having watched them playing at producing an essay (qu'est-ce que tu ferais comme plan, toi?) we have no doubt that this method stimulates mental agility.

To argue that only docile students have to be taught how to write essays is in our view a fallacy, and our aim in publishing this book is to encourage all students to develop their communicative and analytical skills, or to acquire them.

So as to set off on the right footing, and enjoy yourself in the process, imagine that you're talking to a friend, in a sustained and fairly analytical conversation. Try to:

1. Explain what you mean.

2. Understand what your friend is saying.

3. Convince your friend of your point of view.

4. See your friend's point of view.

5. Go beyond: that's right/wrong<br>true/untrue<br>i.e.: **explain** by using examples.

6. Recapitulate your thoughts from time to time and attempt to come to a conclusion.

To enable you to move on from the analytical conversational stage and to put pen to paper, we have provided you with:

– a selection of texts and topics which raise important issues today.

– a variety of exercises which allow you to:

**reconnaître des ENJEUX**

**mener un DÉBAT**

**travailler votre EXPRESSION**

Chapter 2

# Mise en train

This chapter aims at putting you in the right frame of mind to tackle an essay, and to show you that it's not such a daunting task after all...

If you go through all the exercises you will have the opportunity to:

- read a selection of texts and articles on different topics (about the Third World, exports to China, money, literature, etc.).
- test and increase your range of vocabulary in certain areas.
- express your ideas on particular issues (e.g. racial discrimination, the role of the media, women in society, etc.).
- discuss your views with others on various topics.
- write short statements and passages on these subjects.

It should also encourage you to go on playing with ideas and words and make you feel more at ease in French.

Throughout the book you'll be invited to perform 'active tasks'. Thus the emphasis will be on:

- interactive activities and games, involving communicating with someone else.
- fluency activities, including discussion, role-play and scope for creativity.
- exchanges on meaning and values rather than on surface structures (i.e. grammar, syntax).

The stimuli used are drawn from 'authentic' pieces/moments of social communication in French.

And, last but not least, a wide definition of 'Culture' underlines our book (this includes trade and industry as well as politics, aesthetics, etc.).

**Repetition**

You'll find a certain amount of repetition in the book (the same 'ideas' expressed in different ways; issues discussed from various angles again and again).

*This has been done on purpose* as it will help you to acquire more flexibility in French and to concentrate on certain key issues.

- **INVESTISSEZ DANS DU SOLIDE : LES IDÉES.**

– The above statement is part of an advertisement. In your view:
  who is the sender?
  who is the target (the intended receiver)?
  what is the message (who is selling what to whom)?

– Compare your answers with someone else's.

– Using the sentences and expressions below, try to write an advertisement in which you will integrate *'investissez dans du solide : les idées'*.

Un bon slogan, ça dure.

Liberté, Égalité, Fraternité.

Cri de guerre à ses débuts, puis proclamation, il est devenu cette formule concise et frappante qui symbolise auprès du public la volonté, la philosophie d'une entreprise, les qualités d'un produit.

Après tout, qu'est-ce qu'un slogan?

À l'image d'une équipe sportive, on ne change pas un slogan qui marche.

Sa longévité est le plus souvent la meilleure preuve du succès de la marque à laquelle il est associé, il est aussi la preuve de la créativité, de l'imagination et du talent de ses auteurs.

Voilà pourquoi nous pouvons être légitimement fiers de beaucoup d'entre eux, créés par les agences du groupe Eurocom.

Et nous leur souhaitons de fêter, un jour, comme leurs glorieux aînés, leur bicentenaire.

(On the next page you'll be able to read the original text.)

LIBERTE · EGALITE · FRATERNITE

# Un bon slogan, ça dure.

Après tout qu'est-ce qu'un slogan ? Cri de guerre à ses débuts, puis proclamation, il est devenu cette formule concise et frappante qui symbolise auprès du public, la volonté, la philosophie d'une entreprise, les qualités d'un produit.

Sa longévité est le plus souvent la meilleure preuve du succès de la marque à laquelle il est associé, il est aussi la preuve de la créativité, de l'imagination et du talent de ses auteurs.

A l'image d'une équipe sportive on ne change pas un slogan qui marche. Voilà pourquoi nous pouvons être légitimement fiers de beaucoup d'entre eux, créés par les agences du groupe Eurocom.

Et nous leur souhaitons de fêter, un jour, comme leurs glorieux aînés, leur bicentenaire.

**INVESTISSEZ DANS DU SOLIDE : LES IDÉES.**

Havas 

- **WHICH WORD(S) WOULD YOU ELIMINATE IN THE FOLLOWING STATEMENTS TO MAKE THEM PLAUSIBLE AND CORRECT (LINGUISTICALLY)?**

1. Les universités, les hôpitaux *doivent/rêvent* avoir, à notre époque, une démarche d'entreprise.

2. Dès qu'ils possèdent des cartes de crédit et une maison qu'ils doivent payer mensuellement, les gens deviennent *amusants/conservateurs.*

3. La *fraude/paie* fiscale est généralisée.

4. L'hôtellerie britannique s'est considérablement *allégée/ améliorée* dans les dernières années.

5. Le ski est toujours un sport *de luxe/réservé aux hommes.*

6. La politique est devenue un *poème/spectacle.*

7. Toute forme de *plaisir/censure* est intolérable.

8. La montée de l'extrême-droite est une des *caractères/menaces* les plus inquiétantes dans les démocraties.

9. Le graffiti est une *idée/forme* d'art.

10. Le luxe est une *pari/nécessité.*

    (Answers in Appendix 1.)

- **SELECT A WORD FROM THE LIST BELOW, WHICH YOU WOULD USE TO COMPLETE THE FOLLOWING STATEMENTS:**

| |
|---|
| phrase<br>recommandations<br>sujet<br>liberté<br>test<br>faite<br>contexte<br>partie<br>limite<br>qualité |

1. Le paragraphe qui conclut la...........[1] introductive du document contient une .........[2] pessimiste.

2. En ce qui concerne la ..........[3] d'expression, le Comité se réfère aux .........[4] récemment communiquées aux responsables.

3. Au ............[5] de la recherche, le document souligne que son financement sera un ..........[6] important.

4. Il y a une ............[7] au delà de laquelle la ...........[8] est sacrifiée.

5. Dans ce .............[9], le rapport renvoie à l'étude .............[10] sur l'efficacité de la gestion.

(Suggested answers in Appendix 1.)

- **WHICH TEN OF THE FOLLOWING WORDS AND EXPRESSIONS WOULD YOU FIND MOST USEFUL IN WRITING AN ESSAY ON THE FOLLOWING TOPICS?**

1. **La plupart des sociétés modernes sont multiraciales, mais les relations entre les races, les ethnies sont souvent difficiles.**

le pouvoir
les inégalités sociales
les brimades
le rejet
un ghetto
une exclusion
les traditions
le mode de vie
les différences
les difficultés
l'insertion
l'adoption
la domination
l'héritage
la justice
l'égalité
la misère
la démocratie
la dignité
la tolérance
la coexistence
le droit à la différence
la compréhension
le métissage
l'identité culturelle
la haine
les cérémonies
les habitudes
les problèmes
le système scolaire
la pauvreté
la surpopulation
les dominants
les dominés
les privilégiés
les ressources
les tensions
les conflits
l'exploitation
le colonialisme
l'intolérance
la révolution
la rébellion
la volonté
la culture
la fraternité
le respect d'autrui
l'autoritarisme
l'incompréhension
la couleur de la peau
l'autonomie
la peur

## 2. Les ordinateurs ne résolvent pas tous les problèmes.

| | |
|---|---|
| le pouvoir de décision | une utopie |
| l'imagination | un outil |
| la créativité | une machine |
| le chômage | un appendice |
| les excès | un auxiliaire |
| les limites | un obstacle |
| l'efficacité | un jouet |
| la compétence | une économie |
| la performance | un progrès |
| la rentabilité | un passe-temps |
| la plaie du monde contemporain | une détente |
| la technologie de pointe | un gaspillage |
| la main d'oeuvre | un risque |
| la robotisation | un danger |
| la déshumanisation | un gadget |
| l'automatisation | une mesure |
| la bureautique | une décision |
| la modernisation | un facteur |
| le changement | un critère |
| la rationalisation | un désastre |
| le marché | un excès |
| la communication | un manque |
| la diffusion | une conséquence |
| la production | une cause |
| le marketing | un résultat |
| la mesure | un secteur |
| le signe | un domaine |
| la résistance | une caractéristique |
| l'adaptation | une inadaptation |
| la réorganisation | un leurre |

3. **Tout le monde est agressif mais peu de gens le reconnaissent.**

| | |
|---|---|
| un soulagement | fort |
| la répression | faible |
| une qualité | agréable |
| un défaut | désagréable |
| un trait de caractère | positif |
| la compétitivité | négatif |
| la violence | valorisé(e) |
| le conflit | dévalorisé(e) |
| le drame | loué(e) |
| la régulation | utile |
| le contrôle | inutile |
| une pulsion | encouragé(e) |
| l'utilisation | réprimé(e) |
| la manipulation | primitif/primitive |
| un archaïsme | inquiétant(e) |
| la contrainte | libéré(e) |
| l'autorité | nocif/nocive |
| la loi | dangereux/dangereuse |
| la nature humaine | calme |
| l'agressivité | coléreux |

Compare and discuss your selection with someone else's.

- **CAN YOU CONSTRUCT TEN PLAUSIBLE STATEMENTS OR QUESTIONS, BY MATCHING THE UNFINISHED SENTENCES FROM COLUMN I WITH WORDS FROM COLUMN II**

| | I | | II |
|---|---|---|---|
| 1. | Le mariage est une institution | a. | indéfinissable. |
| 2. | Le beau est | b. | tragique. |
| 3. | La pauvreté est | c. | périmée. |
| 4. | Le théâtre moderne est trop | d. | sinistre. |
| 5. | La vie à la campagne est souvent | e. | gratuits. |
| 6. | Le français est-il en recul dans le | f. | intellectuel. |
| 7. | Les livres scolaires devraient être | g. | monde? |
| 8. | Il faut absolument intéresser les enfants à la | h. | passivité. |
| 9. | L'informatique incite les gens à la | i. | lecture. |
| 10. | Les crédits pour la recherche devraient être | j. | beurre? |
| 11. | Pourquoi l'Europe produit-elle des tonnes de | k. | politiques. |
| 12. | On est mal informé par les hommes | l. | augmentés. |

Compare your choice with someone else's.

(Suggested answers in Appendix 1.)

## • LA DIFFÉRENCE ENTRE 'PARLER' ET 'COMMUNIQUER'.

– This is how Apple-Macintosh tried to catch the eye of readers

– Write the full text of their advertisement from which the following expressions have been deleted:

| nombreux / font / travaillent / inutile / gens / temps / met à votre disposition / exprimer sa pensée / communiquer . |
|---|

Parler, c'est ....................[1] à l'aide d'un langage.
....................[2] c'est la faire ressentir.
C'est exactement ce que vous propose Apple.
Macintosh ................[3] tous les outils nécessaires pour comprendre et faire comprendre davantage de choses à davantage de ..................[4] en beaucoup moins de ..........[5].
Tout d'abord au sein de votre entreprise.
Si vous êtes nombreux, il est tout à fait ....................[6] de vous acheter un porte-voix, les Macintosh aussi sont ..................[7], il s'agit même d'une véritable famille d'ordinateurs personnels qui ....................[8] en groupe exactement comme les hommes le ..................[9].

The advertisement is given on pages 18 – 19 and the original text is on pages 262 – 263.

# La différence entre pa

Parler, ...............

...........................

...........................

...........................

...........................

...........................

...........................

...........................

...........................

...........................

Pour s'en rendre compte il suffit de retourner un Macintosh.

Vous découvrirez alors un connecteur qui permet à l'aide du câble AppleTalk de se relier à un autre Macintosh, sans intermédiaire, sans aucune forme de procédure.

32 Macintosh peuvent ainsi s'échanger dossiers, textes et images, fichiers ou périphériques divers, une imprimante LaserWriter par exemple.

AppleShare, qui est reconnu comme un des meilleurs logiciels de partage d'informations, transforme un disque dur se trouvant sur le réseau en une véritable banque de données pour les autres Macintosh connectés.

Que se passe-t-il maintenant si la moitié de vos collègues utilisent d'autres machines?

Ce n'est pas un problème pour Macintosh.

Parce qu'il n'y a aucune raison pour qu'une machine soit un obstacle entre deux hommes, il suffit d'ajouter à Macintosh SE ou Macintosh II une carte d'extension.

Vous pouvez ainsi transférer des dossiers fonctionnant avec le système d'exploitation MS/DOS, Lotus 1.2.3. par exemple, à l'intérieur d'un programme utilisant toute la puissance de Macintosh, Excel de Microsoft entre autres.

Pour être un communicateur complet il ne vous reste plus qu'à communiquer avec le reste du monde.

# ler et communiquer.

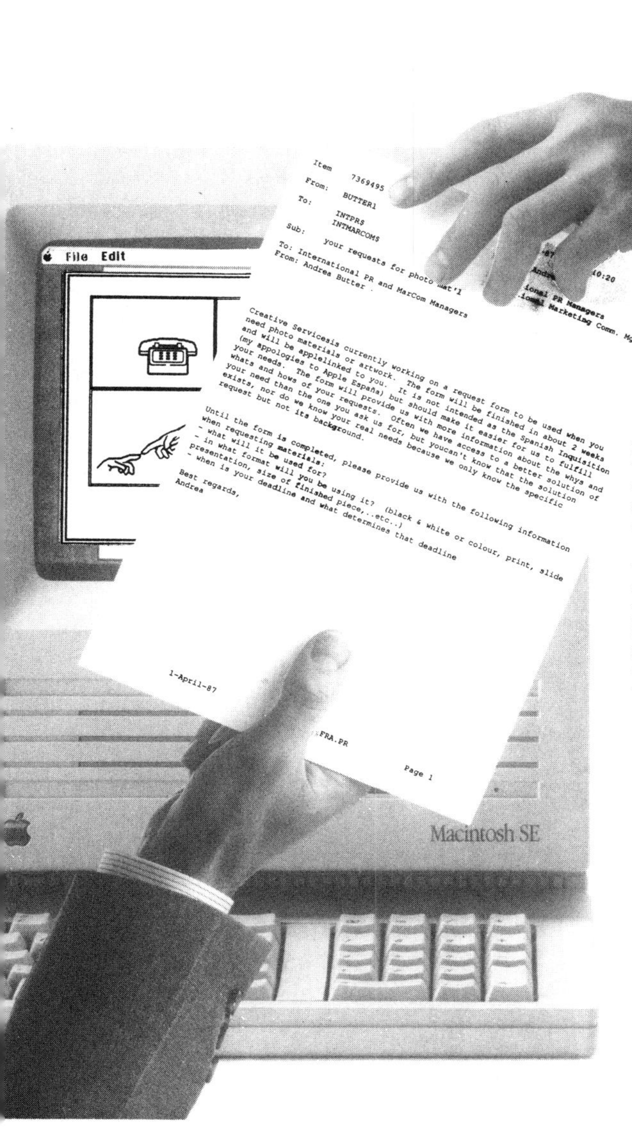


Avec un bon modem et un bon programme, vous avez le loisir de vous connecter à toutes les sources du savoir ou bibliothèques de données du monde y compris celles d'Alexandrie.

Travailler avec Macintosh cela veut dire aussi : compter sur plus de 350 concessionnaires Apple, profiter des centres de formation agréés, participer au club Apple et accéder aux services télématiques ou à son support technique par téléphone.

Si vous caressez le secret espoir d'être un jour maître du monde, de votre Macintosh, envoyez tout simplement un mémo de votre projet à chaque habitant de la planète.

Apple

## • LA MONARCHIE EN GRANDE-BRETAGNE.

A Francophone is likely to be puzzled by these few lines:

> In this country we suffer from an inability to think things through to the logical end. We wish to have the stability and continuity which the monarchy provides; we would like to see the same stability and continuity in the great offices of state; but we do not provide more than a shoestring with which these miracles can be brought about.

1. Try to explain, in FRENCH, what the text means: (you might use the following expressions)

Il accuse la Grande Bretagne de ne pas être très cohérente / logique / rationnelle ... En gros, ce qu'il dit c'est que ..... / il compare la monarchie et les grands commis de l'État / La monarchie assure la stabilité et la continuité du régime; c'est ce que veulent les gens mais ça coûte très cher / Or les hauts fonctionnaires, pour remplir la même fonction, ont un budget dérisoire / Il faudrait savoir! Avec trois fois rien, on ne peut pas faire de miracles!

## • DES VACHES LAITIÈRES POUR LA CHINE.

1. Read this article carefully:

> **Des vaches laitières pour la Chine**
>
> Deux cents vaches laitières françaises championnes, d'une valeur marchande totale de 250 000 dollars, se sont envolées de Lyon-Satolas pour la Chine dans le cadre d'un contrat signé par France-embryon, société de génétique et d'élevage dont le siège est à Montrond-les-Bains (Loire). Ce contrat qui porte au total sur 400 bovins, soit 10 % de toutes les importations chinoises pour l'année, constitue la première exportation de vaches françaises en République populaire en Chine. Jusqu'à présent ce marché etait occupé par les Danois, les Hollandais et les Allemands.
>
> Il y a actuellement en Chine deux millions de têtes de bétail, alors qu'il en faudrait 20 millions. La société France-embryon (7 millions de FF de chiffre d'affaires dont la moitié à l'exportation) réalise ainsi son troisième contrat avec la République populaire de Chine. Cette société soutenue dans ces opérations par son principal actionnaire Elf-Aquitaine. a déjà vendu du matériel génétique pour les transplantations d'embryons congelés. En outre, des équipes chinoises ont eté formées par des techniciens de cette société.
>
> Les deux cents vaches avaient été préalablement sélectionnées en juillet dans des fermes de toutes les régions françaises par quatre experts chinois.

2. Would you know how to define in French:

a) une valeur marchande?

b) une société de génétique?

c) un chiffre d'affaires?

d) un actionnaire?

e) les transplantations d'embryons congelés?

3. 'Il y a actuellement en Chine deux millions de têtes de bétail, alors qu'il en faudrait 20 millions'.

– what does this mean?

– could you prepare a short speech on China in French?

## • COMMERCE : DES HOMMES ET DES FEMMES.

1. Read this short article carefully:

### *Commerce : des hommes et des femmes*

**P**rès de 12 % des personnes ayant un emploi, soit 2 556 000 personnes, travaillent dans le commerce, avec une prédominance masculine dans le commerce de gros et une majorité de femmes dans celui de détail. En ce qui concerne le commerce de détail non alimentaire, on note que les femmes sont plus nombreuses dans l'habillement, la chaussure et la maroquinerie. La pharmacie est le secteur où le taux de féminisation est le plus fort (71,6 %) et où la proportion de femmes chefs d'entreprise est la plus importante (50 %). (Enquête Insee publiée dans le n° 196 d'*Economie et Statistiques*.)

2. Answer these questions:

– Combien de personnes travaillent dans le commerce?

– Les hommes prédominent-ils dans le commerce de gros?

– Dans quels secteurs les femmes sont-elles les plus nombreuses?

– Dans quel secteur y a-t-il le taux de féminisation le plus fort?

– Où trouve-t-on beaucoup de femmes chefs d'entreprise?

## • CONSOMMATION.

According to the chart below how did the French spend their money in 1986?

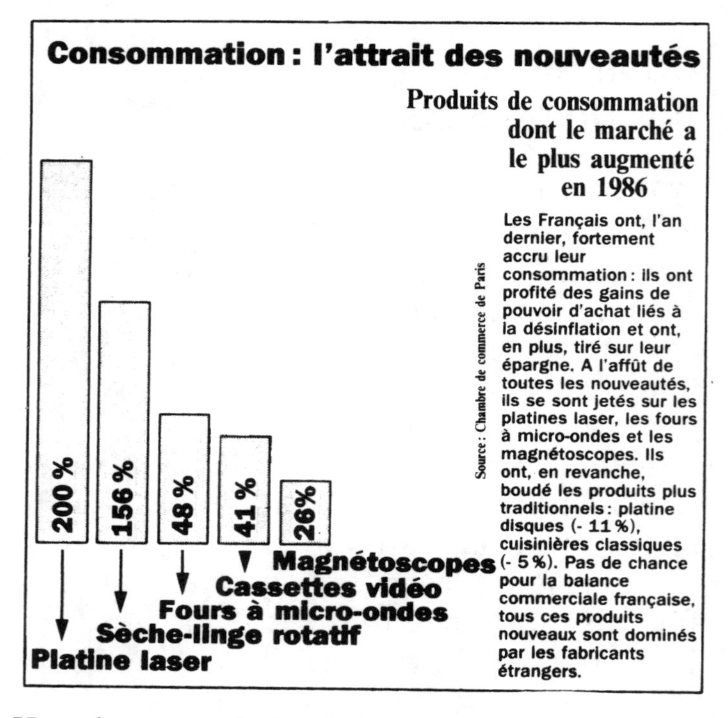

Consommation : l'attrait des nouveautés
Produits de consommation dont le marché a le plus augmenté en 1986
Les Français ont, l'an dernier, fortement accru leur consommation : ils ont profité des gains de pouvoir d'achat liés à la désinflation et ont, en plus, tiré sur leur épargne. A l'affût de toutes les nouveautés, ils se sont jetés sur les platines laser, les fours à micro-ondes et les magnétoscopes. Ils ont, en revanche, boudé les produits plus traditionnels : platine disques (- 11 %), cuisinières classiques (- 5 %). Pas de chance pour la balance commerciale française, tous ces produits nouveaux sont dominés par les fabricants étrangers.
Source : Chambre de commerce de Paris
200 %
156 %
48 %
41 %
26%
Magnétoscopes
Cassettes vidéo
Fours à micro-ondes
Sèche-linge rotatif
Platine laser


– How do you understand the last sentence: 'Pas de chance pour la balance commerciale française, tous ces produits nouveaux sont dominés par les fabricants étrangers'?

– How would you have spent your money?
(give your choice in French)

1 ..............................................
2 ..............................................
3 ..............................................
4 ..............................................
5 ..............................................

– Compare your list with someone else's.

- **DEMAIN LE GRAND MARCHÉ.**

— Read this advertisement carefully:

# Demain le grand marché.

1992 : la vieille Europe aura vécu et laissera place à un grand marché de plus de 300 millions de consommateurs. Le "vieux continent" sera demain un espace sans frontières où circuleront librement les marchandises, les personnes, les services et les capitaux.
Un marché géant où la concurrence sera stimulante. Pour la Banque Indosuez, comme pour les entreprises, l'enjeu est à la taille du risque : immense.
Pour gagner sur ce marché, la Banque Indosuez offre à ses clients son implantation européenne et ses spécialistes. Aujourd'hui, chef de file financier d'Eurotunnel, la Banque Indosuez prépare à pas de géant la libre circulation dans l'Europe des années 90.
Présente dans les pays de la Communauté et dans tous les pays nordiques, la Banque Indosuez offre à ses clients des opportunités sans frontières.

Siège social : 96 boulevard Haussmann - 75008 Paris

**BANQUE INDOSUEZ. TOUT UN MONDE D'OPPORTUNITÉS.**

– Answer the following questions:

1. What is going to happen in 1992?
2. How do you understand : 'la vieille Europe aura vécu'?
3. Where do these '300 millions de consommateurs' come from?
4. What is meant by 'un espace sans frontières'?
5. What do you understand by 'la concurrence sera stimulante'?

– Compare your answers with someone else's and discuss the following statements:

1. L'Europe doit savoir préserver ses différences.
2. Le tunnel sous la Manche fera des Britanniques des Européens, mais le veulent-ils vraiment?
3. Il est temps que l'Europe soit unie.
4. Les barrières douanières en Europe sont complètement archaïques.
5. Les médias et l'argent ignorent les frontières mais les politiciens continuent à défendre l'ÉTAT-NATION.

## • TIERS MONDE : VERS LA RICHESSE?

– Read the following statements carefully:

1. Les origines et les causes de l'idéologie tiers-mondiste mériteraient d'être étudiées à fond.

2. L'explication courante de la pauvreté du tiers monde est fausse.

3. La place du monde en développement dans l'économie mondiale, mesurée par sa part de revenu, s'est accrue entre 1950 et 1985.

4. Le raisonnement par 'l'écart' est fallacieux.

5. Les économies du tiers monde se diversifient.

6. La production alimentaire par habitant (c'est-à-dire en sus de l'accroissement de la population) a augmenté de 30% dans les pays en voie de développement.

7. Le grand perdant est l'Afrique.

8. L'endettement de l'Amérique latine, savamment exploité par les élites responsables de la dilapidation et du détournement des fonds prêtés nous dissimule aussi la progression générale du tiers monde.

9. L'explosion démographique commence donc par être une conséquence du progrès.

10. L'avenir dépend donc en grande partie du cours réformateur ou non pris par les États communistes.

– These statements are presented in the order in which they appear in the following text, from which they have been omitted. Re-insert them in the text.

# TIERS MONDE: VERS LA RICHESSE?

**par Jean-François Revel**

*Le vrai tiers monde n'est pas celui qu'on croit. L'essai de Jean-Claude Chesnais bouscule bien des idées reçues. Et l'Europe économique doit veiller à ne pas se tromper de concurrents.*

«La revanche du tiers monde», de Jean-Claude Chesnais (Robert Laffont, 336 pages).

L'information existe-t-elle pour que l'on ne s'en serve pas? La question se pose, en tout cas, à propos du tiers monde, du sous-développement, des relations entre pays riches et pays pauvres. C'est l'un des terrains les plus propices à la falsification des faits, à la propagande mensongère et à l'essor des mythes. Pourquoi? Ses effets trompeurs le sont sérieusement depuis quelques années. Mais le livre de Jean-Claude Chesnais, économiste et démographe de grande valeur, va plus loin que la critique du tiers-mondisme qui s'est élaborée depuis 1975 environ. Chesnais ne se borne pas à démontrer que; il prouve que cette pauvreté même est fausse. Désormais, le tiers monde décolle économiquement, son entrée dans le développement a bel et bien commencé.

Contrairement aux ritournelles sur l'écart qui ne cesserait de se creuser entre monde riche et monde pauvre. Son niveau de vie a doublé au cours de cette période, ce qui représente une croissance moyenne de 2% par an: exactement le taux qu'a connu l'Europe au cours de son ascension économique du siècle dernier. Au demeurant, si mon revenu passe de 1 franc à 2 francs et celui de mon voisin de 4 à 6 francs, l'écart entre nous s'est creusé, mais mon niveau de vie n'en a pas moins doublé, ce qui est pour moi fort appréciable. De plus. Elles dépassent le stade de l'exportation des matières premières pour prendre une part grandissante de la production mondiale des objets manufacturés et de ses parts de marché. En Inde, en Indonésie, au Pakistan, plus du tiers du produit national provient désormais de l'industrie.

Dans le secteur agricole et alimentaire, selon l'opinion dominante qui continue d'être quotidiennement martelée partout, la situation se serait dégradée et se dégraderait continuellement. Les chiffres sont pourtant là: de 1950 à 1984. Le champion est l'Asie, à un moindre degré l'Amérique latine (mais qui partait d'un niveau beaucoup plus élevé).

En fait, c'est la tragédie africaine, au demeurant fort récente, qui nous masque en grande partie le rattrapage global du monde développé par le monde en développement. Cette tragédie, *Le Point* y a consacré tout un dossier (n° 738, 10 novembre 1986), d'où il ressort qu'elle provient beaucoup plus d'erreurs humaines que de catastrophes naturelles ou de la légendaire inégalité des «termes de l'échange». La plupart des dirigeants africains ont mené des politiques opposées à celles des gouvernements asiatiques. Ces erreurs, ils doivent et peuvent les corriger, à condition de ne pas en attribuer les méfaits à des boucs émissaires, comme on l'a entendu faire dernièrement encore avec un rare talent d'embobineur par le président de Madagascar, Didier Ratsiraka, lors de son passage à Paris. Et, en particulier, le prodigieux bond en avant, au cours des trente dernières années, des deux géants les plus endettés: le Brésil et le Mexique. L'afflux des capitaux ne garantit pas que leur emploi sera judicieux, comme le montre l'absence de décollage de maints pays pétroliers, malgré le pactole de la décennie 1973-1983. Les pays en développement qui ont atteint durant ces années les plus forts taux de croissance et les plus considérables améliorations du niveau de vie individuel ne figurent pas sur la liste des pays pétroliers.

Une autre idée fausse, venue de Malthus et reprise en particulier par le Club de Rome, est que la poussée démographique constituerait à la fois un signe et une cause de la pauvreté. En réalité, comme l'illustre clairement l'histoire démographique de l'humanité jusqu'au XVIIIe siècle, la pauvreté engendre la stagnation de la population, qui fut la règle pendant des millénaires. Pour que le chiffre de la population augmente, il faut d'abord que la mortalité infantile diminue et que la vie humaine s'allonge. On ne voit pas comment ces deux phénomènes peuvent avoir lieu sans que se soient améliorées les conditions alimentaires et sanitaires. Que la multiplication de la population active, comme l'avait bien vu Keynes, accélère encore. Ensuite seulement, quand on parvient à un niveau élevé de bien-être, commence à se produire spontanément la stagnation démographique avec longue espérance de vie.

Elle caractérise les pays prospères et a pour cause non plus l'insuffisance des ressources et de l'hygiène, mais la restriction volontaire des naissances. Plusieurs pays dits du tiers monde commencent à entrer dans cette phase, comme y sont entrés, voilà trente ans, les pays du sud de l'Europe.

Et l'avenir de l'Europe, justement, dans cette course en avant? Il est urgent de le repenser à la lumière des nouveaux éléments de réflexion qu'apporte Chesnais, dans cet ouvrage de spécialiste que, chose rare, le grand public pourra lire et même dévorer sans difficulté. Je ne dirai pas, selon le cliché, que «ça se lit comme un roman». Car le roman, sur ce sujet, c'est l'évangile tiers-mondiste, et il est illisible. Ça se lit plutôt comme un passionnant livre d'histoire et de prospective.

L'Europe, elle, ferait bien de s'aviser au plus vite que la concurrence, demain, ne lui viendra pas seulement de ses présentes bêtes noires commerciales, l'Amérique du Nord et le Japon, mais de l'Inde, de l'Indonésie, du Brésil. Proche de nous, bientôt parmi nous, l'économie la plus ascendante va être celle de la Turquie. En outre, rappelons-nous qu'un bon tiers des pays sous-développés se situent dans le monde communiste: Chine, Vietnam, Corée du Nord, Cuba, Ethiopie, Nicaragua, etc. Le vrai tiers monde est là, sur tous les continents.

Libéralisation réelle et en profondeur de l'économie, ou simple tirage de peau. Dans la première hypothèse, leur taux de croissance d'ici à 2025 serait plus que le double de celui que leur assurerait la fidélité au communisme (voir le tableau, où l'on remarquera que la RFA même n'est plus classée). Le calcul avait déjà été présenté ici (*Le Point*, 1er novembre 1982): si la Chine était capitaliste, elle équivaudrait pour nous en dynamisme concurrentiel à dix Japon, à vingt-cinq Corée du Sud et à cinquante-cinq Taiwan! (1)

On a beaucoup ressassé l'expression de «compétition économique mondiale». Et voilà, pour le coup, qu'elle va vraiment le devenir. Face au défi de ce «*tiers monde mouvant, bientôt fondant*», selon les termes de Chesnais, l'unité politique de décision et de mobilisation européenne semble aussi impérative que face au défi stratégique soviétique. Mais pour les relever l'un et l'autre, il est une condition de base, plus intellectuelle que matérielle: la connaissance des faits.

1. Sur Taiwan et son miracle, voir l'excellent livre, très à jour, de Ricardo Paseyro «Taiwan, clé du Pacifique» (PUF).

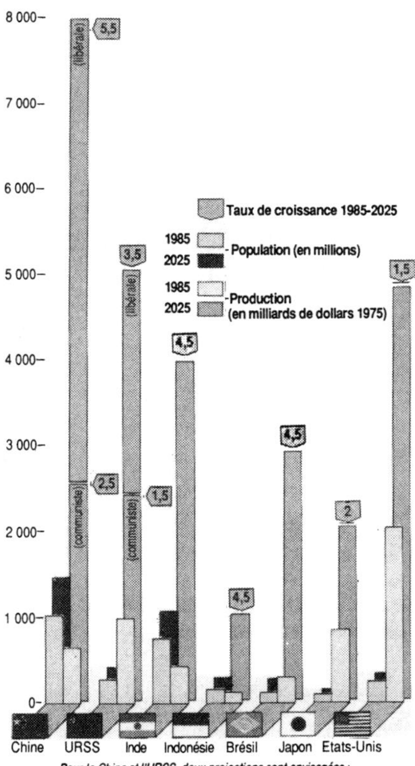

*Pour la Chine et l'URSS, deux projections sont envisagées : sans changement de régime ; avec un régime « libéralisé ».*

- Now read the full article in Appendix 1 and compare your text with the original.

- What is your reaction to the closing lines of the article?

  'On a beaucoup ressassé l'expression de 'compétition économique mondiale'. Et voilà, pour le coup, qu'elle va vraiment le devenir. Face au défi de ce *'tiers monde mouvant, bientôt fondant'*, selon les termes de Chesnais, l'unité politique de décision et de mobilisation européenne semble aussi impérative que face au défi stratégique soviétique. Mais pour les relever l'un et l'autre, il est une condition de base, plus intellectuelle que matérielle : la connaissance des faits'.

Compare your reaction with someone else's.

- In your view, where would this conclusion fit into the political/ideological spectrum?
  Would you say that it reveals a right or left wing attitude?

- Do you agree/disagree with all the arguments presented in this article? Or, do you agree with some and disagree with others? If so, which ones?

Discuss your views with someone else.

- **'EN AMÉRIQUE, LES HOMMES POLITIQUES SONT MANIPULÉS'.**

CINEMA

# Sidney Lumet: « En Amérique, les hommes politiques sont manipulés »

Les leaders ne sont-ils que des marionnettes aux mains de leurs conseillers médiatiques ? Oui, répond catégoriquement Lumet, dans son dernier film-pamphlet, « les Coulisses du pouvoir »

– Is this, in your view, the case in Great Britain?

| If YES give examples | If NO give examples |
| --- | --- |
| | |

– Compare your reactions with someone else's.

• **SOLLERS: LE COUPLE, C'EST LA FEMME.**

# Sollers : le couple, c'est la femme

Pour Philippe Sollers, il ne fait aucun doute que la notion de couple est étrangère au genre masculin. « *A moins*, dit-il, *d'avoir subi une grande efféminaon.* » Le héros des romans de Sollers, sorte de Casanova moderne qui traverse « Femmes », « Portrait du joueur » et « Le cœur absolu », est le prototype du libertin polygame. « *Un personnage antiromantique par excellence* », dit Philippe Sollers, qui a le goût des provocations. Parfaitement organisé, son personnage se déclare marié d'entrée de jeu, « *ce qui permet d'éliminer les éventuelles tentations des maîtresses qui voudraient se l'attacher* ». Dans un raccourci psychanalytique, Sollers estime, avec Freud, que « *les femmes tentent de reconstituer avec les hommes des liens semblables à ceux qui les unissaient à leur mère* ».

En exergue de ses livres, Philippe Sollers aurait pu écrire : « *La mère en prescrira la lecture à sa fille* », si la phrase n'avait déjà été déposée par le Divin Marquis de Sade, son autre père spirituel. Hélas, l'horizon des libertins s'obscurcit. « *Nous avons vécu l'ère la plus libre de l'histoire des mœurs. Avec le sida, il y a fort à parier que le modèle frigorifiant et normatif du couple va réapparaître. De tout temps, les épidémies ont tempéré les élans du corps. La syphilis avait calmé les débordements du Moyen Age. Et la Révolution française a mis fin au libertinage du* XVIII*e siècle. C'est ainsi qu'en littérature on est passé de Juliette de Sade à Madame Bovary.* » Ce personnage, selon lui, continuerait de régner sur la littérature, offrant aux femmes le modèle d'une quête obstinée de l'âme sœur. Une théorie qui fait de l'amour une invention féminine.

R. B.

*Philippe Sollers*

– Read the above article.

– 'Avec le Sida, il y a fort à parier que le modèle frigorifiant et normatif du couple va réapparaître.'

Do you agree or disagree with this statement? Compare your reactions with someone else's.

## • NOUVEAU. LES HOMMES ONT DES FESSES.

You read these words out of context, and are quite rightly puzzled by them ... Could they be a slogan or an advertisement?

If YES:

- what for?
- can you imagine the framework for such a statement? (i.e: the type of picture, if it's a caption... would there be another text on the poster/advertisement?)

If NO:

- where could one read such a text?
- who would be the sender (and who could have written it)?
- who is the 'intended' receiver? (the message has been written for somebody, but for whom?)
- what is the meaning of the 'message'?

Do you find this 'message':

| | | why? |
|---|---|---|
| – funny/amusing | | |
| – vulgar | | |
| – anti-feminist | | |
| – pro-gay | | |
| – irresponsible | | |
| – damaging | | |
| – awful | | |
| – other | | |

Compare your reactions to someone else's and turn to pages 32 and 33 to read the text in full.

Nouveau.
L'ATELIER BELIER

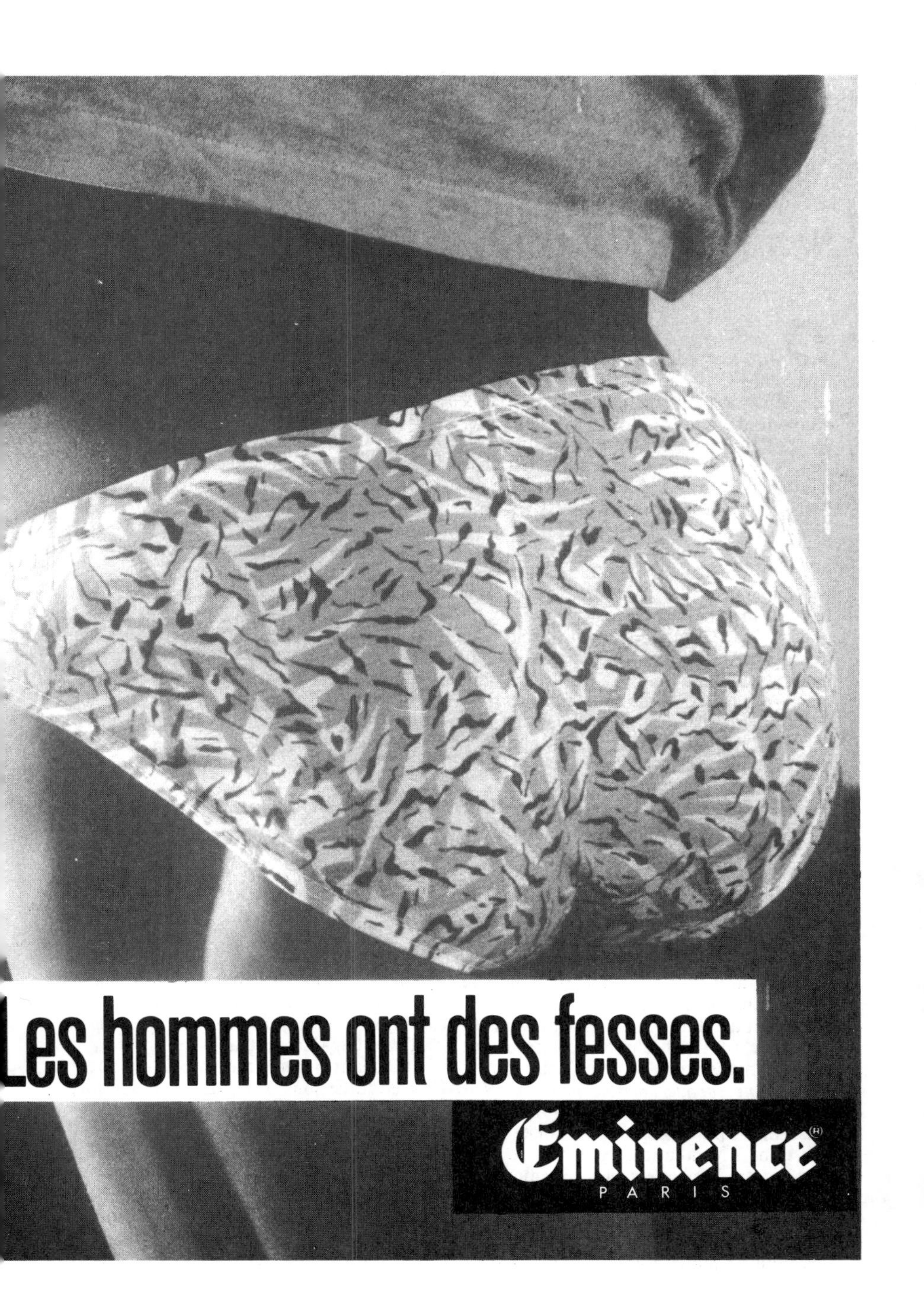
Les hommes ont des fesses.
Eminence
PARIS

## • NEW YORK : ÉTAT D'URGENCE.

Read this article carefully:

# New York : l'état d'urgence

*De notre correspondant*

Depuis près d'un an, deux livres battent tous les records de vente aux Etats-Unis. Ni roman ni biographie de personnages célèbres, les deux ouvrages donnent des recettes d'un type un peu spécial. Ils s'adressent en effet aux femmes seules, leur confiant des « trucs » pour trouver un mari. Pour les seules éditions de poche, chaque livre s'est vendu à plus d'un million d'exemplaires.

A New York, ville où le taux de célibataires est particulièrement élevé, les agences matrimoniales sont au centre d'un énorme marché brassant des millions de dollars. Une société de cours du soir, The Learning Annex, propose dans son dernier catalogue un chapitre entier consacré aux rencontres. Parmi les cours : « Comment flirter » (22 dollars), « Faire des rencontres dans les grands musées » (51 dollars), ou « Trouver un amant » (22 dollars).

Enfin, une nouvelle organisation vient de se créer pour aider les automobilistes célibataires. Le Freeway Singles Club (Club des célibataires de l'autoroute), moyennant une cotisation annuelle de 35 dollars, donne à ses membres un autocollant avec un numéro à afficher sur la vitre arrière. Ainsi, pas de temps perdu : les automobilistes intéressés par le conducteur ou la conductrice écrivent directement au club, qui transmet les offres.

Bref, c'est l'état d'urgence, et surtout dans le monde des femmes célibataires. *« C'est une époque horrible pour chercher un mari »*, confirme le docteur Penelope Russianoff, psychologue, spécialiste de la question, à Manhattan. A travers le pays tout entier, de plus en plus de femmes ne trouvent pas le prince charmant. Et plus le niveau d'éducation est élevé, plus la tâche est difficile. D'abord, à cause d'un déséquilibre numérique.

D'après une étude de l'université de Princeton, il y a, aux Etats-Unis, plus de femmes célibataires que d'hommes. Et à New York, capitale des célibataires, le déficit est l'un des plus forts du pays : 3 millions de femmes pour seulement 2,5 millions d'hommes. *« Je ne suis pas anormale, je n'ai pas de problèmes psychologiques particuliers. Je crois avoir tout fait correctement : j'ai une carrière, j'appartiens à un club sportif, je me fais psychanalyser. Pourquoi suis-je encore célibataire ? »*, se lamentait récemment une jeune femme de 33 ans dans une lettre au magazine *New York*. Une complainte de plus en plus répandue. *« A New York*, confie Nancy, 34 ans, diplômée de Business School et cadre dans une société de recrutement, *les gens sont tellement obsédés par le travail qu'il ne reste pas de temps pour autre chose. Et plus on vieillit, plus on devient difficile. »*

*« Il y a trente ans*, explique Olga Silverstein, psychothérapeute, spécialiste de la famille, *les femmes n'avaient pas beaucoup d'options en dehors du mariage. Elles épousaient le premier venu. Maintenant, elles font carrière d'abord. »* Un piège. Car d'après toutes les études, plus les mâles américains réussissent, plus les femmes qu'ils épousent sont jeunes. Ce qui laisse les femmes de 30 et 35 ans sans partenaire. *« Les hommes ont peur des femmes de leur âge qui ont réussi. Ça commence à changer, mais il faudra encore du temps »*, affirme Olga Silverstein.

Pourtant, le mariage va peut-être revenir en force sous peu. *« Le sida nous force à devenir monogame, à nous engager*, confie Nancy. *Les gens ne s'amusent plus à flirter. »* A New York, ces derniers temps, le nouveau best-seller que l'on voit dans toutes les vitrines des libraires est un énorme livre intitulé « Comment préparer votre mariage ». ●

JEAN- SÉBASTIEN STEHLI

Can you imagine and list 10 'TRUCS POUR TROUVER UN MARI'?

Compare your list with someone else's.

– Do you think that: 'Il y a trente ans, les femmes n'avaient pas beaucoup d'options en dehors du mariage. Elles épousaient le premier venu. Maintenant, elles font carrière d'abord.' Would you consider this statement to be true? Give examples to justify your answer.

– What about: 'Les hommes ont peur des femmes de leur âge qui ont réussi'? Do you agree/disagree with this statement?

Discuss your views with someone else.

- **L'ACCOUCHEMENT SANS DOULEUR.**

– Great news!

Find out more about it by completing the following article:

# L'accouchement en douceur

Une nouvelle ........ est proposée aux ....... mamans pour accoucher sans ....... : l'électrostimulation cérébrale transcutanée. Il s'agit de stimuler électriquement, grâce au "courant de Limoges " de basse fréquence, certaines zones privilégiées du ......., impliquées dans le mécanisme de la douleur.

Cette .......... entraînerait la libération de substances endogènes à action de type morphinique (endorphines et enképhalines). Pour ce faire on ...... un appareil, l'Anesthelec, d'un maniement très facile, mis au point et ........ par une société française. E3 A France qui vient de créer une filiale aux Etats-Unis.

En pratique, on applique trois électrodes autocollantes, une derrière chaque oreille sur la mastoïde et une entre les sourcils, au début du travail. Il faut compter 20 à 30 minutes de stimulation avant d'obtenir les premiers effets. L'Anesthelec ne supprime pas totalement les ........ mais en réduit considérablement l'.........

La parturiente est totalement .... ......, elle participe plus ...... ..... à son accouchement. De ce fait la durée totale du travail et surtout le temps d'expulsion sont considérablement réduits.

Sérieuse et ....... cette nouvelle méthode est dénuée d'effets secondaires. Une sage-femme peut sans difficulté installer l'appareil et surveiller le bon ....... ..... de l'accouchement.

You may need to use the following words:

futures, douleur, stimulation, fabriqué, effets, douleurs, méthode, cerveau, utilise, intensité, activement, déroulement consciente, efficace.

Compare your answers with the original in Appendix 1.

## • MONNAIE ET LANGAGE.

Carefully read these two articles:

billet

### Monnaie et langage

DANS *l'Homme sans qualités*, de Robert Musil, un des principaux personnages du roman, Arnheim, suggère qu'on pourrait aujourd'hui « *exprimer toutes les relations intellectuelles, de l'amour à la logique pure, dans le langage de l'offre et de la demande, de l'escompte et de la provision, au moins aussi bien qu'on le fait en termes psychologiques ou religieux* ». Ainsi, pour Arnheim, il semble acquis que l'objet de la foi des hommes modernes n'est plus Dieu, mais « *le directeur de la firme Univers* ». Et une analyse nouvelle de la foi elle-même montrerait que « *les credo humains ne sont probablement que des cas particuliers du crédit* ».

Jean-Joseph Goux, auteur d'un ouvrage remarqué : *Freud, Marx : économie et symbolique* (Seuil, 1973), n'est pas loin de partager l'idée de Musil selon laquelle le langage froid et précis de l'économie permet de formuler le plus adéquatement la vérité. Ainsi, dans *les Monnayeurs du langage*, Jean-Joseph Goux établit une relation entre la crise du réalisme romanesque (avec le déclin de l'intrigue et des personnages) et la crise de la convertibilité monétaire.

Une citation éclairera son propos : « *Tant que l'or circule en personne, nous sommes dans la littérature réaliste. Quand l'or est remplacé par des jetons (à la convertibilité mal assurée) nous entrons dans l'expérience non figurative.* »

L'or circule, et c'est Balzac et Zola ; leur langage participe du même statut que la monnaie bourgeoise : stable, avec un étalon-or incontesté, une convertibilité assurée. C'est aussi Hugo proclamant superbement que « *les poètes sont comme les souverains. Ils doivent battre monnaie. Il faut que leur effigie reste sur les idées qu'ils mettent en circulation* ». Hugo et Balzac, note Goux, sont les princes du langage-or. Avec eux, le dix-neuvième siècle triomphant a pu éprouver la confiance absolue dans l'or bien frappé et sûr de la monnaie linguistique.

### Les deux Gide

La rupture se manifestera notamment avec Mallarmé. S'il parle de « *la mort de Victor Hugo* », c'est qu'il a compris que l'avenir est aux monnaies flottantes et à la dérive des signifiants.

Le romancier qui sera le plus sensible à cette rupture, c'est André Gide. Jean-Joseph Goux, non sans raison, le rapproche de son oncle, le célèbre économiste Charles Gide (1847-1932), qui fut professeur au Collège de France. « *Est-ce un hasard*, se demande Goux, *si les deux Gide, l'oncle et le neveu, l'un dans le langage théorique de l'économie politique et l'autre dans celui de la fiction, sont inquiétés par le même objet monétaire ?* » Evidemment non, comme le prouve une subtile et décisive analyse des *Faux-monnayeurs*. Ce dont Gide prend acte dans ce roman, c'est que le langage littéraire, à l'instar de la monnaie, s'est dégradé jusqu'au jeton sans couverture. « *Et toute conception du roman ou de la poésie*, ajoute Goux, *qui prétendrait encore reposer sur le langage-or, ou sur le langage-représentatif, serait nécessairement une littératue mensongère.* »

Nous tromperions le lecteur en lui laissant croire que *les Monnayeurs du langage* ne nécessitera pas de sa part, outre un certain effort, une grande curiosité à la fois pour la littérature et l'économie politique. Mais ce serait une injustice que de passer sous silence un livre dont l'originalité éclate à chaque page. Ezra Pound disait qu'on ne peut pas être poète sans connaître l'économie politique. Jean-Joseph Goux le prouve.

**ROLAND JACCARD.**

**★ LES MONNAYEURS DU LANGAGE, de Jean-Joseph Goux. Ed. Galilée. 230 pages. 85 F.**

Try to answer the following questions:

- Why is *L'Homme sans qualités* by Robert Musil mentioned?
- What is the relationship between love and money?
  God and money?
- How is 19th Century fiction related to gold?
- How is the emergence of non-figurative art/fiction explained?
- Why, according to Jean-Joseph Goux, is *Les Faux Monnayeurs* by André Gide a turning point in fiction writing?
- How do you understand the parallel between money and literature?

What do *you* think about the following statements?
Find examples proving or disproving these declarations:

- Les relations humaines contemporaines pourraient être formulées dans le langage économique de l'offre et de la demande.
- Tant que l'or circule en personne, nous sommes dans la littérature réaliste.
- La crise du réalisme romanesque – c'est-à-dire le déclin du roman à intrigue et personnages – est liée à la crise de la convertibilité monétaire.
- Les écrivains du 19ème siècle faisaient confiance à l'or et à la monnaie linguistique (le langage).
- Toute conception du roman ou de la poésie qui, à notre époque, prétendrait reposer sur le langage-or, c'est-à-dire le langage représentatif, serait une littérature mensongère.

## • MICHAUX : LA RÉVOLTE INTÉRIEURE.

Read this short article carefully:

# Michaux: la révolte intérieure

Il y a les écrivains qui quittent notre monde sur la pointe des pieds, comme réconciliés sur le tard avec lui; et ceux qui l'abandonnent, le poing sur la table, résolument insoumis, éternellement révoltés. Jean Genet et Henri Michaux sont de ces derniers, étrangement soudés, dans notre mémoire, par leurs textes posthumes dont la prose explosive exprime la violence de leur secrète et tenace rébellion aux lois de la cité, de la morale, du conformisme. On a lu en frissonnant, l'an passé, *Un captif amoureux* où le séditieux Genet prend la plume pour raconter le combat palestinien, rappeler celui des Black Panthers et explorer, de l'intérieur, avec une prémonition aujourd'hui si douloureuse, la logique terroriste. On peut lire maintenant les *Affrontements* de Michaux. L'auteur de *Un barbare en Asie* y indique cette voie d'insubordination et d'horripilation qui, par le biais des *«attentats»* (sic), fait exploser *«la quiétude, l'atmosphère paisible et bourgeoise, la vieille interdiction de bouger»*. Violence contre les logis familiaux et carcéraux, contre les maisons dont l'ordonnance brime les enfants, contre les villes closes, contre *«la vie non chaleureuse, la vie plate dont on ne sort pas»*, contre *«la musique comprimée en ces maisons pauvres et soumises et toutes pareilles, sans aucune audace»*, contre *«les fenêtres à se jeter par la fenêtre»*...

Dans ce livre de Michaux, les souches des arbres se révoltent, la terre tremble, le saxophone s'enflamme, les bahuts se rebellent, les meubles volent en éclats: c'est, généralisée, belliqueuse, inexplicable, *«l'entrée en dissonance, en royale dissonance»*. L'esprit du mal rôde, les démons officient, la peur gagne. Ce recueil de Michaux, constitué en grande partie de textes parus chez Fata Morgana mais aussi de quelques inédits, est d'une vraie dureté, d'une extrême brutalité, comme si le grand écrivain factieux avait souhaité établir dans ce livre-testament le fondement de son insurrection naturelle, au terme d'une vie marquée par la résistance, la solitude, l'hibernation, l'anorexie, les voyages «contre», le désespoir, la drogue, la clandestinité. Seule, au centre lumineux du recueil, la calligraphie chinoise appelle l'équilibre, la sagesse, la beauté, voire la rédemption. *«Calligraphie auprès de laquelle on se tient comme auprès d'un arbre, d'une roche, d'une source»*: en y rêvant, peut-être, d'un sommeil éternellement pacifié.

Affrontements, *de Henri Michaux, Gallimard, 282 p., 120 F.*

Select words and expressions in the text which convey the 'idea' of 'la révolte'.

## • L'IDÉE DE BEAU.

You may be interested in this short book review:

**■■■L'Idée de beau**
*de Jean Lacoste*

Publié dans la nouvelle collection philosophique dirigée par R. Maggiori et Ch. Descamps (déjà parus : *Descartes* par P. Guenancia ; *Locke*, par Y. Michaud) *l'Idée de beau*, reprend et prolonge *la Philosophie de l'art* (PUF, 1981). Ce bref essai tente avec succès de réconcilier histoire et philosophie de l'art en abordant sans détour la question centrale de l'esthétique contemporaine : comment, entre la fascination du nouveau qu'exercent les avant-gardes et le culte du passé dont témoigne la prolifération des musées, penser « une expérience moderne de la beauté » ? En d'autres termes : comment situer l'idée de beau dans la dimension du présent et non seulement dans celles de l'avenir ou du passé ?

Après une analyse admirable de l'opposition classicisme/romantisme, Lacoste cherche une réponse dans une phénoménologie de l'attitude esthétique. A lire ! L.F.

*Bordas, 189 p., 49 F.*

– How would you define 'le beau'?
  Try to find five definitions (either yours or borrowed from 'well-known' authors...) and compare your list with someone else's.

– Is 'l'esthétique contemporaine' a question of major importance as far as you are concerned?
  If so, why?
  If not, why?
  (give at least three reasons)

..........................................................

..........................................................

..........................................................

We hope that by now, you'll be more aware of what is important in the initial stage of essay writing, and which particular skills need to be developed.

You would therefore be well advised to test your vocabulary resources in areas which you and your fellow students can identify as being broadly representative of today's issues.

We also hope you will have discovered that one of the best ways of identifying issues and finding arguments for or against a particular question, is to discuss both your priorities and your points of view with someone else who may not share them, and to whom you will then have to justify your own position. Of course this applies to any intellectual exercise and is not limited to foreign language learning. But the challenge here is twofold:

1) *to react to issues* which happen to be raised in French society today.
2) to react to these issues *in French.*

The following chapters will build on the skills you have practised in this chapter and will hopefully help you to write a full essay in French.

Furthermore, we would recommend that while you're working with this book you read the French press regularly (see Chapter 12) and listen frequently to French-speaking radio programmes, especially those which contain debate and discussion.

## Chapter 3

# Quand on y pense...

On first reading, essay titles often look difficult and abstract, impossibly removed from our way of expressing thoughts and ideas in daily life.

Under examination conditions, when you are confronted with a particular issue:

i.e. – capital punishment
– freedom of the press
– the national interest
– fashion
etc.

The artificiality of it all just seems to be too much!

But when you come to think of it, in informal conversations at home or with a group of friends, we all tend to say things which could go like this:

* Cars should be banned from town centres.
* People don't think these days, look, they all dress alike.
* Alcoholism is awful, isn't it? The sale of spirits should be strictly controlled.
* Newspapers are boring, they all say the same thing.
* One should leave one's family at the age of 18.
* We don't really know what is happening in the nuclear industry, do we?
* Why should Britain stay in the Common Market?
* This crime is so appalling that one is forced to bring up the issue of capital punishment.
* These days it's really impossible to have anything repaired around the house.
* Television series are all American; if they aren't (American) they copy the American model.
* Have you read any good books recently? I haven't ... Books bore me anyway.

## • LA SITUATION DE COMMUNICATION.

In order to understand opinions, statements or questions, it's a good idea to imagine the context in which they could have been raised (who said what to whom and when?).

Do the following statements sound as if they are public or private; in other words, were they made:

(1) publicly (by politicians, broadcasters, journalists, public figures etc.)?

(2) privately (at home, amongst friends etc.)?

(3) both publicly and privately?

Please tick the appropriate box:

**Table 1**

| | Public | Private | Both |
|---|---|---|---|
| 1. Unemployment is a tragedy. | | | |
| 2. Football is not what it used to be: it's too violent! | | | |
| 3. Market forces rule our lives. | | | |
| 4. The sciences are much more important than the arts. | | | |
| 5. Everybody is racist. | | | |
| 6. All newspapers are biased. | | | |
| 7. Most people do not care about their neighbours, they only think of money! | | | |
| 8. Yes, it is important to learn foreign languages. | | | |

It may not be very easy to distinguish between public and private statements, since expressing an opinion (whether it be 'true', 'authentic', 'sincere' or 'genuine' or not), is part of 'usual' exchanges between human beings. What differs is the manner in which they are expressed (the choice of vocabulary, the tone, the register ... whether the statement is personalised or not, whether it occurs in the course of a heated argument or as one of the many 'clichés' we produce...).

In order to be more aware of the way you say things (i.e: how you use language differently in certain situations, such as writing a personal letter, or an essay, a publicity leaflet etc. talking to a friend, your parents, a teacher, somebody you have just met in a club ...):

(1) tick the appropriate box in the chart.

(2) ask a friend to do the same exercise.

(3) compare and discuss the results.

**Table 2**

| STATEMENTS | YOU | | | YOUR FRIEND | | |
|---|---|---|---|---|---|---|
| | Formal | Informal | Both | Formal | Informal | Both |
| 1. Everybody should learn and know how to use a computer these days. | | | | | | |
| 2. It is much more pleasant to live in a small town than in a big city. | | | | | | |
| 3. Smoking should be banned from all public places. | | | | | | |
| 4. Society is more divided than ever. | | | | | | |
| 5. There isn't enough money spent on public services. | | | | | | |
| 6. People don't want to work these days. | | | | | | |
| 7. Shops should be open on Sundays. | | | | | | |
| 8. Nobody reads books nowadays. | | | | | | |
| 9. I hate watching the news. | | | | | | |
| 10. Love is what matters in life. | | | | | | |

Although most essay titles look formal and remote, when you think about the ideas expressed and the questions raised, it's not usually so difficult to attribute the utterance (which has become an essay title) to *a real speaker* and to imagine the context in which it was produced.

How would you say the following in English?

**Table 3**

| FRENCH | ENGLISH |
|---|---|
| 1. Tout le monde est raciste. | |
| 2. Le football n'est plus ce qu'il était: il est devenu trop violent! | |
| 3. A notre époque les gens ne veulent plus travailler. | |
| 4. L'amour est ce qu'il y a de plus important dans la vie. | |
| 5. La société est plus divisée que jamais. | |
| 6. Les magasins devraient être ouverts le dimanche. | |
| 7. On devrait interdire de fumer dans tous les lieux publics. | |
| 8. Les sciences ont beaucoup plus d'importance que les arts. | |
| 9. De nos jours, on ne lit plus de livres. | |
| 10. La plupart des gens ne pensent qu'à l'argent: ils ne s'occupent plus de leurs voisins! | |

How would you say the following in *French?*

**Table 4**

| ENGLISH | FRENCH |
|---|---|
| 1. Politics is a game. | |
| 2. Love is a myth. | |
| 3. The media are American. | |
| 4. Is happiness possible? | |
| 5. Art is reserved for an elite. | |
| 6. How would you describe democracy? | |
| 7. Good novels are extremely rare. | |
| 8. People are no longer interested in poetry. | |
| 9. The history of Europe is still to be written. | |
| 10. Everybody's dream is to become rich. | |
| 11. Terrorism is a problem of modern times. | |
| 12. Trade-unions have lost their credibility. | |
| 13. Education should be the same for all! | |
| 14. What is popular culture? | |
| 15. What are the negative aspects of tourism? | |

There is a suggested translation in Appendix 1.

Now that you've started to play with words and ideas in French and in English, let's go a step further. So as to encourage you to:

1) express and develop your reactions.
2) understand how two French students reacted to a particular question/essay title.

3) express yourself in French.

We are going to use a statement which was originally heard on the French radio:

- **'LA MUSIQUE CONTEMPORAINE EST UN INSTRUMENT DE CRÉTINISATION'.**

1. What are your first reactions to this statement?
   Write them down in note form.

2. Now read Erwan's and Emmanuel's reactions to the same question.
   They are both 18 year old French students.

* Le sujet ressemble beaucoup, dans sa forme en tout cas, à un sujet de philosophie.

* Qu'entend-on vraiment par *musique contemporaine* ?

  Funky music

  New wave

  Hard rock

  Tous les nouveaux groupes et orchestres expérimentaux qui recherchent de nouveaux sons en tapant sur des bouteilles, en agitant des feuilles de métal etc.

  La chanson contemporaine (paroles et musique)

  Les groupes de jazz ou les orchestres de musique classique qui existent à l'heure actuelle.

  En bref, de quoi parle-t-on? De quoi, de quel genre de musique s'agit-il?

* Qu'entend-on par 'instrument'?

  Le mot 'instrument' laisse penser que des gens auraient avantage – et le feraient volontairement – à rendre la population et en particulier les auditeurs plus crétins, plus bêtes qu'ils ne le sont.

* Quant au terme 'crétinisation', il désigne un abrutissement total qui se caractérise par des actes ne faisant preuve d'aucune réflexion. C'est un terme péjoratif, très fort!

*Effectivement,* recevoir des décibels dans les oreilles pendant des heures ne peut pas être considéré comme une activité très saine, un loisir très formateur, ou même une détente.

*Mais* en contre-partie, le seul fait de comprendre quelques mots, voire parfois des chansons entières quand les paroles sont étrangères (et surtout anglo-saxonnes) n'est pas une action stérile. Ça n'est peut-être pas inutile non plus de vivre, de temps en temps, des rythmes violents, à la limite du supportable, pour exorciser la barbarie qu'il y a en chacun de nous ...

*Ceci étant,* il faut se demander qui est victime de cette crétinisation? Toutes les classes d'âge (les jeunes, les adultes, les personnes âgées) sont-elles concernées par ce phénomène? Les goûts musicaux des jeunes et des moins jeunes diffèrent ... Il suffit de penser aux conflits qu'il y a dans presque toutes les familles à propos des choix musicaux des parents et des enfants!

* Dire que la musique contemporaine est un instrument de crétinisation et non que *la musique* en général est un instrument de crétinisation, implique qu'un jour (autrefois), la musique a eu une autre vocation. Laquelle?

  – celle de rendre les gens plus 'réfléchis', plus 'civilisés'? Sans doute! La musique adoucit les moeurs dit-on! Mais sur les champs de bataille, les musiciens n'ont jamais réussi à convaincre les combattants de s'arrêter! L'ennemi n'a jamais déposé les armes pour faire de la musique!

  – celle de rendre la vie plus douce, plus agréable, plus romantique? Sûrement! N'est-il pas agréable lors d'un dîner en 'tête-à-tête' d'entendre flotter dans l'air une douce mélodie?

– celle de distraire? de détendre? Ceci paraît indéniable; il reste à savoir si se distraire ce n'est pas se crétiniser? Mais ceci est une autre question!
Pour le moment, reconnaissons que la musique de jadis, comme la musique contemporaine, avait comme principale fonction de distraire.

Une fois que l'on a admis ce parallèle entre les musiques d'avant et celles de maintenant, il faut quand même s'interroger sur ce qu'on entend par 'distraction'; il y a toujours eu des formes de distraction nobles, calmantes et d'autres plus primitives, plus violentes ou plus idiotes!

Il est certain que si l'on étudie les paroles des chansons contemporaines cela ne va pas très loin; il faudrait d'ailleurs comparer les chansons anglophones qui 'marchent' en France et celles qui marchent en Angleterre ou aux U.S.A.; ce ne sont en général pas du tout les mêmes ...

* Mais pour conclure, disons que la musique n'est pas plus un instrument de crétinisation que les jeux télévisés ou même radiodiffusés avec pour vedettes animatrices des Guy Lux ou des Patrick Sabatier.

3. Now write down *in French* ten statements on this topic: (either your own statements, or ideas expressed by Erwan and Emmanuel that you agree with).

i.e: – Which ideas are the same?

– Do you have different opinions?
If so, why?

– Deliberately take opposite sides to the argument (as in a Court of Law), one of you defending contemporary music and the other attacking it.

– Play the devil's advocate, whereby one of you systematically refutes what the other says.

Do you agree or disagree with the following statements? Why?

**Table 5**

| | Agree | Disagree | Give two reasons justifying your answer |
|---|---|---|---|
| 1. La télévision met la littérature en péril. | | | |
| 2. La poésie ne peut être traduite. | | | |
| 3. Dans le monde moderne, il faut être agressif et compétitif. | | | |
| 4. Il n'y a rien de plus désespérant que la bêtise. | | | |
| 5. Savoir vendre est un art. | | | |
| 6. Tout le monde devrait apprendre au moins une langue étrangère à l'école primaire. | | | |
| 7. On ne peut comprendre ce qui se passe à l'heure actuelle si on n'a aucune notion d'histoire. | | | |
| 8. Pour emporter un marché, faire une affaire, il faut savoir parler la langue de son interlocuteur. | | | |
| 9. Le tabac est moins dangereux que les voitures ou les déchets nucléaires! | | | |
| 10. Il faut avoir de l'ordre mais quand on en a trop, c'est mauvais signe! | | | |

Compare and discuss your answers with someone else.

Let's now move to some other topics on which you will express and develop your reactions.

## • FAUT-IL SUPPRIMER L'HÉRITAGE?

– Give an order of priority to the following questions as indicated in column II.

– Then draw up your own questionnaire (by selecting at least five questions) and submit it to people around you.

**Table 6**

| | **Give an order of priority to these questions by renumbering them** |
|---|---|
| 1. Faut-il supprimer l'héritage? | |
| 2. Est-ce que les inégalités financières et les inégalités culturelles vont de pair? | |
| 3. La véritable égalité des chances suppose-t-elle la suppression de l'héritage? | |
| 4. L'héritage diminue-t-il l'esprit d'entreprise des héritiers? | |
| 5. Pour limiter les inégalités, ne faut-il pas mettre fin à l'héritage des grandes fortunes transmises de génération en génération? | |
| 6. Peut-on imaginer un gouvernement prêt à supprimer l'héritage? | |
| 7. N'est-ce pas l'État qui, par l'impôt, bénéficie de l'héritage? | |
| 8. Est-ce que vous aimeriez laisser quelque chose à vos enfants? Oui/Non? Pourquoi? | |
| 9. L'héritage est-il à votre avis: <br>– un droit? <br>– un principe? <br>– une loterie? <br>– un scandale? | |
| 10. Sans l'espoir de transmettre leurs biens à leurs enfants, les gens ne risquent-ils pas de devenir paresseux? | |

(1) Compare the reactions/opinions of the group you have interviewed.

(2) Is there a consensus in the group?

(3) Were conflicting ideas expressed?

(4) Write a brief report or a short article, based on the group's answers and reactions

– Here are some extracts of several articles on the subject.

– Compare these statements with your findings:

L'héritage appartient en quelque sorte au domaine du sacré, et la véritable égalité des chances n'est probablement pas de ce monde. Tant mieux pour eux, tant mieux, peut être, pour nous.

Remettre les compteurs à zéro, à la fin de chaque génération...Pour radical qu'il soit, ce moyen d'en finir avec l'injustice est évoqué par le candidat à la présidence Michel Rocard dans le domaine de la culture. Sa proposition: permettre à chacun de disposer d'un capital-études identique à la naissance. L'universitaire l'aurait épuisé à 25 ans, le titulaire d'un CAP garderait, en revanche, le droit à plusieurs années de formation permanente au cours de sa vie active. Le raisonnement pourrait également s'imposer sur le plan économique. Aujourd'hui, 1 % des successions (soit 2 400 testaments) transmettent 14 % du patrimoine national. Pour supprimer la concentration au sommet, il suffirait de répartir égalitairement la masse des patrimoines transmis chaque année entre tous les Français nés au cours de l'année: environ 130 000 F par bébé pour les seules successions...

Le rêve égalitaire est un rêve absurde. On ne pourra jamais supprimer toutes les injustices. Il restera toujours le milieu génétique et naturel, la santé... Mais il faut essayer de limiter les inégalités, en mettant fin à l'héritage sur les grandes fortunes transmises de génération en génération. Non seulement il est immoral que certaines personnes aient les pieds dorés, mais c'est aussi économiquement mauvais: cela diminue l'esprit d'entreprise des héritiers.

L'héritage n'est plus ce qu'il était... Parmi les plus grosses fortunes de France, on dénombre aujourd'hui plus de self-made men que d'héritiers.

— Je léguerai la plupart des mes biens à des organismes travaillant en faveur de l'enfance.

En matraquant l'héritage des super riches, en particulier des ces 1 000 Français environ dont le patrimoine dépasse 50 millions de francs, la France, dont le taux maximal sur les successions en ligne directe ne dépasse pas 40%, ne ferait pourtant que suivre la voie tracée par des pays peu suspects de céder aux charmes du collectivisme: les Etats-Unis (taux maximum 55%), le Royaume-Uni (taux maximum 60%), la Suède (taux maximal: 70%) le Japon, qui détient le ruban bleu de l'impôts sur la mort (taux maximal: 75%).

Au-delà de 5 millions de francs, affirme le dernier rapport du Conseil des impôts, la pression fiscale sur un héritage transmis à deux enfants est très supérieure dans ces pays à celle supportée par les "fils à papa" de l'Hexagone. En contrepartie, les petits héritiers y sont plus favorisés: le seuil en deçà duquel les Japonais sont totalement exonérés de l'impôt sur les successions atteint même 912 000 F!

Un argument de poids vient d'ailleurs renforcer aujourd'hui la thèse des partisans d'une aggravation de la fiscalité sur les successions très importantes: ... Argument supplémentaire en faveur de la suppression de l'héritage: malgré son caractère "révolutionnaire", elle comble, en théorie, le rêve libéral de promotion au seul mérite; et institue enfin la véritable égalité des chances qui sous-tend, depuis ses origines, la doctrine socialiste. Et puis, ne peut-on pas imaginer qu'un pays dont tous les citoyens seraient totalement libres et responsables de leur destin ferait à coup sûr preuve d'un dynamisme époustouflant...? Envolée la société bloquée!

*Est-ce parce qu'il associe la famille, l'argent et la mort? Pas un seul pays ne remet en question le principe de la transmission du patrimoine. Plébiscité mais injuste, l'héritage doit-il disparaître?*

## • LA MODE EST TYRANNIQUE.

Which two of the following statements on fashion are the closest to your own opinions on the matter?

1. Les vêtements sont d'abord et avant tout une expression de la personnalité de chacun.
2. La mode est un langage, il nous faut premièrement en apprendre les bases; ensuite, c'est à chacun de créer son style.
3. Notre choix de vêtements nous dévoile aux autres.
4. Qui dit 'non' à la mode, dit 'non' à d'autres formes de tyrannie.
5. La mode émousse nos facultés critiques.
6. Pourquoi suit-on la mode?
7. Peut-on suivre la mode sans être riche?

8. Qui est-ce qui fait la mode?
9. La mode n'a-t-elle pas tendance à étouffer notre personnalité?
10. La mode n'est-elle pas un facteur d'inégalité sociale?
11. Dans quelle mesure sommes-nous sensibles à la mode?
12. Lorsque nous pensons à la mode, ne pensons-nous pas surtout à la mode vestimentaire?
13. Est-il possible de respecter quelqu'un qui s'habille mal et se coiffe mal?
14. Pourquoi est-ce qu'autant de gens portent des vêtements qui ne leur vont pas?
15. Les vedettes font la mode et nous les imitons bêtement.
16. La mode tyrannise surtout les jeunes.
17. On peut deviner l'âge des gens suivant leurs habits, leur coiffure, les accessoires et les objets qu'ils ont.
18. La mode est toujours excessive et extravagante.
19. La mode n'est-elle pas le plus sûr moyen de garder une économie florissante?
20. Seuls les extrovertis suivent la mode.
21. La mode est un jeu qui rend la vie plus gaie et plus intéressante.
22. Pourquoi est-ce que la chirurgie esthétique a-t-elle tant de succès?
23. La mode est normative : elle exclut les obèses par exemple.
24. Les vieillards n'ont pas besoin d'être à la mode.
25. Un très grand nombre de féministes refusent de mettre des vêtements et des bijoux qu'elles associent à l'exploitation des femmes. Mais qu'est-ce qu'elles veulent prouver - et à qui - , en optant pour la laideur ou le laisser-aller?
26. Chaque fois que l'on change de coiffure, on déclenche une série de remarques et de commentaires. Pourquoi?
27. Beaucoup de gens qui s'intéressent à l'art et en particulier aux arts visuels méprisent la mode vestimentaire et s'habillent n'importe comment.
28. Quoi qu'on en dise, les hommes s'intéressent plus à la mode que les femmes.

29. Pourquoi est-ce que la plupart des dessinateurs de mode sont aujourd'hui des hommes?
30. La mode est frivole, elle nous détourne des vraies valeurs.
31. Les goûts changent; la mode ne fait qu'exprimer ces changements dans le domaine de la consommation mais aussi dans le domaine de la culture et des idées.
32. Il y a aussi des modes alimentaires (mangez plus sain, plus naturel par exemple); la mode est donc un phénomène historique et social.
33. La mode joue à révéler ou à cacher le corps (exemples: les mini-jupes ou les épaulettes!).
34. Il y a des modes pour les riches et des modes pour les pauvres.

(1) Compare your choice with somebody else's.

(2) If your choice is different, can you find two other opinions that you both find acceptable?

## • LE SPORT EST NÉCESSAIRE; IL CANALISE LA VIOLENCE.

(1) Is sport necessary?

(2) Can any physical activity become or be called a sport?

(3) Is there a relationship between sport and violence?

(4) The media devote too much time to sport and show too much violence on the screen, don't you think?

(5) Are all sports violent?

Do any of the following statements answer or illustrate one of the five questions above?

* L'équilibre mental est-il lié à la pratique sportive? Autrement dit *'mens sana in corpore sano'*?

* Le sport est un régulateur de la violence dans le sens où il permet de donner libre cours à des pulsions ordinairement réprimées.

* La compétition sportive n'a-t-elle pas remplacé l'objectif premier du sport à savoir un développement sain du corps?

* Pourquoi la violence a-t-elle de nos jours envahi les stades? Pourquoi la violence sportive semble-t-elle inéluctablement liée aux matchs de football?

* Le jeu est humain; il faut permettre aux gens de s'affronter et à certains de gagner.

* Certains sports comme la boxe semblent célébrer le culte de la force à l'état pur; ne faudrait-il pas les interdire?

* 'Les sportifs du dimanche' sont-ils les plus violents parce qu'ils ne se défoulent pas physiquement?

* Le sport est devenu un spectacle; les gens ne font plus de sport, ils se mettent devant leur écran de télévision et regardent les autres jouer.

* Les médias n'attachent-ils pas trop d'importance aux sports?

## ● LES FEMMES SONT ENFIN DES INDIVIDUS À PART ENTIÈRE.

(1) What is an individual?
(2) Do women and men have the same rights?
(3) Do women earn as much as their male colleagues?
(4) Are there more men than women in top professions?
(5) Should women stay at home to look after their children?
(6) Do boys and girls choose to study the same subjects at school?
(7)
(8)
(9)
(10)

Add four more questions to the above list, concerning women in society, their role and their rights, by selecting (or adapting) some of the following statements.

* Que devons-nous comprendre par 'individus à part entière'?

* Les femmes sont-elles informées objectivement et suffisamment pour assumer leurs droits de citoyennes?

* Tant que la nature exige des femmes qu'elles portent leurs enfants, peuvent-elles vraiment être des individus à part entière?

* Dans le passé, la Femme, à part quelques exceptions, ne s'est guère distinguée sur les plans artistique, intellectuel, politique et économique; va-t-elle 'à l'avenir' jouer un rôle digne d'admiration?

* Avec une formation et un diplôme égaux à l'homme la femme n'est-elle pas souvent rejetée?

* Les employeurs ne continuent-ils pas à embaucher des hommes plutôt que des femmes?

* La femme ne doit-elle pas encore lutter pour que l'homme partage les travaux domestiques et assume sa responsabilité envers les enfants?

* La femme doit-elle accepter d'être traitée comme un objet?

* La femme doit lutter pour son indépendance économique et financière.

* La femme ne prend conscience de son individualité que quand il est trop tard pour en jouir pleinement.

* La femme n'échappera jamais à la domination masculine à cause de ses instincts maternels.

* Comment une femme peut-elle échapper aux rôles qui sont traditionnellement les siens (fille, mère, amante ...)?

* La femme ne trouve pas 'l'individualité' dans le monde du travail mais seulement un double esclavage.

* C'est seulement en cherchant la solidarité avec les hommes que la femme trouvera son individualité, son équilibre et sa dignité.

* Les femmes ont-elles accès aux mêmes emplois que les hommes?

* Pourquoi est-ce qu'une femme change son nom lorsqu'elle se marie?

* La fiscalité est-elle identique pour une femme et pour un homme?

* La contraception est-elle la seule responsabilité des femmes?

* Les femmes n'ont-elles pas envie d'être entretenues?

* Une femme pourrait-elle accepter que son mari reste à la maison pour faire le ménage et s'occuper des enfants?

* La différence sexuelle existe mais tous les citoyens devraient être égaux devant la loi.

* Tant que les femmes risqueront d'être violées, elles resteront potentiellement des victimes.

* Faut-il que les femmes apprennent à se défendre physiquement?

* Les femmes seules représentent un danger ... pour les autres femmes!

* Pourquoi la relation mère-fille est-elle si difficile?

## • NOTRE ÉPOQUE EST MOROSE.

(1) Is there reason to feel depressed about the world we live in?

(2) If the answer is 'no', how can you explain that some people feel this way?

(3) If the answer is 'yes', explain why ...

(4) What do we mean by 'notre époque'?
What is typical of it, socially, politically etc.?

(5) Is society today more depressing than it used to be?
If yes, when did this change occur?
Why?

Here are some thoughts on the matter ... Read them carefully.

* Pourquoi dire que notre époque est morose alors que nous traversons une ère de développement technologique où le travail de l'homme est allégé?

* La culture n'est-elle pas de nos jours accessible à un plus grand public?
Ne devrait-elle pas apporter un certain bonheur à l'être humain?

* Au cours des siècles précédents, n'y a-t-il pas eu des fléaux tout aussi graves que ceux qui nous menacent aujourd'hui?

* C'est aux hommes d'arrêter la folie nucléaire et donc de faire en sorte que notre époque soit moins morose.

* Si notre époque est morose, ne faut-il pas que l'homme use de sa sagesse et qu'il travaille à améliorer le bien-être de chacun?

* L'homme ne doit-il pas s'évertuer à développer tout ce qui est positif dans sa nature?

* Le temps de travail diminue, les loisirs augmentent. Pourquoi l'époque serait-elle morose?

* Ne devons-nous pas chasser de notre pensée cette idée que notre époque est morose? Ce n'est pas en se lamentant que l'homme améliorera son sort!

* Regardez les gens dans la rue : ils ont rarement le sourire aux lèvres, ils sont toujours pressés, anxieux et silencieux. Pourquoi?

* Les gens gagnent dans l'ensemble plus d'argent qu'autrefois, ils n'en semblent pas plus heureux pour autant, pourquoi?

* Pourquoi tant de jeunes s'habillent-ils en noir? On dirait qu'ils sont en deuil, pourquoi?

* Dans le passé, beaucoup de gens travaillaient très dur et gagnaient peu d'argent, mais ils se rendaient service entre voisins. Ce n'est plus vrai aujourd'hui.

* La vie d'aujourd'hui est trop bruyante, trop agitée, trop compétitive. Les gens sont fatigués!

* La morosité des gens n'est-elle par dûe aux abus de toutes sortes (boisson, tabac, alimentation, musique violente etc.)?

* Relisons Rabelais et retrouvons l'importance du rire pour la santé.

* Tout le monde a peur de son voisin, voilà pourquoi notre époque est morose.

* De nos jours, les fêtes populaires ont tendance à dégénérer en bagarres; elles nécessitent presque toujours la présence de la police. Pourquoi est-ce que les gens ne peuvent pas s'amuser calmement?

* La vie quotidienne est pénible pour la plupart des gens qui n'ont pas assez d'argent pour vivre; ce n'est pas l'époque qui est morose, ce sont leurs conditions de vie qui sont dures!

* Dans les grandes villes, les gens ne se connaissent pas et sont à peine polis les uns envers les autres! À la campagne au moins, on se dit bonjour!

* La planète est menacée d'extinction, comment ne pas être morose!

* La jeunesse n'a plus d'espoir; son avenir est assombri par le chômage et le SIDA (sans compter le péril nucléaire)!

* La drogue ne cesse de faire des ravages.

* Les journaux nous apportent toutes les mauvaises nouvelles du monde et ne servent qu'à nous déprimer!

* Partout dans le monde on se bat! La paix est impossible.

* Inquiets, les jeunes gens ont souvent recours à la violence.

* Les années 80 marquent la fin d'une relative stabilité sociale.

* Comment peut-on accepter que tant de gens meurent encore de faim à notre époque?

* Les pouvoirs de la police deviennent de plus en plus grands.

* Nous vivons tous dans un enfer dont la seule porte de sortie est la mort.

* Le monde ne pense plus qu'à acheter, consommer, se battre et paraître ... Oui, l'époque est bien morose!

## ● LE TOURISME EST UN DES MAUX DE NOTRE ÉPOQUE.

* Le tourisme est-il un fléau né avec l'ère des transports rapides?

* Le tourisme se borne-t-il à mettre en valeur des sites pittoresques? Ex: Lourdes, le Mont St. Michel...

* Les voyages organisés ont-ils tué le vrai tourisme?

* Le tourisme est un secteur important dans les économies modernes; il emploie beaucoup de main d'oeuvre.

* Pourquoi incrimine-t-on toujours les touristes? Ne sont-ils pas ceux qui dépensent sans compter? La seule activité économique florissante de nos jours n'est-elle pas celle du tourisme?

* Le tourisme ne possède-t-il pas un côté malsain? N'a-t-il pas dans une certaine mesure remplacé le fléau du colonialisme?

* Pourquoi cette agitation dans les médias quand le tourisme est affecté par les crises politiques, les conflits de tous ordres et la baisse du dollar?

* Les hôtels, les restaurants, les fabricants de souvenirs, les guides, les vendeurs de toutes sortes de marchandises, vivent du tourisme. Veut-on augmenter le nombre de chômeurs?

* Le tourisme est un des moyens par lesquels les gens apprennent à connaître des races et des coutumes différentes des leurs.

* Il est vrai que certains touristes sont des trafiquants de drogue; on devrait prendre des mesures plus sévères contre les faux touristes!

* La conduite de la plupart des touristes est courtoise. Alors, qui se plaint de quoi?

* Est-ce que la France et l'Angleterre pourraient survivre économiquement sans les touristes?

* Parmi les touristes, il y a aussi des voyous mais ceci est inévitable.

* Les touristes anglais (les voyous du football mis à part), sont les bienvenus en France et dans tous les autres pays, non?

* Peut-on faire la connaissance d'un peuple lors d'un bref séjour dans son pays?

* Les touristes sont de grands pollueurs.

* Va-t-on à l'étranger pour s'instruire ou pour s'amuser?

* L'industrie touristique cherche avant tout la rentabilité au mépris de la protection de l'environnement.

* En groupe, le touriste a souvent l'air idiot.

* Les voyages organisés laissent peu de place à l'initiative

* Est-ce qu'il existe des endroits que le tourisme a gâchés?

* Le tourisme est une activité saisonnière; hors-saison certaines villes sont mortes, les plages sont désertes, les gens sans emploi.

* Pourquoi y a-t-il tant de touristes aujourd'hui?

* Rares sont les touristes qui ne se déplacent pas avec leurs habitudes, leurs préjugés.

* Certains monuments sont cachés par la foule en période touristique.

* Le tourisme est devenu accessible à beaucoup de gens aujourd'hui et certains le regrettent.

* Le tourisme individuel n'a pas perdu de ses charmes.
* Les terrains de camping défigurent la campagne.
* Tout le monde fait la même chose au même moment!
  Tout le monde visite les mêmes endroits!
  Notre civilisation a perdu toute originalité.

In the way of a revision exercise for this chapter, match a solution (in the right hand column) to the list of problems listed on the left, by writing the respective number beside the answer which you consider to be most appropriate.

Compare your solution with someone else's.

**Table 7**

| Problems | Solutions |
|---|---|
| 1. Dans les grandes villes, les gens âgés sont trop souvent isolés. | a. Il faut créer des centres de prévention de la criminalité plus adaptés au monde moderne. |
| 2. Les jeunes filles s'intéressent trop à leur image et pas assez aux problèmes économiques et sociaux. | b. Il faut limiter l'affichage à certaines rues, certains quartiers. |
| 3. Les prisons sont vétustes et surchargées. | c. Il faut créer des haltes-garderies et des écoles maternelles. |
| 4. La publicité enlaidit notre paysage urbain. | d. Personne n'a le droit de tuer son prochain: l'Église l'a dit et le répète; c'est maintenant à l'État de le faire comprendre. |
| 5. Certains veulent à tout prix réinstaurer la peine de mort. | e. La justice doit se moderniser et être plus proche des gens. |
| 6. La culture reste le privilège de quelques-uns. | f. Tous les pays du monde doivent collaborer pour mettre fin au terrorisme. |
| 7. Les mères de jeunes enfants se sentent souvent coupées du reste de la société. | g. Il faut multiplier les bibliothèques et diminuer le prix des livres. |
| 8. Les gens lisent de moins en moins. | h. Il faut tout mettre en oeuvre pour réduire les inégalités sociales. |
| 9. Beaucoup de citoyens hésitent à faire appel à la justice. | i. Créons des centres d'accueil pour les enfants et les personnes âgées. |
| 10. Le terrorisme international menace tout le monde. | j. Le monde de la politique doit s'ouvrir aux femmes. |
| | k. On devrait créer des comités de quartier pour que les gens s'entr'aident. |
| | l. Il faut encourager les filles à choisir les mêmes matières que les garçons à l'école. |

This chapter has explored various ways of seeing and saying things, describing or assessing a situation and analysing a problem.

This is the first step in essay writing: an awareness of the many viewpoints and reactions that various people may have on a topic.

## Chapter 4

# Au fond, qu'est-ce que j'en pense?

Certain issues are more widely discussed by people than others. These become topical for a certain period, such as unemployment for instance which has been at the forefront of the social scene for some time. Without being a specialist in politics or sociology, you can't help but be aware of recurrent issues which are continually mentioned.

Opinion polls are an artificial way of canvassing opinion, but they at least provide a way of finding out how people view a problem and what they consider to be of primary importance. For example, a questionnaire may ask you whether you consider AIDS as being more (or less) important than poverty.

The various topics presented in this chapter have been drawn from surveys either published in the press or conducted by ourselves.

Our aim here is to invite you to express *your opinion* on the selected issues.

Give your rating of the issues listed, numbering them from 1 to 10, according to the degree of seriousness that you attach to them:

**Table 8**

| **List of recurrent issues** | **Your rating (give each issue a number: 1 – 10)** | **Justify your own selected order of importance** |
|---|---|---|
| A. Les inégalités sociales (y compris le racisme et la pauvreté). | | |
| B. Le chômage. | | |
| C. La drogue. | | |
| D. La violence urbaine. | | |
| E. Le nucléaire. | | |
| F. L'insuffisance des crédits consacrés à l'éducation et à la formation. | | |
| G. Le terrorisme international. | | |
| H. La famine dans le monde. | | |
| I. La pollution. | | |
| J. Le SIDA. | | |

Compare your choice with someone else's.

Here are some ideas expressed by our sample students at British Universities on the same issues.

**A. Les inégalités sociales.**

Do you agree with them?

| Statement | yes | no |
|---|---|---|
| * La *nature* est responsable des inégalités sociales: l'inégalité physique et intellectuelle est héritée des parents. | | |
| * Le problème des inégalités sociales est le plus important parce qu'il touche plusieurs secteurs de la population. | | |
| * Parce que les lois permettent que les terres et les biens passent de père en fils, les riches restent riches, alors que les pauvres restent pauvres. | | |
| * Toute société favorise certains citoyens et en néglige d'autres; quel que soit le régime, capitaliste ou communiste, il y aura toujours des riches et des pauvres. | | |
| * La soif du pouvoir et l'égoïsme poussent l'être humain à dominer celui qui est moins fort que lui. | | |
| * L'inégalité est biologique, génétique; la société n'y peut rien! | | |
| * Dans certains pays d'Afrique, par exemple, la famine montre jusqu'où peut aller l'égoïsme des pays riches. | | |
| * Au lieu d'utiliser les aides et les subventions qu'ils reçoivent pour l'amélioration du niveau de vie de leurs concitoyens, les gouvernements des pays du tiers monde préfèrent s'enrichir et vivre dans le luxe. | | |
| * Seuls les sages, qui sont arrivés à un certain stade de détachement, ne cherchent plus à s'enrichir. | | |
| * Les motivations qui nous poussent à acquérir plus de savoir, et même plus de pouvoir, sont nobles; elles deviennent dangereuses et néfastes quand elles ne tiennent pas compte des aspirations d'autrui. | | |

| | yes | no |
|---|---|---|
| * Dans les pays occidentaux, la publicité attise la jalousie des pauvres envers les riches. | | |
| * Nous vivons dans une société de consommation où nous sommes poussés à acheter de plus en plus de produits. Ceux dont le pouvoir d'achat est trop faible peuvent être tentés de voler dans les magasins ou chez les riches. | | |
| * La pauvreté aboutit, en général, à un manque d'éducation. | | |
| * Dans les milieux défavorisés, les enfants sont forcés de quitter l'école le plus rapidement possible afin de pouvoir subvenir à leurs propres besoins ou à ceux de leur famille. | | |
| * Les inégalités sociales sont ausi déterminées par le lieu (campagne/ville) où nous vivons, le quartier et le type de logement que nous habitons. | | |
| * Souvent les personnes venant d'autres pays et d'autres cultures ont beaucoup de mal à s'intégrer dans notre société. | | |
| * Les travailleurs immigrés sont mis à l'écart dans leurs pays d'adoption; on dit qu'ils prennent le travail et les logements des autochtones; en fait, la xénophobie dont ils sont victimes peut seule expliquer les brimades qu'on leur fait subir. | | |
| * Dans les bandes dessinées, les méchants sont souvent représentés par des hommes de couleur. Dans la publicité, les Noirs sont souvent présentés comme de bons sauvages. | | |
| * Le racisme provient d'un besoin d'affirmer sa supériorité et sa méfiance vis-à-vis de gens que l'on ressent comme différents. | | |
| * Il y a des gens qui sont racistes mais qui savent dissimuler ou contrôler leurs sentiments. Il y en a d'autres qui le crient à haute voix; c'est le comportement de ces derniers qui nuit à l'harmonie sociale. | | |
| * On ne peut pas obliger les parents à aimer leurs enfants, mais il devrait y avoir des lois obligeant les parents à nourrir leurs enfants correctement et à leur donner une bonne éducation; certains enfants, riches ou pauvres, sont défavorisés dès le départ: leurs parents ne s'occupent pas d'eux ... | | |

| | yes | no |
|---|---|---|
| * On ne peut pas obliger les gens à être ouverts, généreux, tolérants; acceptons donc que les attitudes racistes ne deviennent agressives que lorsqu'elles se traduisent par des actes violents (ou des préjugés qui deviennent dominants dans une société donnée). | | |
| * Les inégalités sociales ne sont pas seulement imputables à la tradition de l'héritage ou à la couleur de la peau; ayons le courage de reconnaître que l'intelligence (entre autres) est inégalement répartie. | | |
| * Dans toute collectivité, il y a des gens plus doués que d'autres; par exemple, les écrivains, les acteurs, les footballeurs, ont des 'dons' et c'est grâce à leur 'talent' qu'ils deviennent riches. Ils ne sont pas tous issus de milieux favorisés, loin de là! | | |
| * Quelles que soient les façons dont les inégalités se manifestent, un fait est certain: la source la plus évidente de ces inégalités s'appelle 'l'argent'. | | |

Which measures would you now adopt to remedy social inequalities? Select your ten most appropriate suggestions from the list below, numbering them in order of importance:

| **Possible remedies to social inequalities:** | **Remedy No. (1 – 10)** |
|---|---|
| * Comme le dit Martin Luther King: 'Je compris enfin que personne ne renonce à ses privilèges sans opposer de résistance'... Mais on pourrait toutefois essayer d'éliminer les trop grands écarts entre les gens... | |
| * Il faut à l'école apprendre à être plus libéral et plus tolérant. | |
| * Il faut essayer d'améliorer les conditions de vie de ceux qui sont en bas de l'échelle sociale en luttant pour une meilleure répartition des richesses. | |
| * Il faut faire comprendre aux enfants dès leur plus jeune âge que tous les hommes sont égaux, que la couleur et la nationalité n'ont rien à voir avec la valeur de l'être humain. | |

| Remedy No. (1 – 10) |
| --- |
| |

* La loi anti-discrimination devrait être renforcée et révisée constamment.

* Les médias devraient être plus ouverts sur le monde et faire connaître des modes de vie différents.

* Il faudrait faire pression (économiquement et diplomatiquement) sur les gouvernements racistes (comme l'Afrique du Sud).

* L'État devrait consacrer plus d'argent à l'amélioration du sort des pauvres.

* C'est à l'école que l'on apprend à connaître et à respecter autrui; il faut donc que l'*Éducation* soit une priorité pour le gouvernement.

* Étant donné que l'être humain a tendance à être égoïste et avare, il faut, à la maison et à l'école, lui donner des motivations plus généreuses.

* Il faudrait que l'État subventionne les mères de milieux défavorisés, pour qu'elles puissent rester à la maison s'occuper de leurs enfants.

* Il faudrait que les jeunes venant de milieux défavorisés puissent accéder sans discrimination à la meilleure éducation possible.

* L'inégalité sociale serait abolie s'il y avait une revalorisation des salaires les plus bas. Il faudrait instituer partout un salaire minimum garanti.

* Il faudrait cultiver en chacun le respect de soi et des autres.

Discuss your choice with someone else.

## B. Le chômage.

Which two of the following points of view on *unemployment* are closest to your own evaluation of the issue?

* Les développements technologiques et la crise du pétrole sont responsables du chômage.

* La mécanisation, la robotisation et les ordinateurs ont certes amélioré le rendement des entreprises, mais ils ont aussi entraîné une réduction de la main-d'oeuvre.

* Faute de programmes de recyclage, les gens licenciés vont grossir le nombre des chômeurs.

* Comment évaluer le nombre de chômeurs? Beaucoup de gens travaillent au noir mais gardent leurs droits (et leurs allocations!) de chômeur.

* Le chômage est un problème complexe que les économistes et les hommes politiques n'arrivent pas à résoudre.

* L'importation à bon marché de produits provenant des pays en voie de développement, où la main d'oeuvre est obligée d'accepter des salaires dérisoires, ne favorise guère l'industrie dans nos sociétés; celle-ci a du mal à faire face à cette concurrence, d'où le manque d'investissements et le chômage.

* De plus en plus de femmes veulent travailler et elles s'inscrivent automatiquement au chômage.

* Les demandes d'emploi augmentent mais les offres d'emploi diminuent dans de nombreux secteurs.

* Le chômage nuit à la dignité de l'homme.

* Le chômage est peut-être inévitable dans le monde moderne, mais il n'excuse pas la paresse et la malhonnêteté.

* Certains préfèrent travailler au noir plutôt que d'occuper un poste mal rémunéré.

* Une revalorisation du travail quel qu'il soit est impérative si l'on veut sérieusement remédier à la crise du chômage.

* Comme on ne peut pas mettre un frein aux développements technologiques, ni exiger de la femme qu'elle reste au foyer pour

réduire le nombre de chômeurs, il faut augmenter la productivité des entreprises, limiter les importations, limiter le taux d'inflation et redoubler d'efforts pour la formation des jeunes et le recyclage.

* Pour inciter les chômeurs à trouver des emplois, il faut que l'État les récompense lorsqu'ils trouvent un premier emploi.

* Comment le chômage peut-il exister alors que les rues sont sales, les routes défoncées, les parcs et les jardins publics mal entretenus? Le chômage est un problème politique!

* Il faudrait augmenter les impôts pour permettre à l'État de recruter des chômeurs qui participeraient à la protection, la rénovation et l'amélioration de l'environnement.

* L'État devrait aider les petites et moyennes entreprises par un allègement de la fiscalité.

* Il faudrait concevoir d'autres façons de travailler: à mi-temps, à tiers-temps, selon des horaires plus souples et pendant des périodes plus courtes, suivies de congés sabbatiques.

* S'il y a moins de travail, il faudrait qu'il soit partagé.

* Il faut apprendre aux gens à s'intéresser à autre chose qu'à leur travail; mais ceci est-il possible dans une société de consommation?

* Nos sociétés modernes refusent à leurs membres un droit essentiel: le droit au travail.

* Le chômage menace autant les cadres que les travailleurs manuels.

* Quand les gens ne travaillent pas, ils régressent.

* Une politique de loisirs, c'est aussi la mise en place de cours du soir, de stages de recyclage, de programmes de formation permanente. On ne peut peut-être pas supprimer le chômage, mais on peut aider les gens à le supporter ...

Compare your choice with someone else's.

## C. La drogue.

Which of these points of view would you put forward when discussing the problem of *drugs*:

(i) with your friends (of the same age group)?

(ii) in a fairly formal conversation, at a social gathering with people you don't know?

| | | Insert (i) or (ii) |
|---|---|---|
| (1) | Ça a toujours existé; Baudelaire, Verlaine, buvaient de l'absinthe, Utrillo la térébenthine dont il se servait pour sa peinture. Avant 1982, les gens attirés par le hasch étaient des personnes très sensibles, souvent des érudits ou des artistes, incapables de supporter la routine de la vie quotidienne et de mener une vie autonome. | |
| (2) | Celui qui ne risque rien n'a rien: la tentation de la drogue est compréhensible. | |
| (3) | Les femmes sont souvent attirées par la drogue, parce qu'elles ne supportent pas de jouer la rôle traditionnel de la femme; de plus, elles se sentent incapables de supporter la platitude et l'affectation des réunions féministes, agressives ou bêtifiantes. | |
| (4) | Au premier abord, la drogue semble inoffensive et paraît résoudre les problèmes de beaucoup de gens malheureux ou inadaptés. Il y a plusieurs types de drogués. Certains se droguent parce qu'ils sont découragés; d'autres se droguent pour 'être dans le coup', ou pour faire comme les autres. | |
| (5) | Les étudiants anxieux à cause de leurs examens peuvent se laisser tenter. | |
| (6) | C'est souvent à l'école qu'on découvre la drogue et qu'on y prend goût. | |
| (7) | Le drogué est comme le fumeur: il ne peut se contrôler; ses besoins sont hélas plus nocifs. | |
| (8) | Les drogués et les toxicomanes inspirent la pitié. | |

| | Insert (i) or (ii) |
|---|---|
| (9) Au fond, le drogué choisit de mourir: petit à petit son corps et son cerveau ne sont plus que loques. A vouloir échapper aux contraintes de la vie, il se tue; sa peur d'une guerre nucléaire, d'une mésentente familiale, du chômage etc. le met paradoxalement dans le camp des morts-vivants: il trouve mille raisons pour accélérer sa descente aux enfers. | |
| (10) La drogue est un fléau qui touche toutes les classes sociales, comme le SIDA. La dépendance entraîne les drogués dans des dépenses de plus en plus importantes; le drogué ne recule devant rien pour satisfaire ses besoins. | |
| (11) L'héroïne mène à une dépendance physique et psychologique extrêmement violente. | |
| (12) L'usage des stupéfiants est devenu si répandu que les gouvernements des pays développés ont enfin décidé d'intervenir. | |
| (13) On a sous-estimé les dangers des drogues douces qui risquent de mener à l'utilisation de drogues dures; il est dans l'intérêt des trafiquants de pousser les jeunes vers les stupéfiants plus chers. | |
| (14) Noublions pas que les magnats de la drogue créent des emplois, ils réduisent le chômage et font rentrer des devises.... | |
| (15) Interdire la drogue? C'est déjà fait, dans les textes en tout cas; mais les douanes et la police devraient collaborer plus étroitement pour arrêter les trafiquants. | |
| (16) Les amendes et les peines contre les trafiquants de drogue devraient être plus sévères et commencer par la confiscation de leurs biens. | |
| (17) L'État devrait, par une aide économique, encourager les gouvernements des pays producteurs de drogue à faire face au problème. | |

| Insert (i) or (ii) |
|---|

(18) Il faudrait changer les mentalités et provoquer un changement d'attitude vis-à-vis des drogués; il faudrait cesser de les considérer comme des criminels et les traiter en victimes qui ont besoin d'être comprises et aidées par la collectivité.

(19) La création de centres de réinsertion pour ex-drogués, de centres de désintoxication et de prévention devrait être une priorité pour tous les gouvernements.

(20) Devant l'ampleur du problème, il faut que l'État contrôle la circulation de la drogue; il faut en organiser la distribution sous contrôle médical afin de réduire la demande. Ceci empêcherait les toxicomanes de devenir eux-mêmes trafiquants et réussirait peut-être à stabiliser la demande générale.

(21) On ne saurait trop insister sur les mesures préventives; l'école doit faire face à ses responsabilités dans ce domaine; elle se doit de protéger les enfants. Des témoignages de jeunes gens qui ont éprouvé les effets désastreux de la drogue seraient sans doute plus efficaces que des sermons d'adultes.

(22) Afin de satisfaire l'attirance naturelle des enfants pour de nouvelles expériences, l'école devrait mettre en oeuvre des activités d'éveil et des cours stimulants. La délinquance et la toxicomanie ne sont pas uniquement imputables à l'école, mais si les enfants étaient plus impliqués dans les programmes scolaires, de nombreux problèmes seraient évités ...

(23) Tout doit être mis en oeuvre pour que chaque individu sente qu'il est utile à la société et qu'il a un rôle positif à y jouer; ceci nécessite de la part des parents, des professeurs, des dirigeants politiques, de tout le monde ... un effort considérable.

(24) Tout individu en âge de travailler devrait avoir un emploi; le chômage et les problèmes de la drogue sont liés.

| | Insert (i) or (ii) |
|---|---|
| (25) Il faut trouver la cause du mal afin de pouvoir éliminer le problème; ceci ne peut se faire que si de grandes enquêtes scientifiques sont financées par l'État. Ces travaux, à mener de toute urgence, auraient pour objectif de prévenir le mal en détectant les personnes et les groupes à haut risque. | |
| (26) Le problème de la drogue ne peut être traité ou même pensé isolément; il faut l'envisager et essayer de le résoudre dans un contexte plus vaste: celui du banditisme, du terrorisme, des inégalités sociales, de la violence urbaine, de la délinquance juvénile, etc. | |

Now select three of the above points of view which you consider to be the most:

| | insert reference number | | |
|---|---|---|---|
| * practical? | | | |
| * Utopian? | | | |
| * irrelevant in the society you live in? | | | |

What do you consider to be the most urgent problem of all?

If asked for advice by your Government, what suggestions would *you* make to solve the drug problem?

Get together with a friend and discuss your final assessment of all the points on the drug problem, and see *where, how* and *why* your ideas differ.

**D. La violence urbaine.**

From the following list of statements relating to urban violence, select what you consider to be:

| | insert ref. no. | |
|---|---|---|
| * One cause for urban violence | | |
| * Two suggestions which may contribute to solving the problem. | | |

(1) Bien que la violence soit plus concentrée dans les villes qu'à la campagne, elle existe partout; elle provient des inégalités sociales; elle est aussi l'expression de conflits affectifs et religieux.

(2) Tant qu'il y aura des riches et des pauvres, des dominants et des dominés, il y aura de la violence.

(3) La surpopulation et le manque d'espace vital entraînent la violence. Une expérience effectuée sur des rats (Calhour dans *The Hidden Dimension*) montre qu'une colonie de rats a besoin d'un certain espace pour vivre. Si on les enferme et si donc, ils n'ont plus de place pour s'éloigner les uns des autres, leur comportement change; les rats femelles avortent plus souvent, elles s'occupent mal de leurs petits, qui meurent. Les jeunes mâles se mettent en bandes, se battent entre eux et attaquent les femelles. Lors de la copulation, le mâle, qui est normalement doux envers la femelle, devient sauvage et brutal. L'espèce humaine qui se trouve entassée dans les villes a des comportements sinon similaires du moins comparables.

(4) Dans tous les pays du monde, qu'ils soient industrialisés ou en voie de développement, il y a un exode massif vers les grandes villes. Les populations rurales déplacées, les jeunes à la recherche d'un emploi, les travailleurs immigrés, les ouvriers non spécialisés ont dans les grandes villes, des conditions de vie souvent précaires, voire inhumaines; celles-ci mènent souvent à la violence.

(5) La délinquance peut également être dûe à un milieu familial désuni, à une situation d'échec scolaire (ce qui provoque beaucoup de suicides au Japon).

(6) L'anonymat des relations humaines dans les grands ensembles, le surmenage, l'aliénation des citadins, les frustrations liées aux tentations et aux inégalités de la société de consommation, expliquent la violence urbaine.

(7) Le racisme, aggravé par le chômage, provoque des scènes violentes.

(8) Les minorités raciales vivent souvent dans des ghettos et c'est souvent la guerre entre elles et les habitants des quartiers voisins.

(9) Les médias incitent à la violence dans la mesure où ils la mettent en scène dans les bandes dessinées, les films, les feuilletons et les faits divers.

(10) Les adultes doivent en majorité aimer la violence, sinon comment expliquer la pléthore d'images violentes au cinéma et à la télévision.

(11) Il existe maints remèdes à la violence urbaine; mais en premier lieu, il faut donner un emploi à chaque individu; il faut ensuite construire des logements plus humains, plus spacieux et moins sonores. Pour les adolescents, il faut créer des centres d'activités éducatives et sportives pour qu'ils puissent s'occuper et se défouler.

(12) Pour favoriser et faciliter les relations entre différents groupes de population, les municipalités devraient consacrer une part importante de leur budget à l'organisation de fêtes.

(13) Il serait souhaitable d'avoir une politique de réinsertion des anciens condamnés, drogués ou délinquants; il faudrait améliorer les conditions de vie des prisonniers pour qu'ils puissent se préparer à leur sortie de prison.

(14) Il faut augmenter le nombre de gendarmes, d'agents de ville ou de police, pour assurer la protection des citoyens.

(15) Il faut créer des emplois dans les régions particulièrement affectées par le chômage.

(16) Il faut organiser des travaux d'utilité publique pour que chacun accomplisse des tâches utiles pour tous.

Write a short text (100 – 150 words) justifying your answer.

Compare your text with someone else's.

## E. Le nucléaire.

Which of the following ideas on nuclear power are most likely to have been expressed by:

(1) a CND member?

(2) a supporter of nuclear energy and weapons?

| | Insert (1) or (2) |
|---|---|
| * Nous vivons actuellement à l'ère du nucléaire, que nous le voulions ou non! | |
| * Les ressources énergétiques naturelles sont épuisées ou en voie d'épuisement. | |
| * Il faut distinguer le nucléaire civil de l'armement atomique. | |
| * L'homme a pour la première fois dans son histoire, la possibilité de détruire l'humanité entière. | |
| * Tous les pays rêvent de posséder la bombe atomique. | |
| * Le nucléaire est diabolique, mais l'est-il plus que le nazisme? | |
| * Le progrès scientifique peut mener à des catastrophes humaines; le nucléaire en est un exemple. | |
| * Une guerre nucléaire serait planifiée, contrôlée et ne serait peut-être pas pire que d'autres formes de combat. Par contre, le vrai risque nucléaire, c'est la panne, l'erreur humaine! L'humanité risque d'être détruite parce que quelqu'un aura appuyé sur le mauvais bouton ... | |
| * Depuis la découverte de la bombe atomique, aucun pays n'est en sécurité; les frontières n'ont plus aucun sens. | |
| * La division entre les pays membres de l'OTAN et les pays membres du Pacte de Varsovie, a créé une course aux armements dans les domaines des armes classiques et nucléaires, dont l'Europe est la première victime. | |
| * Pour certains, la paix relative des quarante dernières années aurait été maintenue grâce à l'existence des armes nucléaires. | |

| Insert (1) or (2) |
| --- |

* À supposer que le désarmement nucléaire soit possible, qui va faire le premier pas? Quel chef de gouvernement prendrait le risque d'être désavoué par ses concitoyens?

* Les zones d'instabilité politique (comme le Moyen-Orient) pourraient changer l'équilibre Est-Ouest et provoquer indirectement une guerre nucléaire.

* La réduction des armes nucléaires est une utopie; il est trop tard pour augmenter et développer l'arsenal d'armes conventionnelles.

* Les chefs de gouvernement devraient être entourés d'un comité de sages et de scientifiques dont le rôle serait d'éviter tout risque nucléaire.

* Il faut développer la recherche non-nucléaire et exploiter d'autres formes d'énergie (la mer, le soleil, le vent, etc.).

* La solution idéale serait le désarmement simultané et synchronisé.

* Les rencontres au sommet entre les chefs d'état peuvent-elles arrêter la course aux armements? Ne faut-il pas davantage compter sur un rapprochement entre les peuples pour mettre fin à cette folie?

* Une grande partie de la recherche scientifique est, de nos jours, liée à des programmes militaires et nucléaires.

* Pourquoi les hommes ont-ils toujours éprouvé le besoin de se détruire?

Which ideas on nuclear power would *you* have expressed?

## F. L'insuffisance des crédits pour l'éducation et la formation.

Read carefully the following opinions on education:

* Les progrès technologiques exigent désormais une formation de plus en plus coûteuse; les équipements nécessaires tels que les ordinateurs, la vidéo, coûtent très cher.

* Les enseignants doivent être recyclés régulièrement.

* Par souci électoraliste, les gouvernements préfèrent débloquer des crédits pour des projets à court terme plutôt que d'investir dans l'avenir du pays, c'est-à-dire dans la formation.

* Les gens préfèrent des réductions d'impôts à un investissement dans les programmes éducatifs.

* Dans nos sociétés contemporaines, les enseignants n'ont ni prestige, ni pouvoir.

* Il existe trois sources possibles de crédits pour l'éducation: les impôts nationaux, les impôts locaux et la participation financière des parents. Cette dernière a tendance à augmenter.

* De plus en plus de parents sont prêts à faire des sacrifices énormes pour payer la scolarité de leurs enfants.

* En période de crise, l'éducation est sacrifiée.

* L'éducation est à la base de toute société équilibrée; à long terme, il n'y a rien qui soit plus important que la formation.

* La richesse du pays réside d'abord et avant tout dans le peuple.

Now, answer the following questionnaire and give reasons for your choices:

| | Yes | No | **Why? (qualify your answer)** |
|---|---|---|---|
| * L'éducation devrait être totalement gratuite pour tout le monde. | | | |
| * L'éducation est une priorité absolue; on doit lui consacrer plus d'argent qu'à la défense. | | | |
| * L'enseignement devrait être public, obligatoire, et le même pour tous jusqu'à l'âge de 18 ans. | | | |

| | Yes | No | Why? (qualify your answer) |
|---|---|---|---|
| * La formation permanente devrait être un droit dans les sociétés dites avancées. | | | |
| * Il faut revaloriser la profession d'enseignant. | | | |
| * L'école devrait corriger et non pas renforcer les inégalités sociales. | | | |
| * La vie est une loterie, l'école aussi! | | | |
| * Il y a un énorme gaspillage de ressources et d'énergie dans le système scolaire; il faut le remanier entièrement. | | | |
| * Certains individus préfèrent entrer très vite dans la vie active; l'école leur paraît une perte de temps. | | | |
| * Les gouvernements n'ont pas tort de négliger les programmes d'éducation et de formation: la plupart des gens ne s'y intéressent guère! | | | |

Discuss your reactions and opinions with someone else.

**G. Le terrorisme international**

**H. La faim dans le monde**

**I. La pollution**

**J. Le SIDA**

Which one of the above international problems do you consider to be of major importance? Why?

Which are mentioned the most frequently

on television or radio?
in the press?
in conversation around you?

Why?

How would you try and solve any two of the four major international problems, if you were:

a head of State?
a scientist?
a lawyer?

Read an article from the press relating to these four problems.

Discuss the issues at stake with a friend and compare your opinions.

As you will no doubt have realised, our aim in this chapter was not to cover the whole spectrum of topical issues. Our intention was to invite you, as the title of this chapter indicates – 'Au fond, qu'est-ce que j'en pense?' – *to think along critical lines.*

Chapter 5

# Qu'est-ce que ça veut dire?

Most essay titles, from the point of view of vocabulary and grammar, don't look too difficult.

Look at this list:

(1) What is democracy?

(2) How can we make democracy function more effectively?

(3) What is a social class?

(4) Do social classes exist?

(5) Why do women play so little a role in political life?

(6) Who has power?

(7) Do women have equal opportunities?

(8) Society is more authoritarian than twenty years ago.

(9) If you were head of government, what would be the first thing you would do?

(10) Voting is a waste of time.

In most cases you may understand a given problem but find it difficult to go *beyond* answers such as these:

Yes/No
don't know (I'm not interested!)
true/untrue
agree/disagree

However, to discuss the issues raised by a question is not always easy; most people say that they find it difficult to:

- relate what they know (from their daily experience and reading etc.) to questions raised by an essay title.
- speculate (do some creative thinking) on a word or a concept that they aren't sure about (i.e: 'democracy', 'social class').
- express their ideas and thoughts (because they think them naïve or clichéd).
- find relevant examples to illustrate their argument.

These problems are best overcome if essay writing is approached as a *game* based on the following strategies:

(1) Sit in a circle as a group, and exchange ideas on a given subject: this will give you confidence through self expression.

(2) Either as a group or with one other person, play with words and ideas, discuss their various meanings.

(3) In groups of two, spend half the time trying to explain something to the other person, and then reverse the roles, using a different topic.

(4) In groups of two, take a decided stand on a particular issue and try to convince the other person that you are right.

(5) Pretend to be in a courtroom, one speaking for and the other against: the onlookers will be able to appraise both sides of the discussion.

(6) Play devil's advocate and contradict systematically whatever is being said by people around you.

(7) Try to express opinions you don't share.

(8) Select press-cuttings on a given topic and try to assess why and how the viewpoints differ, etc.

Understanding an essay title can be fun! 'Qu'est-ce que ça veut dire' not only dares the players to juggle with words but also to understand their meaning.

- **AN ESSAY TITLE IS IN FACT A QUESTION.**
  (or a series of questions ...)

This may not seem obvious at first glance, but since you're asked to explain, agree or disagree, approve or disapprove, let's assume that beneath every statement there are, in fact, several questions...

**e.g: ...'l'art est réservé à une élite'...**

- L'art est-il réservé à une élite?
- Qu'est- ce qu'une élite?
- Comment définir l'art?
- Que veut dire 'réservé? Qui réserve quoi à qui?
- S'agit-il de la pratique ou de la consommation de l'art? Ou des deux?
- La majorité de la population est-elle insensible à l'art?
- Quelle est la minorité de gens intéressés par l'art?

**...'la politique est une affaire d'hommes'...**

- La politique est-elle une affaire d'hommes?
- La politique est-elle l'affaire des hommes?
- Les femmes n'ont-elles pas le droit de vote?
- Est-ce que les femmes s'intéressent à la politique?
- Tous les hommes s'intéressent-ils à la politique?
- Pourquoi peut-on seulement dire 'un homme politique' (et pas 'une femme politique')?
- La politique est-elle compatible avec le rôle de mère?

**...‘rares sont les gens généreux’...**

- Qui peut dire ou penser que les gens généreux sont rares?
- Quel sens peut-on donner à la générosité?
- Peut-on faire des comptes, avoir des statistiques sur la générosité des gens?
- Qu’est-ce qu’il faut faire pour être généreux?
- A-t-on du mérite à être généreux quand on est riche?
- La société ne pousse-t-elle pas les individus à vivre chacun pour soi?
- Est-ce dans la nature des hommes d’être généreux?

**...‘dans le monde des affaires, les langues étrangères sont indispensables’...**

- Les hommes d’affaires qui parlent anglais ont-ils besoin de parler une autre langue?
- Si l’on veut conquérir un nouveau marché, ne faut-il pas séduire et convaincre son interlocuteur dans sa langue?
- En quoi le monde des affaires est-il un cas spécial?
- Tout le monde est-il doué pour les langues?
- N’est-il pas inconcevable que les hommes d’affaires ne sachent pas compter dans la langue de leur client étranger?
- Les multinationales ne rendent-elles pas le multilinguisme inévitable?
- Le monolinguisme est-il défendable à notre époque?

**...‘le tourisme est aussi une industrie polluante’...**

- Dans quelle mesure le tourisme est-il une industrie?
- Quelles sont les industries les plus polluantes?
- Peut-on apprendre aux touristes à être plus propres?
- Quel type de pollution produisent les équipements touristiques?
- L’environnement est-il menacé par le tourisme?
- Devrait-on interdire l’accès de certains sites (naturels, historiques ...)?
- La pollution liée au tourisme n’est-elle pas infiniment moindre que beaucoup d’autres formes de pollution?

**...'l'écart entre les riches et les pauvres ne cesse de s'accroître'...**

- Est-ce à dire que les riches sont encore plus riches et les pauvres plus pauvres?
- S'agit-il des pays, ou des individus?
- Comment peut-on évaluer la richesse? La pauvreté?
- Comment peut-on mesurer cet écart? Entre pays? Entre citoyens d'un même pays?
- N'y a-t-il pas d'exemples de pays (ou de gens) qui étaient pauvres mais qui sont devenus riches?
- La richesse est-elle donc de plus en plus concentrée? Si oui, comment expliquer ce phénomène?
- Qui pourrait organiser une meilleure répartition des richesses? Au niveau de la planète? Dans une société donnée?

## • WHEN AN ESSAY TITLE IS A QUESTION, IT RAISES FURTHER QUESTIONS.

The following essay titles are questions but they all call for further questions...

e.g. La justice est-elle égale pour tous?

- Tous les citoyens ne sont-ils pas égaux devant la loi?
- La justice est-elle la même dans tous les pays?
- L'égalité n'est-elle pas un mythe? Etc.

Select five essay titles and find three further questions for each one of them:

(1) Est-ce que l'État est mis en péril par les sociétés multinationales?

(2) Les pays riches ont-ils le droit de se désintéresser du sort des pays pauvres?

(3) Toutes les sociétés n'ont-elles pas tendance à laisser se développer les inégalités sociales?

(4) Pourquoi est-il si difficile de réduire le chômage?

(5) 'L'image' semble être un maître-mot à notre époque: qu'entend-on par l'image d'une personne, d'une société, d'un gouvernement?

(6) La télévision semble de plus en plus régler le jeu politique de nos sociétés; est-ce bon, est-ce mauvais?

(7) Le vrai pouvoir n'est-il pas, à notre époque, détenu par les banques?

(8) Pourquoi le terrorisme international s'est-il développé dans les vingt dernières années?

(9) Comment peut-on définir la démocratie?

(10) Dans toute société, la justice n'est-elle pas nécessairement une justice de classe?

(11) La justice est-elle égale pour tous?

(12) Dans nos sociétés, tous les citoyens sont supposés être égaux devant la justice; est-ce le cas?

(13) Pourquoi si peu de femmes accèdent-elles aux postes-clés dans les secteurs industriels et politiques?

(14) Face à la précarité de l'emploi, n'est-il pas de plus en plus nécessaire de donner à chacun une solide formation générale?

(15) N'est-il pas paradoxal de constater que dans les sociétés industrielles avancées, de plus en plus de gens ne savent ni écrire, ni compter?

(16) Comment un chef d'entreprise peut-il concilier la rentabilité de son affaire et le bien-être de ses employés?

(17) Une société fondée sur l'individualisme peut-elle survivre?

(18) Quel est le rôle des syndicats dans nos sociétés contemporaines?

(19) Tous les citoyens du XXème siècle ne devraient-ils pas parler au moins deux langues?

(20) Un système d'éducation doit-il avoir pour objectif principal d'être également ouvert à tous?

(21) Est-il vrai de dire que la distinction politique entre la gauche et la droite est devenue vide de sens?

(22) Pour être efficace, un désarmement nucléaire ne devrait-il pas être accompagné d'une réduction des armements conventionnels?

(23) L'avenir du monde ne se joue-t-il pas dans l'espace?

(24) Les sociétés contemporaines ne rejettent-elles pas les extrémismes? Ne veulent-elles pas être gouvernées par des hommes du dialogue, du compromis, du consensus?

Discuss your questions with someone else.

## • AN ESSAY TITLE IS A 'MESSAGE' TO WHICH YOU ARE ASKED TO REACT.

An essay is an exercise in *intellectual awareness.*[1] Don't be put off by the elitist overtones of this. We can all see our own beliefs, behaviour, thoughts, wishes and aspirations in such terms as: good/bad, shared/personal, free/hemmed-in, avoidable/unavoidable, stupid/clever (the list is endless...). We can also see other people's attitudes, judgments, opinions and acts in the same way.

For instance, were you to be:

- a leftwing or a rightwing politician in power
- a UK or a USA citizen
- a boss or a manual worker
- a teenager or a grandfather
- an atheist or the Pope
- an old man or a young woman...

you would give a different answer to a particular question, depending on who you were. And since essay titles are usually quotes from what people have said or written to someone else, there is no reason to feel at a loss in dealing with what is basically a *'message'*.

1. 'In fact, knowledge itself might be defined as detailed awareness of unsolved problems'. WEIGHTMAN, John, *On language and writing,* Sylvan Press, London 1947, p.72.

Carefully read the following list of essay titles and try to see them as **'messages'**, from a **sender** to a **receiver.**

Write down *your* reactions or questions

(1) to the message itself
(2) as the sender
(3) as the receiver.

**Table 9**

| **Essay titles 'messages'** | **Your reactions and questions** | | |
|---|---|---|---|
| | **to message** | **as sender** | **as receiver** |
| Toute littérature digne de ce nom provoque chez le lecteur un profond sentiment de malaise. | | | |
| L'humanisme a disparu de la littérature contemporaine. | | | |
| L'art moderne est réservé à des initiés. | | | |
| La littérature contemporaine n'a plus de héros. | | | |
| La littérature nous apprend à nous connaître. | | | |
| La poésie n'est plus à la mode. | | | |
| Il n'y a plus de bon théâtre. | | | |
| Le cinéma a détrôné le théâtre. | | | |
| Un livre ne devrait pas coûter plus cher qu'une place de cinéma. | | | |
| Les bibliothèques sont comme les musées: elles aussi sentent le vieux et la poussière. | | | |
| Les musées devraient être gratuits. | | | |
| La culture sera toujours réservée à une minorité. | | | |
| Il faudrait revaloriser la culture populaire. | | | |
| Pour se cultiver, il faut être riche. | | | |
| La culture nécessite un effort. | | | |
| La télévision nous entraîne à la paresse. | | | |
| Le marché de l'art est un des scandales de notre époque. | | | |

Table 9

| Essay titles 'messages' | Your reactions and questions | | |
|---|---|---|---|
| | to message | as sender | as receiver |
| Pourquoi faudrait-il absolument apprécier les oeuvres d'art? | | | |
| L'art est (lui aussi) victime de la mode. | | | |
| L'artiste est souvent en proie à des difficultés financières. | | | |
| Le monde a faim et se moque de la culture. | | | |
| Dès que quelqu'un ouvre la bouche, on reconnaît la classe sociale à laquelle il appartient. | | | |
| Les gens essaient souvent de corriger leur accent d'origine. | | | |
| Les différences sociales se marquent dans la façon dont s'expriment les gens. | | | |
| Faut-il donner de l'argent de poche aux enfants? | | | |
| Doit-on encourager les enfants à faire du sport? | | | |
| Faut-il obliger un enfant à faire du sport? | | | |
| A quoi cela sert-il d'acheter le même journal tous les jours? | | | |
| Chacun devrait s'occuper de ses affaires et ne pas s'occuper de son voisin. | | | |
| Les enfants doivent apprendre très tôt à devenir autonomes. | | | |
| Dès son plus jeune âge, on doit apprendre la tolérance et la patience. | | | |
| Les jeunes gens ne s'intéressent plus aux questions sociales. | | | |
| L'appât du gain mobilise tous les individus. | | | |
| L'équilibre familial est fragile. | | | |
| Chacun est responsable de sa santé. | | | |
| Il faut prévoir sa retraite. | | | |
| L'État doit prendre en charge les rejetés de la société de consommation. | | | |

**Table 9**

| Essay titles 'messages' | Your reactions and questions | | |
|---|---|---|---|
| | to message | as sender | as receiver |
| La jalousie est un grand défaut. | | | |
| Les débats politiques devraient être publics. | | | |
| L'exercice du pouvoir corrompt. | | | |
| La folie est aussi un problème social. | | | |
| Tout le monde a besoin d'être aimé. | | | |
| Le courage est un sentiment ambigu. | | | |
| Les actes héroïques sont des actes irréfléchis. | | | |
| L'art et la littérature n'ont rien à voir avec le socio-politique. | | | |
| Quel plaisir éprouvons-nous à lire un bon roman? | | | |
| Toute parole est violence. | | | |
| La famille n'est pas une institution périmée. | | | |
| Il y a en chaque homme un barbare. | | | |
| Méfions-nous des gens qui parlent trop bien! | | | |
| Tout le monde raconte des histoires et donc ment. | | | |
| Comment trouver la juste mesure entre l'autorité et la liberté? | | | |
| Nous sommes tous trop bavards. | | | |
| Comment revendiquer son droit à la paresse? | | | |
| Peut-on empêcher quelqu'un de se suicider? | | | |
| La vie ne nous apprend-elle pas autant de choses que les livres? | | | |
| Dis-moi qui tu fréquentes, je te dirai qui tu es. | | | |
| La liberté sexuelle ne pouvait pas durer. | | | |
| Pourquoi condamner la publicité? | | | |
| Les chômeurs sont des fainéants. | | | |

It's important to know what types of topics are likely to come up in exams. Essay titles are traditionally classified into different categories:

e.g. 1. Aesthetics
2. Moral and philosophical
3. Socio-cultural and political.

Such a classification is somewhat off-putting as it seems to imply that an expert's knowledge is required to discuss certain subjects. There is no doubt that some students are, from that point of view, better equipped than others. But it should also be stressed that the general essay examination is not a content paper, contrary to the belief of many students. It is possible to write a good essay by presenting coherently and convincingly your own point of view. Let's take an example:

You may be tempted to disregard titles you feel you know little on, such as subjects you label as 'philosophical' and/or 'moral'. On the other hand, you may feel quite confident in choosing subjects which seem more accessible such as topics on the media and current affairs. In fact, it is very likely that, when discussing a question on the media, you will raise 'philosophical' and 'moral' issues. Using your own experience and knowledge to deal with a problem does not necessarily mean that the basic 'moral' and 'philosophical' issues *at stake* in the title have been left aside! The main purpose of the exercise is to produce a coherent argument or discussion, raising the points at issue as you see them in the essay title. Therefore it's vital to try and understand **what is meant** (and could be meant) by the topic. Here are a few examples:

**...'l'indifférence est dénoncée comme l'une des tares les plus angoissantes de notre monde moderne'...**

Rather than balking at the task ahead, and blindly assigning this topic to a category (i.e.: politics), it is better to begin to dissect the title gradually, by asking the following questions:

(1) Who is talking?
A humanist, a moralist, a christian or a politician?

(2) What is the exact meaning of the word 'tare'?
What are other kinds of 'tares'?
Cruelty? Violence? Insanity?

(3) Who practises this indifference?
The individual? The community? Or both?

(4) Who denounces it? How? Why?
The media? Heads of State? Teachers? Social workers?

(5) Why should indifference be as serious as that?

(6) Are we capable of influencing the causes of indifference?
What are the causes?
Are there remedies to indifference?

(7) *What is exactly at stake here?*

**...'pensez-vous que l'oeuvre littéraire, roman, poésie, théâtre ou chanson — nous détourne de la réalité ou, au contraire, nous aide à comprendre les choses de la vie'...**

(1) Who is talking?
A writer, a reader, a singer or songwriter, an interviewer or a clergyman?

(2) What is reality?

(3) When could this have been written?

(4) What are 'les choses de la vie'?

(5) How can literature help in understanding life?

(6) *What exactly is at stake in this question?*

**...'l'homme *rêve* plus sa vie qu'il ne la *vit*'...**

(1) Who is talking?
A philosopher? A writer? A journalist? A priest? An old man?

(2) How can one dream one's life?

(3) What are the similarities and differences between dreaming and living?

(4) If one dreams, one is not responsible for one's acts... Wouldn't the consequences of this be the end of society?

(5) Some people dream a lot, but can everybody be called a dreamer?

(6) Do fantasies and dreams play such an important role?

(7) *What is at stake here?*

Try now to raise the same types of questions on five of the following topics:

(1) L'analphabétisme est en progrès.

(2) Les individus sont casaniers et ont beaucoup de mal à changer leurs habitudes.

(3) Il faut être deux pour rire.

(4) Les médias manipulent les âmes et les consciences.

(5) Le bonheur n'est qu'un mot.

(6) La littérature a encore le pouvoir de nous surprendre.

(7) Le texte littéraire est aussi un document social.

(8) En famille comme dans la vie publique, le combat entre les anciens et les modernes continue à faire rage.

(9) La cruauté envers les animaux est le signe de l'inhumanité.

(10) Les vivisections sont une des hontes de notre époque.

(11) Peut-on empêcher les guerres?

(12) Devant la montée de la violence, on doit apprendre à chacun à se défendre.

(13) Toutes les mères rêvent d'avoir un fils.

(14) Pour réussir dans la vie, les femmes doivent être rusées, ou plus douées que les hommes.

(15) L'argent est notre maître.

Would you raise different questions on the following topics? Have the questions listed below dealt effectively with the subject? Which ones would you select? Are some irrelevant?

**...'il ne suffit pas de penser, il faut agir'...**

* Peut-on contrôler son destin?
* Que vaut une idée si elle reste cachée?
* Vouloir, n'est-ce pas pouvoir?
* Peut-on connaître le monde seulement par la pensée?
* Est-il prudent d'agir sans penser?
* Qui a eu la plus grande influence: les penseurs ou les hommes d'action?
* Peut-on penser et agir en même temps?
* Est-ce le devoir de chacun de s'engager?
* Pourquoi la pensée doit-elle précéder l'action?
* Avant d'agir, ne devons-nous pas peser le pour et le contre de nos décisions?
* L'action est dangereuse, la pensée inexprimée est inoffensive; Socrate s'est contenté de poser des questions, n'est-il pas sage de se livrer au même jeu?
* Dans un pays où la dictature règne, doit-on risquer sa liberté au prix de sa vie pour émettre ses opinions?
* Faut-il confier aux politiciens toutes les décisions importantes?
* Est-ce que le fait de jouir de la liberté de s'exprimer encourage les citoyens à agir?
* Les médias ne poussent-ils pas l'homme à agir avant de penser?
* Les hommes politiques agissent-ils? Ne se contentent-ils pas souvent de causer?
* Ne nous créons-nous pas nos propres problèmes?
* Agir, oui, mais qu'est-ce qu'il faut faire?
* Si tout le monde agissait, qu'est-ce qui se passerait?
* La peur – n'est-ce pas ça le problème?

* Celui qui pense mais n'agit pas, n'est-il pas coupable devant l'humanité de son manque de courage? De sa veulerie? De sa passivité?
* Quelqu'un est en détresse ou a besoin d'aide, comment peut-on ne pas lui porter secours?
* Si un livre, ou un film, nous paraît révoltant ou dangereux, pourquoi garder le silence?
* Comment se fait-il qu'en cette période de chômage, il soit si difficile de faire réparer des objets usuels; pourquoi doit-on toujours en acheter de nouveaux?
* Pourquoi si peu de gens osent-ils venir en aide aux victimes d'agressions?
* Pourquoi les gens disent-ils le contraire de ce qu'ils font?
* Qui peut dicter sa conduite à quiconque?
* Il faut des gens qui pensent et des gens qui agissent. Pourquoi faudrait-il penser *et* agir?
* Si l'homme ne pensait pas, ne retournerait-on pas à la barbarie?
* Quand on ne pense pas, on devient sénile, non?

**...'l'art est la noblesse de l'homme'**

* L'art est-il utile?
* Quel est le but ultime de l'art?
* La perfection d'une oeuvre d'art est-elle définissable?
* Quels sont les critères de reconnaissance d'une oeuvre d'art?
* L'art doit-il représenter les valeurs socio-politiques de son temps?
* Les chefs-d'oeuvre sont-ils comparables?
* L'art et la vie sont-ils compatibles?
* Le Beau n'est-il pas 'la promesse du bonheur'?
  (*De l'Amour,* Stendhal)
* Sommes-nous tous en mesure de comprendre ou de reconnaître une oeuvre d'art?

* Est-ce que tout le monde a les moyens d'acquérir une oeuvre d'art?
* Que faire pour mettre l'art à la portée de tous?
* L'art met-il l'homme au rang de Dieu?
* L'artiste est un être inspiré; n'est-il pas au-dessus de tous les autres hommes?
* Le talent ne s'apprend pas; n'est-il pas un don du ciel?
* Pourquoi les artistes sont-ils si souvent des êtres déchus?
* N'est-ce pas par l'art que nous connaissons notre histoire?
* On dit que l'art n'a pas de frontières; mais est-il vraiment universel?
* Qu'est-ce qu'il y a de plus merveilleux: faire un enfant ou créer une oeuvre d'art?
* Est-ce que la noblesse de l'homme, c'est sa capacité à créer?
* L'artiste est-il un magicien?
* Dans le domaine littéraire, est-ce que tout le monde peut comprendre les grandes oeuvres de notre temps?
* Peut-on comprendre un poème sans avoir de notions techniques sur la poésie?
* L'art dramatique est-il accessible à tout le monde?
* Le théâtre de l'absurde est-il apprécié par tous?
* Le cinéma est-il un art?
* Avant notre époque, l'art était-il 'pour' tout le monde?
* Est-ce qu'il est plus difficile de comprendre l'art moderne que l'art classique?
* Que veut dire 'comprendre une oeuvre'?
* Où peut-on s'informer pour comprendre l'art moderne?
* L'art doit-il être accessible à tout le monde?
* L'art moderne est-il obscur à dessein?

In this chapter we have stressed the importance of reading an essay title very carefully in order to unlock its meaning (which may not be apparent at first glance). You may have experienced the feeling that you missed out something in what somebody told you; you're not sure that you correctly understood the 'message':

- What did s/he mean?
- Did s/he mean that?
- How could s/he mean this?
- But then if s/he meant this or that ...
- Why did s/he say this/that afterwards?

  etc.

This shows that even in a dialogue when people are talking to each other, misunderstandings occur. When you start writing an essay, this initial phase of **reading** the title again and again is of vital importance.

In the following chapters, and in particular in chapter 10, more guidelines are given on how to make the most of this reading.

## Chapter 6

# Pour ou contre?

In this chapter, you are invited to explore the pros and cons of various issues, both by assessing your own thoughts and opinions on a given subject, and by contradicting someone else's views.

Don't be discouraged by what may appear to be repetitive; we have included statements which are equivalent in meaning:

i.e. – le naïf est crédule
le naïf croit tout ce qu'on lui dit,

because if you don't know a word (for example: crédule), you are given the opportunity of conveying the same meaning by using a different turn of phrase. Ideally this should enable you to increase your range of vocabulary (and hopefully help you to acquire your own style in French).

But beware (!), this could also lead you to select a series of statements or questions which are so close in meaning that you could end up with no arguments at all...

On the whole you'll find the learning process in this chapter more of a game than anything else.

There are many ways of disagreeing... Try to acquire some of them by doing the following exercise: match up the statements in column I with their endings in column II.

| | I | | II |
|---|---|---|---|
| 1. | Au contraire, les Britanniques | a. | prétendre que les prix ont baissé. |
| 2. | Pas du tout! Les ouvrages de critique littéraire | b. | les hommes politiques sont sincères. |
| 3. | Il est tout à fait faux de | c. | ont beaucoup plus d'humour que les Français! |
| 4. | C'est de la naïveté de croire que | d. | sont profondément ennuyeux. |
| 5. | Comment peut-on être d'accord avec | e. | un tel jugement! |
| 6. | On ne peut pas être d'accord avec | f. | une déclaration aussi malhonnête. |
| 7. | Il faut remettre en question cette | g. | idée périmée. |
| 8. | On ne peut que démentir ce | h. | jugement hâtif. |
| 9. | Il est tout à fait inutile de vouloir prouver | i. | contestable. |
| 10. | Cette déclaration est tout à fait | j. | à un fanatique qu'il a tort! |

- **'L'HOMME DU XX ÈME SIÈCLE EST IMPUISSANT DEVANT CE TRIPLE CONSTAT: LE MONDE A FAIM, LES RICHES S'ENRICHISSENT, L'ÉQUILIBRE PLANÉTAIRE EST PLUS FRAGILE QUE JAMAIS'...**

Contest this. You believe, on the contrary, that man CAN and MUST DO something! Find 5 points in the list below to defend your opinion.

* L'Europe a des tonnes de beurre, des stocks de blé et autres denrées; il suffit de transporter toute cette nourriture à ceux qui en ont besoin!
* Le déséquilibre entre les pays riches et les pays pauvres est grotesque, absurde et immoral.
* Les gens riches devraient payer beaucoup plus d'impôts.
* Interdisons la vente d'armes sur la planète entière!
* Cessons de baisser les bras devant la lâcheté des êtres et des États!
* Les hommes ont besoin de jouer; le colonialisme c'était: 'Pousse-toi de là que je m'y mette', maintenant, c'est: 'Vas-y, c'est toi le plus fort!'.
* L'homme vendrait son âme pour gagner de l'argent!
* Tous les pays rêvent de devenir de grandes puissances.
* Si les budgets consacrés à la défense étaient moins importants, il y aurait moins de misère dans le monde.
* Comment ose-t-on dire que l'on vit une période de paix?
* Il faudrait que tout le monde fréquente les mêmes écoles, les mêmes hôpitaux; comme ça au moins les privilégiés verraient comment la majorité de la population vit.
* Il y a trop d'hommes sur la terre: il faut bien inventer des moyens de contrôler le nombre de bouches à nourrir!
* Les hommes ont toujours constitué de la 'chair à canon'; et en plus, certains aiment ça!
* L'arrogance de certains hommes est incommensurable! Ils n'hésitent pas à imposer leurs lois à l'ensemble du monde ...
* Il faut apprendre à chacun à résister: à l'oppression, à la domination, à l'exploitation.
* Chacun défend son petit confort, sa petite vie douillette.
* Nous pouvons, à notre époque, penser l'impensable: la fin du monde.

Discuss your choice with someone else.

- 'L'EUROPE DE LA COMMUNICATION EST UNE URGENCE'...

Read this article carefully:

# François Léotard à Nice :

## « L'Europe de la communication est une urgence »

*Pour François Léotard, de tous les grands défis auxquels se trouve confrontée l'Europe, celui des images demeure le plus difficile. A ses yeux, cependant, il est urgent de réaliser l'Europe de la communication, si l'ancien continent ne veut pas risquer de perdre son identité culturelle, face à ce que le ministre de la Culture et de la Communication n'hésite pas à appeler « la vague déferlante » venue de l'Amérique du Nord et même de l'Asie.*

*« Au-dessus de nos têtes, à 36 000 kilomètres d'altitude, a débuté une compétition féroce, à l'instar des chocs pétroliers des années passées. Nous devons nous donner les moyens de participer à cet affrontement, notamment en développant les programmes et la création où apparît* notre faiblesse. »*

### Le « capitalisme audiovisuel »

*« Les objectifs retenus par le gouvernement français en matière de communication se situent, a rappelé M. Léotard, dans cette optique. »*

*Ils sont au nombre de quatre. Le premier concerne ce qu'on a appelé « le capitalisme audiovisuel » et dont les résultats seront quantifiables au début de l'été, puisque cela devrait se solder par 6 ou 7 milliards de francs investis dans l'audiovisuel par divers groupes ou entreprises français et même européens ; le deuxième concerne l'augmentation des groupes de communication en corollaire de l'abolition du monopole des chaînes nationales.*

*Les deux autres, à vocation plus spécifiquement européenne, sont la création de la septième chaîne, d'une part, le développement d'un mécanisme multilatéral de soutien à l'industrie européenne d'œuvres cinématographiques et audiovisuelles, d'autre part. Neuf pays ont déjà donné leur accord à ce que ce système sous forme d'aides diverses au sous-titrage, à la diffusion, incitations financières au développement de la coproduction, etc.*

*Quant à la « 7 », identifiée comme une chaîne culturelle européenne, pas moins de 475 millions de francs lui sont affectés sur le budget. En attendant le lancement d'un satellite par Ariane, ses premières émissions seront diffusées par FR3. « Cette chaîne, a précisé M. Léotard, est européenne à la fois par sa direction — les professionnels de plusieurs pays se trouvent associés au comité de programmes — et par la politique de coproduction largement adoptée en faveur de ces derniers. »*

### L'imprimerie... sans écrivain

Très opportunément et pour conclure, M. François Léotard résume la situation audiovisuelle actuelle par... une image : « Tout se passe comme si nous avions réinventé l'imprimerie, mais sans avoir d'écrivain. Nous voilà avec de nouvelles techniques, mais sans « langage » pour les nourrir.

Les seize canaux aujourd'hui recensés seront au nombre de cinquante d'ici 1990. Il est donc nécessaire de se préparer en fonction de ce paysage futur.

Surtout si l'on croit, comme le ministre français de la Culture et de la Communication que la télévision sera appelée à jouer, dans les décennies à venir, le rôle de la peinture ou de la littérature dans les années passées. Le problème, c'est que les plus compétitifs se partageront le plus gros du marché.

**Christiane SALDUCCI.**

*(Photo Gilbert Castiès)*

*mistake in original article.

Do you *agree* or *disagree* with the following statements?

| Statement | Agree? | Disagree? |
|---|---|---|
| * De tous les grands défis auxquels se trouve confrontée l'Europe, celui des images demeure le plus difficile. | | |
| * Il est urgent de réaliser l'Europe de la communication. | | |
| * L'Europe de l'audiovisuel est menacée par l'Amérique du Nord. | | |
| * Le monopole des chaînes nationales doit être aboli. | | |
| * La création européenne doit être encouragée. | | |
| * Il faut développer les coproductions européennes. | | |
| * 'Nous voilà avec de nouvelles techniques mais sans 'langage' pour les nourrir'. | | |
| * Le télévision va jouer, dans les années à venir, le rôle que jouent aujourd'hui la peinture et la littérature. | | |

Compare your answers to someone else's.

Discuss the points you disagree on.

## ● 'LES MÉDIAS ONT ÉMOUSSÉ NOS FACULTÉS CRITIQUES'...

(1) If you agree that the media have made us less critical, find five points which would illustrate this argument from those listed below.

(2) If you disagree, pick out five points disproving this.

* Les médias nous abrutissent.
* La presse écrite, radiophonique, télévisée, nous bombarde d'événements, d'informations; nous n'avons plus le temps de penser.

* Les images défilent devant nos yeux et nous ne prenons plus le temps de réfléchir.

* Tourner le bouton de sa télé, c'est la solution de facilité!

* Il n'y a que les intellectuels qui résistent au pouvoir de la télévision.

* Rien de plus triste que de voir quelqu'un avachi devant son poste de télé!

* Dans la cour de récréation, comme au bureau, la télévision est le sujet de conversation numéro un.

* Il est rare qu'une émission de télévision soit *analysée*; elle est seulement *évoquée* (par des superlatifs en général!).

* Les médias nous rendent passifs.

* Par les médias, on sait des tas de choses mais superficiellement.

* Comment ne pas saisir la duplicité des grands hommes lorsqu'on entend les contradictions de leurs discours télévisés?

* Un homme politique peut mentir à la télévision et le lendemain, c'est oublié!

* Politique, informations, feuilletons, jeux télévisés... tout devient identique, tout a la même valeur à la télévision.

* La publicité règle nos vies en nous imposant ses images, ses slogans et ses produits.

* Devant le petit écran, chacun poursuit son rêve: gagner au tiercé ou au loto, ou partir en croisière sur une île ensoleillée.

* Les médias homogénéisent la société.

* Les médias nous anesthésient.

* Les médias nous informent et, mieux informés, nous pouvons lutter contre toutes les formes d'oppression.

- **‘PLUTÔT LA VIEILLE EUROPE QUE LE NOUVEAU MONDE‘...**

Read the article below:

---

# *Avec l’Imperial College*

Un jumelage franco-britannique entre deux grandes écoles d’ingénieurs, pour créer le *« Marché commun des idées » :* tel est le pari des élèves de l’Ecole supérieure de physique et chimie industrielles (ESPCI), dite « PC », et de l’Imperial College of Science and Technology de Londres.

Cette coopération a été officialisée, le 30 janvier, par la réception à Paris de quarante étudiants. Les Britanniques ont visité la Cité de La Villette et trois laboratoires de recherche industrielle à L’Air liquide, Roussel-Uclaf, Procter and Gamble, en chimie, biochimie, biotechnologies. Le 20 mars, trente-cinq élèves de PC se sont rendus en Angleterre.

L’ESPCI est célèbre pour les travaux de Paul Langevin sur le magnétisme et les ultrasons et la découverte du radium par Marie Curie, quelques années après sa fondation, en 1882. Sa rencontre avec l’Imperial College ne date pas d’aujourd’hui. Lorsqu’elle a voulu introduire le *tutoring* (préceptorat) dans sa pédagogie, elle s’est tournée vers le modèle anglais – et notamment vers cet établissement situé dans South Kensington et créé en 1906 par la réunion de trois écoles : le Royal College of Science (1845), le Royal School of Mines (1851) et le City and Guilds College (1884).

L’objectif est de former des ingénieurs qui *« sachent raisonner en se fondant non sur des équations, mais sur des lois de comportement, des ordres de grandeur des phénomènes et un grand sens pratique »*. Les horaires des cours ont été diminués de moitié, au profit d’entretiens entre élèves et professeurs.

*« Plutôt la vieille Europe que le Nouveau Monde »* pourrait être la devise des étudiants français, à l’origine de l’opération. *« Nous sommes plus proches des Anglais, Allemands, Italiens ou Espagnols que des Américains »*, nous dit Véronique Duhot, élève de quatrième année.

CHRISTIAN TORTEL.

---

Do you consider that:

| | Yes | No |
|---|---|---|
| * Les jumelages entre écoles devraient être systématiques dans toute l'Europe. | | |
| * Tous les enfants européens devraient pouvoir faire leur scolarité dans au moins deux pays. | | |
| * Dans tous les pays européens, les diplômes devraient être équivalents (avoir la même valeur). | | |
| * Quelle que soit leur nationalité, les professeurs devraient pouvoir travailler dans le pays européen de leur choix. | | |
| * Dès l'école primaire, tous les enfants européens devraient apprendre au moins une langue étrangère. | | |
| * Les Européens ont une histoire commune; leurs différences sont minimes! | | |

Discuss your answers with someone else.

## • ...'FEMMES ACTIVES'...

### Read the following article:

Il n'y avait, dans la société française de 1962, guère plus d'une femme mariée sur trois à exercer une activité professionnelle. C'est désormais le lot de trois épouses sur cinq. Ce formidable accroissement du taux d'activité des femmes mariées ne met-il pas en cause les analyses habituelles de la stratification et de la mobilité sociale ? Car la pratique sociologique courante apprécie la position sociale d'une famille par la profession de l'homme. Cette pratique est-elle encore de mise ? Un article récent de Louis-André Vallet dans la *Revue française de sociologie* (1) fournit des arguments pour une réponse négative à cette question. L'analyse des données tirées des quatre derniers recensements (de 1962 à 1982) révèle une forte décroissance de l' "homogamie", entendue ici comme l'identité (approximative) des positions socio professionnelles des deux conjoints, phénomène qui ne s'explique pas seulement par une évolution différente de la répartition professionnelle des deux sexes.

En outre, au sein des couples "hétérogames", il est de moins en moins rare que la position la plus élevée soit détenue par la femme : c'était le cas de 4 % des couples d'actifs en 1962 ; ce pourcentage a plus que doublé en 1982. De ces cons tats l'auteur déduit qu'il devient nécessaire de prendre en compte la profession de l'épouse pour déterminer la position sociale de la famille. Mais de quelle manière ? Il reste muet sur ce point.

Cette même question de la position sociale des femmes mariées actives a été l'objet de débats nourris parmi les sociologues britanniques, notamment dans la revue *Sociology* (2). Il en est ressorti des propositions concrètes, comme celle de Robert Erikson, qui suggère de retenir la position professionnelle "dominante" au sein de la famille (qu'il s'agisse de l'homme ou de la femme) et avance des critères pour effectuer ce choix : primauté du travail à plein temps sur le travail partiel, du travail non manuel sur le travail manuel, d'un travail exigeant un niveau de qualification sur un travail moins qualifié, d'une profession indépendante sur une profession salariée.

Un des derniers articles sur la question, dû à John Goldthorpe et Clive Payne, s'efforce de dépassionner le débat, où les accusations du genre "sexisme intellectuel" n'ont pas manqué, alors que les tenants (plus souvent les tenantes) des recherches féministes ne prenaient pas toujours la peine d'exploiter les données existantes, préférant croire qu'elles n'existaient pas.

C'est à la mobilité sociale (entre générations) que s'intéresse Goldthorpe – il en est un grand spécialiste. Une série de démonstrations méthodiquement conduites l'amènent à penser que l'impasse faite sur les femmes dans les études de mobilité n'a pas fondamentalement déformé la mesure et la compréhension du phénomène.

Dans la même revue *Sociology,* Rosemary Crompton s'interroge sur l'impact prévisible de l'amélioration du niveau de qualification des femmes sur leur carrière professionnelle comme sur celle des hommes. Un autre élément est apporté au dossier, cette fois dans le *British Journal of Sociology* (3), par Pamela Abbot et Roger Sapford : le sentiment d'appartenir à la *middle class* ou à la *working class* est, chez les femmes mariées actives, davantage lié statistiquement à la profession de leur mari qu'à leur propre emploi. Il est vrai que leur niveau d'instruction a une influence encore plus forte.

Une autre revue britannique de sociologie, *Sociological Review* (4), nous délasse de ces débats un peu techniques avec un article sur le rapport des femmes à la nourriture. Le titre en est plaisant : "Food for Feminist Thought", mais laisse trop aisément deviner ses conclusions. Nickie Charles et Marion Kerr nous dépeignent les épouses britanniques déchirées entre deux impératifs : d'un côté, celui de la minceur nécessaire à l'attrait sexuel en raison d'une conception anormale de la beauté féminine qui domine notre culture ; de l'autre, les devoirs de la cuisinière qui sont de fournir à son partenaire et à ses enfants des plats nutritifs et agréables.

Cette situation anxiogène vient de la position marginale des femmes dans la société, et seule une transformation des rapports sociaux permettra que s'instaure une relation équilibrée entre les femmes et la nourriture. Voilà un pudding qui laisse plutôt sur sa faim.

"Dorénavant le social entraine-t-il l'économique ?" Tel est le titre d'un article d'Henri Mendras dans la revue *Observations et diagnostics économiques* (5), qui nous ramène aux transformations actuelles de la société française. Même lors de la période de croissance économique rapide, l'enrichissement massif a conditionné les changements sociaux, sans que le rapport de causalité ait toujours été bien perceptible. Par exemple, la modernisation du monde agricole dans les années 50 et 60 a résulté de la volonté d'une génération formée par la JAC (Jeunesse agricole chrétienne) de la mise en branle d'un mouvement social exceptionnel. En période de croissance lente, c'est, *a fortiori*, la dynamique des mouvements sociaux qui paraît orienter l'appareil productif plutôt que l'inverse.

L'auteur en fournit de nombreux exemples – brusque épanouissement de la vie culturelle, mouvements démographiques et notamment l'instabilité du couple qui oblige les femmes à avoir un métier et à développer une stratégie de carrière, transformation des régulations intermédiaires (par exemple la multiplication des associations), développement rural – et s'efforce de repérer les groupes sociaux entreprenants qui joueront un rôle décisif dans la dynamique de la société française de demain,

PHILIPPE BESNARD.

(1) *Revue française de sociologie* 27 (4) 1986.
(2) *Sociology* 18 (4) 1984 ; 20 (4) 1986 ; 20 (1) 1986.
(3) *British Journal of Sociology* 37 (4) 1986.
(4) *Sociological Review* 34 (3) 1986.
(5) *Observations et diagnostics économiques* 17, octobre 1986.

| Are the following statements correct? | Yes | No |
|---|---|---|
| * Trois femmes mariées sur cinq travaillent aujourd'hui. | | |
| * 'L'homogamie' est l'identité (approximative) des positions socioprofessionnelles des deux conjoints. | | |
| * Il est de plus en plus rare que dans un couple la position la plus élevée soit détenue par la femme. | | |
| * Les sociologues ont inventé une notion: celle de position professionnelle 'dominante' au sein de la famille. | | |
| * Certains sociologues sont accusés de 'sexisme intellectuel'. | | |
| * Chez les femmes mariées actives, le sentiment d'appartenir à telle ou telle classe sociale est déterminé par leur emploi (et non celui de leur mari). | | |
| * Une conception anormale de la beauté féminine domine notre culture. | | |
| * Les femmes vivent une situation anxiogène. | | |
| * Le monde agricole change! Les couples deviennent instables, les femmes essaient d'avoir un métier. | | |

## • ...'LE MARKETING EST UN MÉTIER D'AVENIR'...

Do you agree? Ask people around you whether this is an accepted view...

What kind of jobs does the term 'marketing' cover anyway?

Here is an article. Read it carefully.

*Le marketing est un métier d'avenir et les formations sont dans l'ensemble bien adaptées. Mais si on trouve facilement du travail, les salaires peuvent varier du simple au double.*

LE marketing est une bonne filière. La quasi-totalité des étudiants qui ont terminé leurs études en 1984 avec une maîtrise, un diplôme de troisième cycle ou d'école de commerce ont du travail. Les rares qui n'en ont pas poursuivent leurs études ou font leur service national (quatre seulement sur les cent quatre-vingt-deux diplômés de 1984 qui ont répondu à notre enquête sont au chômage).

Les trois quarts des diplômés ont trouvé leur premier job en moins de trois mois, et près des deux tiers l'occupent toujours. Très rares sont ceux qui ont changé plus d'une fois de travail, et 10 % seulement recherchent un emploi.

La quasi-totalité des personnes interrogées occupent un poste correspondant à leur formation, soit directement dans le marketing, soit dans une fonction qui s'y rapporte. Plus des trois quarts travaillent dans le privé et dans des entreprises de plus de cinquante salariés. La fonction marketing est encore peu développée dans le secteur public et parapublic et dans les petites entreprises.

Les secteurs d'activité les plus accueillants sont, dans l'ordre, la chimie et la pharmacie, les services, l'informatique et l'électronique, l'édition et la communication, l'agro-alimentaire, les banques.

Les fonctions occupées principalement sont celles de vendeur, ingénieur commercial, chef de produit. Viennent ensuite les chargés d'études, chefs de publicité, conseils financiers. La fonction de chargé d'études correspond souvent à un premier poste qu'on abandonne ensuite, alors que celles de chef de produit, chef de publicité ou conseil s'acquièrent plutôt après quelques années d'expérience. On trouve aussi quelques spécialistes du marketing dans l'exportation, la formation ou comme dirigeant. Trois seulement ont créé leur entreprise.

La formation reçue est généralement très appréciée. Plus de la moitié estiment qu'elle les a bien préparés à leur travail actuel. Quant aux autres, même s'ils pensent qu'elle leur a été de peu d'utilité, ils la jugent malgré tout « *intéressante* ». Les plus satisfaits sont ceux qui occupent des fonctions vraiment marketing (chargé d'études, chef de publicité, chef de rayon, chef de produit). Les anciens élèves des écoles sont, pour l'essentiel, plus nombreux que les diplômés d'université à estimer que leur formation les a bien préparés à leur travail actuel.

Mais cette satisfaction est plus forte chez ceux qui viennent des petites écoles de province (Dijon, Bordeaux, Reims) que des grandes (HEC, ESSEC) – à l'exception de l'ISA, qui semble particulièrement bien répondre aux réalités professionnelles.

Pour les étudiants des universités, le sentiment d'avoir été bien préparés à leurs tâches actuelles est nettement plus élevé chez les titulaires d'un diplôme de troisième cycle (DEA, DESS) que chez ceux qui n'ont qu'une maîtrise. Mais, d'une façon générale, la satisfaction atteint des scores élevés chez les diplômés de certaines universités, comme Paris-I, Rennes, Grenoble-II ou Aix-Marseille-III.

Les diplômés des universités mettent un peu plus de temps à trouver leur premier emploi que ceux des écoles. Toutefois, 60 % d'entre eux l'obtiennent en moins de trois mois (contre 88 % pour les diplômés d'une école). Les « universitaires » sont parmi les plus nombreux à travailler dans une petite entreprise.

Ils sont aussi nettement plus nombreux que les diplômés des écoles à avoir suivi une formation complémentaire à côté de leurs études commerciales, notamment en économie, sciences et technique, droit et science politique, gestion (rarement dans les disciplines littéraires). Un petit nombre de diplômés poursuivent des études pour faire un doctorat, un MBA, un DESS ou un DECS, ou pour diversifier leur formation (publicité, Sciences Po, informatique, gestion...).

Le marketing est un métier masculin. On y trouve deux hommes pour une femme, et les premiers sont proportionnellement mieux payés. On trouve surtout les hommes dans les postes de vendeur, chargé d'études, chef de rayon... et dirigeant. Les femmes sont relativement nombreuses comme chefs de produit, acheteuses, dans la bureautique, la formation et la comptabilité.

FRÉDÉRIC GAUSSEN.

★ La revue de l'ONISEP, *Avenirs,* consacre son dernier numéro (janvier-février 1987) à *la gestion. Métiers et formations.* (Gestion financière, gestion personnel, gestion commerciale, marketing, direction générale). 166 p., 42 F.

# Les fonctions du marketing

## LE CHEF DE PRODUIT

Le chef de produit est responsable de la gestion d'un ou de plusieurs produits. Il s'occupe de la conception du produit, commande des études de marché, la stratégie marketing. Il recherche également les axes de développement des nouveaux produits. Il travaille en relation permanente avec la force de vente, la production, le contrôle de gestion, l'agence de publicité.

On trouve des chefs de produit dans la plupart des entreprises de biens de grande consommation (BSN, Gervais-Danone, Nestlé, L'Oréal, Colgate...), mais aussi, de plus en plus, dans les secteurs des services ou le secteur industriel. Certaines sociétés n'ont pas de chef de produit mais des chefs de marché : chef de marché-collectivités, chef de marché-grossistes.

## LE COMMERCIAL

Le commercial est responsable de la vente *stricto sensu* du produit, du démarchage, du suivi de clientèle. Le vendeur peut être salarié de l'entreprise ou rémunéré à la commission (VRP, en forte diminution). La profession est très large puisqu'elle s'étend du vendeur de vêtement en magasin à l'ingénieur d'affaires, qui négocie les contrats internationaux, en passant par le délégué médical.

## LE CHARGÉ D'ÉTUDES

A partir d'un problème posé, pour une meilleure compréhension d'un marché, il définit la méthodologie à suivre pour résoudre ce problème. On trouve des chargés d'études dans les grosses entreprises ou dans les cabinets conseils.

## LE CHEF DE PUBLICITÉ

Responsable d'un budget de publicité (ou de communication), le plus souvent dans une agence clé, il est chargé de relations avec l'annonceur, avec lequel il définit la stratégie publicitaire qui servira de plateforme de travail aux créatifs de l'agence et au service du média-planning.

## L'ACHETEUR

Les grosses entreprises et les centrales d'achat des distributeurs offrent souvent une fonction d'acheteur. Celui-ci sélectionne des produits et négocie des prix d'achat.

## LE CONSEIL

Les activités de conseil sont extrêmement variées : conseil en stratégie, en marketing politique, en organisation... La profession de conseil s'exerce soit dans un cabinet spécialisé dans le conseil, soit en indépendant. Une même personne peut être spécialisée (conseil stratégique, conseil en communication, etc.) ou faire du conseil « généraliste » de gestion.

## LE CHEF DE RAYON

Responsable de la gestion d'un rayon (puis d'un département), il est chargé du choix des produits présents dans le rayon, de la politique de marge, de prix et de présentation des produits.

ELISABETH TISSIER-DESBORDES.

# *Hauts et bas salaires*

LES salaires dans le marketing peuvent atteindre, dès le début de carrière, des niveaux élevés, mais pas pour tout le monde. L'éventail est en effet largement ouvert puisqu'il va du simple au double : 20 % des personnes interrogées déclarent gagner moins de 80 000 F par an ; 27 %, de 80 000 à 120 000 F ; 17 %, de 120 000 à 140 000 F ; 17 %, de 140 000 à 160 000 F, et 19 %, plus de 160 000.

D'une façon générale, les diplômés des écoles sont mieux rémunérés que ceux des universités (73 % des premiers gagnent plus de 120 000 F, contre 30 % seulement des seconds). Les plus gros salaires vont naturellement aux anciens des écoles les plus prestigieuses : ISA (tous à plus de 160 000 F), HEC, ESSEC, ESCP. Mais on trouve aussi des salaires élevés (plus de 140 000 F) chez les titulaires d'un DESS et d'un DEA.

Aucune des fonctions exercées ne semble échapper à la dispersion observée. Ainsi on trouve une proportion importante de très hauts et de très bas salaires aussi bien chez les vendeurs, les dirigeants, les chargés d'études, que les chefs de pub, dans le conseil ou dans l'exportation. Seuls les chefs de produits semblent bien installés dans la zone des plus de 140 000 F. Les salaires les plus élevés se trouvent dans les grosses entreprises privées, surtout dans les secteurs de la construction électrique et de l'électronique, de la sidérurgie, de l'agro-alimentaire, de la chimie et de la pharmacie.

S'il est naturel que la rémunération augmente avec l'âge, on observe que 14 % des moins de vingt-cinq ans figurent parmi les plus gros salaires (plus de 160 000 F). Dans le marketing, la valeur (marchande) n'attend pas le nombre des années.

Enfin, les femmes sont proportionnellement plus nombreuses que les hommes dans la zone des moins de 120 000 F, et deux fois moins présentes dans celle des plus de 160 000 F. ■

Can you give the English equivalent to each of these job descriptions?

Are the following statements correct?

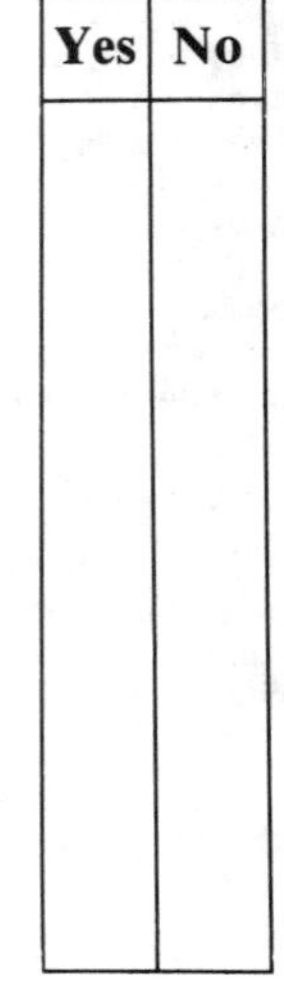


* Le marketing est une bonne filière; la quasi-totalité des étudiants trouvent un emploi à la fin de leurs études.
* La fonction marketing est encore peu développée dans le secteur public.
* Le marketing est un métier masculin.
* Les hommes y sont en général mieux payés que les femmes.
* Les salaires ne sont pas liés à l'âge: dans le marketing, la valeur (marchande) n'attend pas le nombre des années!
* Dans le marketing, les gens ne pensent qu'à l'argent et aux gadgets en tous genres.
* À notre époque, tout se vend et c'est bien triste.

Check your answers with someone else.

## • ...'LE COURAGE EST LE SENTIMENT LE PLUS AMBIGU, LE PLUS DIFFICILE À ANALYSER'...

Divide the statements and questions below into two columns:

Column I = FOR
Column II = AGAINST

| | I | II |
|---|---|---|
| * Un homme plonge à la mer pour sauver un enfant qui se noie; il n'y a aucune hésitation à avoir: cet homme est courageux, son acte est noble. | | |
| * On appelle courage la force qui pousse les hommes à affronter le danger. | | |
| * Pour gagner la guerre, il faut des hommes courageux. | | |
| * Quand on a le vertige, on ne peut pas monter sur un toit ou escalader une montagne; en est-on, pour autant, une mauviette? | | |
| * La société rejette les gens faibles. | | |
| * 'Descartes disait que l'irrésolution est le plus grand des maux'. ALAIN. | | |
| * Peut-on montrer son courage en paroles? | | |
| * Ne confond-on pas souvent le courage et l'agressivité? | | |
| * Le courage n'est pas une valeur absolue, il est déterminé par l'époque et par la société. | | |
| * N'a-t-on pas le droit d'avoir peur? | | |
| * 'L'homme est courageux; non pas à l'occasion mais essentiellement. Agir, c'est oser. Penser, c'est oser'. ALAIN. | | |
| * Que veut prouver le courageux – et à qui – en commettant son acte de bravoure? | | |
| * Il faut au contraire revendiquer le droit à la paresse. | | |
| * Le courageux met souvent sa vie on danger; pourquoi prend-il ce risque? | | |

| I | II |
|---|---|
| | |

* Le courageux veut se prouver à lui-même que rien ne lui fait peur.
* Le courage est altruiste.
* Souffrir sans se plaindre est la forme la plus noble du courage.
* 'Travaillez, prenez de la peine'... Des hommes courageux sont morts à la tâche, aveuglés par cette maxime et exploités!
* Quand l'homme a perdu le sens de l'effort, la société périclite.
* La société contemporaine exige des hommes qu'ils sachent se reposer! A-t-on besoin de courage pour vivre pleinement ses loisirs?
* Toute société a besoin de héros et aujourd'hui les footballeurs ou les joueurs de tennis sont portés aux nues, acclamés comme des guerriers valeureux! Sont-ils courageux, ces héros de la fin du XXème siècle?
* Personne n'est parfait et c'est souvent l'ambition qui se cache sous le courage.
* Peut-on vivre avec quelqu'un dont on pense qu'il est totalement dépourvu de courage?

Compare your selection with someone else's.

## • ...'LA PLUS GRANDE DES FORCES EST LA NAÏVETÉ'...

Divide the statements and questions below into two columns:

Column I = FOR
Column II = AGAINST

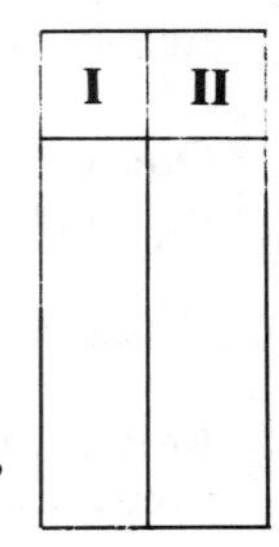


* Le naïf est serein.
* Quand on ne sait pas, on n'hésite pas!
* Pour agir, il ne faut pas trop réfléchir.
* Le naïf vit dans un monde où 'tout le monde (il) est beau, tout le monde (il) est gentil'.

| | I | II |
|---|---|---|
| * Le naïf ne connaît ni la ruse, ni la méfiance. | | |
| * Pour oser, il faut être ou fou ou naïf! | | |
| * Les naïfs ont beaucoup de charme. | | |
| * La naïveté est désespérante; c'est une forme de bêtise. | | |
| * Savoir préserver en soi la candeur de l'enfance est un art! | | |
| * Les questions naïves sont souvent les plus désarmantes. | | |
| * Le naïf ouvre toujours grand les yeux, sur les êtres et sur les choses. | | |
| * Le naïf se fait exploiter mais il n'en souffre pas puisqu'il ne s'en rend pas compte. | | |
| * Naïveté et niaiserie sont souvent synonymes. | | |
| * Le naïf est crédule. | | |
| * On pardonne tout aux naïfs. | | |
| * La naïveté incite à la recherche. | | |
| * On se moque des naïfs. | | |
| * Les naïfs sont aimés de ceux qui ont besoin d'un faire-valoir, (de quelqu'un qui les met en valeur). | | |
| * Le naïf croit tout ce qu'on lui dit. | | |
| * Pour le naïf, tout est pour le mieux dans le meilleur des mondes possibles. | | |
| * Le naïf se laisse entraîner dans toutes sortes d'entreprises qu'il ne prend pas la peine d'évaluer. | | |
| * Il faut un peu de naïveté pour être heureux. | | |
| * Toutes les religions exigent de leurs fidèles une certaine naïveté! | | |

## • ...'ON NE PEUT PAS ÊTRE VERTUEUX SANS RELIGION'...

If a fellow student made this statement, which six questions from those listed would you elect to ask?

* D'abord, qu'est-ce que la vertu?

* De *qui* peut-on dire, à notre époque, qu'il est vertueux?

* Comment peut-on oser croire à la vertu après les découvertes de la psychanalyse?

* Chacun a de la vertu une définition différente, non?

* Qui a intérêt à ce que les gens soient vertueux?

* Pourquoi être vertueux? Pour mettre les forces de police au chômage?

* Pourquoi est-ce que la vertu serait plus importante que la bonté, la générosité?

* Sous la vertu se cache l'hypocrisie, non?

* On n'est pas vertueux de naissance; alors, comment le devient-on?

* L'histoire des religions nous montre bien la violence des 'religieux'; alors, pourquoi prétendre que la religion est du côté de la vertu?

* On est vertueux parce qu'on a peur d'une autorité quelconque; toutes les religions n'ont-elles pas une figure autoritaire, prête à condamner, à punir?

* Reconnaître que sans religion l'homme n'est pas vertueux, n'est-ce pas le condamner?

* Pourquoi faudrait-il que l'homme ait besoin de religion?

* Sans morale, l'homme est proche de l'animal, mais cela veut-il dire pour autant que sans religion l'homme est condamné?

* C'est parce qu'on a peur du Jugement Dernier qu'on est vertueux, non?

* N'y a-t-il que les religions qui vous incitent à aimer votre prochain?

* N'a-t-on pas suffisamment d'exemples de fanatisme religieux pour savoir que religion et vertu ne vont pas nécessairement ensemble?

* Toutes les religions se valent-elles?

Compare your choice with someone else's.

## • ...'LIRE, C'EST VIVRE PLUS'...

Select five statements from those listed, which support the declaration made above.

* Quand on lit, on se retire du monde.

* Lire, c'est vivre par procuration.

* La lecture est une échappatoire.

* La lecture est un divertissement.

* Seule la lecture permet la réflexion sérieuse.

* Lire, c'est découvrir des tas de gens.

* Comment se connaître quand on ne lit pas?

* Pour éviter l'abrutissement généralisé, une solution: Lisez!

* La lecture oblige au silence dont on a bien besoin dans ce monde si bruyant!

* On lit pour s'informer et, dans le monde moderne, on doit être informé.

* Un bon roman et plus rien n'existe, c'est comme si je partais en voyage!

* Lire est une perte de temps dans ce monde où il faut agir.

* La lecture n'est pas réservée aux rêveurs, aux insatisfaits; elle donne plus de sens à la vie.

* Pourquoi la lecture serait-elle devenue archaïque?

* Qui faut-il convaincre de la nécessité de la lecture?

* Lire est un plaisir.

* Pourquoi la lecture est-elle une corvée?

* La lecture est une activité érotique.

* Rien ne remplacera jamais la lecture muette ou à haute voix d'un poème.

* Peut-on se passer de livres? Si oui, à quel prix?

* Par la lecture des textes littéraires, nous faisons l'expérience du beau.

* Lire, ce n'est pas vivre plus, c'est vivre mieux!

Compare your choice with someone else's.

Which two of the questions below, on the same subject, seem to you the most relevant?

* La lecture a-t-elle une fonction vitale pour qui veut vivre pleinement?

* L'auteur de l'énoncé: 'Lire, c'est vivre plus' ne semble-t-il pas dire qu'une vie riche est nécessairement une vie agrémentée de lectures?

* Si cet énoncé paraît au premier abord quelque peu péremptoire, on ne peut cependant s'empêcher de regretter que l'auteur n'ait pas jugé nécessaire d'apporter quelques précisions quant aux types de lectures à effectuer pour enrichir notre vie.

* Même si les taux d'analphabétisme ont considérablement diminué dans nos pays dits 'développés', il existe encore une masse importante de la population mondiale qui ne sait pas lire. Doit-on pour autant en déduire que nos vies sont plus satisfaisantes que les leurs?

* La lecture est-elle la seule forme de culture à même d'améliorer la condition de l'homme?

* Existe-t-il d'autres formes de culture qui recèleraient les mêmes richesses que celles offertes par la lecture?

* Le fait de lire n'apporte-t-il que des satisfactions?

* Comment se fait-il que tant de gens qui savent lire n'ouvrent pratiquement jamais un livre?

Discuss your choice with someone else.

## • …'IL FAUT CHOISIR: VIVRE OU RACONTER'…

In your view, which of the statements listed below support the idea that there is no choice to be made between living and telling…

* Qui dit qu'il faut choisir?
* Ou bien on raconte des histoires, ou bien on passe à l'acte: on ne peut pas faire les deux.
* Tout le monde invente et raconte des histoires.
* C'est parce qu'on raconte ce que l'on a vécu que l'on a conscience du temps, de la durée.
* On peut très bien vivre des aventures merveilleuses … dans sa tête!
* Y a-t-il un seuil entre la survie et la vie?
* Est-ce que vivre c'est faire (des choses), agir?
* Est-ce qu'un romancier est 'mort' parce qu'il raconte des histoires?
* Il y a des hommes d'action et des hommes de réflexion.
* Même les grands hommes fabulent!
* Comment peut-on vivre si on ne se crée pas des mythes et des fables personnels?
* On vit un grand amour parce qu'on se dit qu'on vit un grand amour!
* Même les hommes politiques fabriquent des récits (avec des bons, des méchants, des épreuves, des obstacles, des récompenses …).

* Qu'est-ce qui pourrait arriver de pire aux hommes que de perdre leur imagination?

* Raconter, c'est mentir.

* Quand un enfant raconte ce qu'il a fait à l'école, il vit!

* Quand on vit pleinement, on n'a pas le temps de raconter.

* Un homme de terrain ne raconte pas, il prévoit et analyse: il agit.

Compare and discuss your choice with someone else.

## ● 'LA LITTÉRATURE EST EN VOIE DE DISPARITION'...

Which of the following statements support the above?

* La littérature est synonyme d'évasion, ce dont l'être humain a toujours eu besoin.

* L'écrivain est le produit des problèmes du siècle; il y aura donc toujours une littérature.

* La littérature est une exploration et il n'y a plus de lieux à explorer – la prochaine étape, c'est donc la page blanche!

* Les gens ne lisent plus à cause de la télévision.

* On évolue (et donc on retourne) vers une société orale.

* On a tellement de gadgets qui font les choses à notre place qu'on a davantage le temps de lire!

* L'homme a besoin de la littérature pour sortir de son isolement; c'est ainsi qu'il partage ses expériences avec les autres.

* La littérature est une forme de communication démodée.

Discuss your choice with someone else.

Last but not least, draw up a questionnaire using the lead sentences listed, on one or several topics in the right hand column.

| Select ten lead sentences | Choose ten issues |
|---|---|
| * Est-ce que vous êtes pour... | * le nucléaire? |
| * Est-ce que vous êtes contre... | * l'école maternelle gratuite? |
| * Êtes-vous en faveur (de)... | * la libéralisation des moeurs? |
| * Défendez vous... | * la liberté sexuelle? |
| * Rejettez-vous... | * l'Europe sans frontières? |
| * Vous opposez-vous (à)... | * la T.V. 24h/24? |
| * Êtes-vous d'accord avec... | * l'option zéro en matière de défense? |
| * Est-ce que vous réfutez... | * le parti libéral/conservateur/travailliste? |
| * Est-ce que vous soutenez... | * la politique économique du gouvernement? |
| * Est-ce que vous en désaccord avec... | * la modernisation de l'église? |
| * Est-ce que vous approuvez... | * l'informatique à l'école? |
| * Est-ce que vous désapprouvez... | * le remboursement de l'avortement? |
| | * l'isolement des malades atteints du Sida? |
| | * les banques de sperme? |
| | * l'usage des préservatifs? |
| | **(INCLUDE WHATEVER MAY BE IMPORTANT TO YOU)** |

What are your conclusions?

Compare them with someone else's.

At this point you should be aware of opposite views on the same subject and should feel quite confident about writing fairly long and elaborate YES/NO answers to essay titles which are 'simple statements' like these:

- Les médias nous abrutissent.
- La presse n'est pas libre.
- La justice est faite pour les riches.

- L'équilibre du monde est fragile.
- Les banques sont trop puissantes.
- La folie n'est pas seulement individuelle.
- L'Europe de la communication est une urgence.
- Dans le monde d'aujourd'hui, les couples deviennent instables.
- Le marketing est un métier masculin.
- Toute société a besoin de héros.
- Les naïfs ont beaucoup de charme.
- Sous la vertu se cache l'hypocrisie.
- Lire, c'est vivre plus.
- Raconter, c'est mentir.
- Parler, écrire sont toujours des actes publics.
- L'école doit former des individus aptes à communiquer avec autrui.
- Dans le monde moderne coexistent deux cultures: une culture de masse et une 'culture cultivée'.
- Il n'est pas vrai que la jeunesse ne s'intéresse qu'aux plaisirs.
- Il n'y a pas de progrès dans les arts.
- Il n'y a pas de comique en dehors de ce qui est proprement humain.
- À la liberté de penser s'oppose la contrainte civile.
- La politique est la continuation de la guerre par d'autres moyens.
- Être libre, c'est pouvoir dire 'non'.
- La religion renforce et discipline.
- La vertu nécessaire à l'État est la sécurité.
- La vérité n'est pas vérifiable.
- L'idée de liberté est incompatible avec le concept d'inconscient.

The fact that these essay titles can be defined as 'simple statements', does not mean to say that there is nothing to discuss, but that the argumentation is inscribed (and somehow shaped) in the very formulation of the title.

'Let's take one of the above titles as an example:

**'L'équilibre du monde est fragile'.**

Once you have defined what you understand by 'l'équilibre' (Peace? Equality of resources among countries? Or both?), it shouldn't be too difficult for you to:

(1) illustrate a YES answer. **YES,** the world is at risk because of:

- international terrorism
- the difficulties in establishing a real dialogue between the two superpowers
- an increasingly wider gap between the rich and the poor (countries and people)
- the nuclear threat, etc.

You could demonstrate that there is ample evidence that this is the case. You may even go as far as saying that the world is on the verge of collapse!

(2) find several reasons and arguments to disprove this. **NO,** on the contrary, the world is stable today because:

- military conflicts are kept under control
- the capitalist ethos seems to make ground all over the world
- world leaders regularly discuss their problems
- people are better informed, etc.

In explaining these two sides and opposite views of a problem, you begin in fact **to draw a plan,** which admittedly is still binary and may seem oversimplistic, but it is:

a) a fair reaction to a peremptory and rather abrupt declaration.

b) the first step in gathering your thoughts, writing them down and organising them.

c) the only way to construct an argument.
(What does it mean? What is at stake here? What do I think about it? How could I present various viewpoints and my opinions in a clear, logical and convincing way?).

The following chapters will build upon this first attempt at shaping an argument and give you some guidelines on how to discuss subjects which are expressed differently.

i.e: **as straightforward questions**

- Peut-on parler d'hommes 'sans culture'?
- Le silence a-t-il un sens?
- Le tiers monde est-il un concept ou une réalité?

or: **in more complex statements**

- La faculté de prévoyance, dans chaque individu, a pour mesure sa science.

- Quand on ignore qui on est, pourquoi on est né, ce qu'est le bien et le mal, quand on ne connaît rien à la démonstration ni au raisonnement, on croit être un homme et l'on n'est personne.

Chapter 7

# Oui mais...

In the previous chapter you were invited to formulate and illustrate contradictions and oppositions; our objective in the following pages is to take you a step further by suggesting yet another approach to a question.

In brief, you are being asked to adopt a more conciliatory attitude, or as the case may be, put yourself in a more analytical, critical frame of mind (which does not entirely trust a binary model of the world and is not satisfied with the quality of thinking which limits itself to oppositions).

*Some people appear to be rigid, some less so... let's call the latter group 'flexible.'*

Which of the following utterances would you attribute to:

1) somebody with strong ideas (= Rigid = R)?

2) somebody with a more conciliatory attitude (= Flexible = F)?

| | | R | F |
|---|---|---|---|
| 1. | Les gens sont généreux parce qu'ils se sentent coupables. | | |
| 2. | Ce que vous dites est absolument ridicule. | | |
| 3. | J'aurais tendance à ne pas être de votre avis. | | |
| 4. | Je crois que j'admire les gens généreux. | | |
| 5. | Cette idée est grotesque. | | |
| 6. | Je ne suis pas de votre avis mais je comprends votre attitude. | | |
| 7. | C'est faux, archi-faux! | | |
| 8. | Ceci semble, à première vue, une idée curieuse. | | |

| | | R | F |
|---|---|---|---|
| 9. | Ceci n'est pas tout à fait vrai. | | |
| 10. | Comment peut-on dire une aussi grosse bêtise! | | |
| 11. | Je ne suis pas sûr(e) de bien comprendre ce que vous dites. | | |
| 12. | Au fond, qu'appelle-t-on 'générosité'? | | |
| 13. | Il faut avoir un idéal. | | |
| 14. | Interdisons les motos dans le centre des villes. | | |
| 15. | Ce serait tellement mieux si tout le monde avait un idéal! | | |
| 16. | Il faudrait réglementer la circulation des motos. | | |
| 17. | On ne peut que souhaiter que l'Europe se fasse vraiment. | | |
| 18. | Il faut condamner les extrémismes. | | |
| 19. | Mobilisons-nous pour faire l'Europe. | | |
| 20. | Pourquoi avons-nous tant de mal à comprendre notre prochain? | | |
| 21. | Il y a des gens idiots! Ayons le courage de le reconnaître. | | |

Discuss your choice with someone else.

*THREE PEOPLE ARE TALKING:*

A is always *for* something
B is always *against* the same thing
A is neither for nor against what is being discussed.

In the following statements find two sets of ABC (= two groups or three people discussing the same issue and holding different opinions).

1. Le sport est nécessaire.
2. Il faut faire un peu de sport mais pas trop.
3. Le sport dégénère trop souvent en violence.
4. Les meilleures images à la télévision sont données par les rencontres sportives de haut niveau.
5. Il est inconcevable qu'à notre époque les enfants ne soient plus punis.
6. On ne devrait pas avoir d'argent avant d'en avoir gagné.
7. Il faut punir mais modérément.
8. À force d'être puni, on devient hypocrite.
9. Dès leur plus jeune âge, les enfants devraient avoir de l'argent de poche.
10. Toute forme de punition devrait être interdite.
11. Savoir gérer son argent est une marque d'autonomie.
12. L'argent entraîne le vice.

| A | B | C |
| --- | --- | --- |
| | | |

Compare your choice with someone else's.

**In the list given below, identify five conciliatory reactions (i.e.: statements or questions which do not condemn or attack but which try to raise questions on a particular issue).**

1. La jeunesse est frivole.

2. La sexualité est devenue une véritable industrie.

3. Si une entreprise ne fait pas de bénéfices, il faut la liquider, un point, c'est tout.

4. La société n'a que faire des paresseux!

5. On n'est pas paresseux de nature, enfin pas vraiment!

6. Les gens sont racistes parce qu'ils ont peur et non parce qu'ils sont bêtes et méchants.

7. Tout le monde est vulnérable à un moment ou à un autre; il faut donc apprendre la tolérance et la patience.

8. Pourquoi faut-il toujours choisir? N'a-t-on pas le droit d'hésiter?

9. Avant de condamner quelqu'un, essayons d'abord de comprendre ses motivations.

10. La vérité est rarement évidente, elle exige une recherche patiente et beaucoup d'humilité.

11. Ne doit-on pas faire preuve de charité dans la vie de tous les jours?

12. L'extrême-droite est aussi dangereuse que l'extrême-gauche.

13. Allons jusqu'au bout de nos passions!

14. Celui qui se mesure en tout n'est rien!

15. Pourquoi avons-nous peur de reconnaître nos faiblesses?

Compare your choice with someone else's.

**You are in a conciliatory mood and therefore say things which try to take into consideration explicit or implicit criticism... Find in the list below five utterances which would be acceptable to you**

(match beginnings from Column I with endings from Column II)

| I | II |
|---|---|
| 1. Ne peut-on pas également dire que | a. le roman continuera à exister tant que les hommes auront envie de raconter et de lire des histoires. |
| 2. Sans doute faut-il reconnaître que | b. les gouvernements n'ont-ils pas dans cette affaire leur part de responsabilité? |
| 3. Il est certain que les multinationales ont de plus en plus de pouvoir mais | c. l'équilibre du monde est fragile. |
| 4. Demandons-nous toutefois si | d. cette opinion peut être défendue. |
| 5. Ne faut-il pas également se demander si | e. les femmes sont plus mal payées que les hommes. |
| 6. Ceci n'est que partiellement | f. la littérature n'est pas menacée par les politiques mercantiles des grandes maisons d'édition. |
| 7. Cette déclaration est péremptoire, il faudrait aller au delà de ce jugement | g. rapide. |
| 8. Si nous acceptons cette opinion nous devons, du même coup, adopter un point de vue qui nous paraît trop | h. vrai. |
| 9. D'un côté vous avez raison mais de l'autre, je crois que vous avez | i. sectaire. |
| 10. Ne peut-on pas essayer de comprendre pourquoi | j. tort. |

Compare your choice with someone else's.

Let's now practise with some exercises based on newspaper articles.

## • ÉDUCATION CIVIQUE ET DROITS DE L'HOMME AU LYCÉE.

(1) Carefully read the article below:

Education civique et droits de l'homme au lycée

# Une épreuve au bac en 1990

**Un enseignement d'« éducation civique et droits de l'homme » sera introduit dans les lycées, à l'intérieur des programmes d'histoire, à compter de la rentrée 1987. Une épreuve le sanctionnera au baccalauréat à partir de 1990. Cette innovation a été annoncée par Claude Malhuret, secrétaire d'Etat aux Droits de l'homme qui est à l'origine de cette initiative et René Monory, maître d'œuvre de sa réalisation.**

Trois raisons, a indiqué René Monory, président à cette décision. D'abord l'Education nationale doit aider les jeunes à acquérir une **« véritable formation de citoyen »**. D'autre part, cette formation doit être **« solide et objective pour leur permettre de se défendre contre des propos orientés et agressifs, car,** a-t-il ajouté, **dans ce domaine on dit bien des choses et leur contraire. »** Enfin, pour le ministre, **« on parle actuellement beaucoup des droits de l'homme, mais en matière d'éducation rien ne se fera réellement s'il n'y a pas de sanction, d'où l'idée de tenir compte de cet enseignement au baccalauréat. »** Une quatrième raison est invoquée par René Monory : **« On introduit de façon précise et formelle cet enseignement au moment où l'on s'apprête à fêter le bicentenaire de la Révolution. C'est un symbole important. »**

(Universal photo)

*Claude Malhuret.*

De son côté, Claude Malhuret a estimé que **« si actuellement apparaissent nettement chez les jeunes les valeurs de générosité et de solidarité, il est néanmoins nécessaire de les conforter et de les encourager. On ne va pas leur dire ce qu'ils doivent penser de la société, mais qu'ils ont à penser. »**

## Nouveaux programmes

L'éducation civique et l'enseignement des droits de l'homme seront introduits en seconde en 1987 (le programme d'histoire traite du XIX^e siècle), puis en première en 1988 (le programme va de 1900 à 1945) et en terminale en 1989 (le programme va de 1945 à nos jours). A la session de juin 1990 du bac, le troisième sujet de l'épreuve d'histoire sera transformé en une série de trois à six questions dont le tiers portera sur l'éducation civique et les droits de l'homme.

De nouveaux programmes sont actuellement en cours d'élaboration. L'inspection générale y travaille en collaboration avec la Commission des droits de l'homme placée auprès de M. Malhuret. Il ne s'agit pas de réduire la part de l'histoire actuellement enseignée, mais de rééquilibrer les programmes en répartissant mieux l'accent mis sur l'événementiel et la géo stratégie ainsi que sur les évolutions de société et leurs conséquences.

Les programmes 1987 de seconde étant déjà arrêtés, un complément destiné aux enseignants sortira avant la fin de l'année scolaire. Par ailleurs, des stages de formation seront organisés en juin pour les inspecteurs pédagogiques régionaux et les professeurs des lycées bénéficieront eux-mêmes de stages pendant l'année 87-88.

MM. Monory et Malhuret ont aussi annoncé la création d'un concours annuel à partir de 1988, le concours René-Cassin réservé aux élèves de première. Il **« portera sur des questions enseignées dans le programme, fera appel à des connaissances interdisciplinaires et à une réflexion sur l'actualité des valeurs consacrées par la Déclaration des droits de l'homme et du citoyen. »**

Enfin, dans le cadre de la commémoration du bicentenaire de la Révolution, les chefs d'établissements seront invités à favoriser, pour la définition des PAE (projets d'action éducative), des projets sur le thème des droits de l'homme.

(2) Answer the following questions:

– What do you understand by 'éducation civique et droits de l'homme'?

– If asked to draw up a plan on the subject of 'aider les jeunes à acquérir une véritable formation de citoyen' in your academic institution, how would you proceed?
What would your priorities be?
(List below the five topics which in your view are the most important)

1. ..............................................

2. ..............................................

3. ..............................................

4. ..............................................

5. ..............................................

– Do you think that 'éducation civique et droits de l'homme' should not only be taught in all schools but should also be tested and examined?

Give your reasons

| Yes |
| --- |
| No |
| Don't know |

Discuss your answers and reactions with someone else.

- **DRAMES DU QUOTIDIEN.**

– A group of motorbike fans read this advertisement and objected for it widely publicised factors that shed a bad light on their sport (they consider their hobby to be no more dangerous than many other sports).

## LES ACCIDENTS A MOTO

**Port du casque avec mentonnière et visière, complété d'un équipement (veste, bottes de cuir) dans un souci de limiter les lésions cutanées et protéger des fractures ouvertes.**

**RESPECTER LES RÈGLES DE SÉCURITÉ ÉLÉMENTAIRES**

**— Ne pas rouler trop près d'une voiture.**

**— Ne pas doubler à droite.**

**— Respecter la signalisation lumineuse.**

– Can you imagine some negative reactions to this publicity campaign (in FRENCH)?

– Try to justify this advertisement (and other measures to reduce accidents). Write a short piece in French on this subject (which will be read by 18 – 25 year olds).

– Show your text to others around you and ask them for their reactions.

## • DRAMES DU QUOTIDIEN.

1) Read the following article:

### Témoins de Jéhovah : le parquet ordonne la transfusion pour l'enfant malade

RENNES. – Il a fallu prendre rapidement unedécision. L'état d'un enfant de deux ans et demi nécessitait une opération chirurgicale et une transfusion sanguine. Ses parents, témoins de Jéhovah, ont formellement refusé : leur religion leur interdit d'y avoir recours. Les médecins ont prévenu le parquet de Rennes comme les y oblige la loi, sous peine de se voir poursuivre pour non assistance à personne en danger. Le procureur de la République n'a pas recouru à la traditionnelle procédure de retrait provisoire de l'autorité parentale mais a autorisé les médecins à effectuer la transfusion malgré l'avis des parents.

In this article, try to analyse (justify and condemn):

* the parent's attitude.

* the doctor's attitude.

* the 'Procureur de la République's' attitude (= the law)

The decision taken (to give the 2½ year old child a blood transfusion):

* was it in your view a good/bad one?

* do you approve/disapprove?

Give your reasons

Discuss your reactions and views with someone else.

## • L'HEURE D'UNE 'THÉOLOGIE DE LA FRATERNITÉ'.

1. What do you understand by the expression 'théologie de la fraternité'? Discuss it with someone else.

2. Read the following article carefully:

Les Caritas de cent vingt-huit pays à Rome

# L'heure d'une « théologie de la fraternité »

**Elaborer une « théologie de la fraternité » : telle est la consigne qui semble se dégager des travaux que viennent de mener à Rome les délégués des organismes catholiques de charité de 128 pays. Un Français, du Secours catholique, Denis Viénot, a été élu trésorier de la « Caritas internationalis », qui fédère ces organismes.**

ROME (de notre correspondant). – **« Pour construire la paix, construisons des communautés de justice et de charité. »** Sur ce thème, 282 représentants des 128 **« Caritas »** du monde entier (45 en Afrique) ont travaillé une semaine à Rome depuis le 20 mai. Ces Caritas, tel, en France, le Secours catholique, constituent une fédération née après la guerre et devenue la **« Caritas internationalis »**, dont le siège est à Rome mais non au Vatican.

Satellites de la charité dans le monde, les Caritas locales manifestent la visibilité de la charité en toute l'Eglise. Charité : un mot que l'on retrouve avec tout le dynamisme qu'il comporte. L'assemblée de Rome a fait découvrir aux participants que justice et charité ne sont pas des matériaux de même nature. Au cours d'une homélie, le cardinal Etchegaray le disait en son style imagé : **« Le lépreux que rencontra François d'Assise avait droit à ce que la société le soigne ; il n'avait pas droit au baiser du Poverello, mais c'est sans doute ce geste qui le réconforta le plus. »**

### Confiance au Secours catholique

Retrouver dans l'aide apportée aux plus pauvres cet aspect fondamental de la charité semble être un objectif de la Caritas internationalis. Un effort d'éducation va donc être poursuivi auprès des animateurs des communautés de base non seulement ecclésiales mais tout simplement humaines ; cette perspective a été soulignée avec force par les délégués des pays africains ou asiatiques où les chrétiens sont minoritaires. Mgr Sanon (Bobo-Dioulasso) et Mgr Tessier (Alger) ont plaidé pour que soit élaborée une **« théologie de la fraternité »** sur laquelle toute approche du développement devrait prendre appui.

On assiste ainsi à un glissement révélateur du vocabulaire : du binôme développement-solidarité, on passe à celui de charité-fraternité. Les Caritas locales sont ainsi invitées à accentuer la formation spirituelle et doctrinale des animateurs (160 cadres en France pour le Secours catholique et 60 000 bénévoles) et à contribuer à mettre au point cette **« théologie de la fraternité »** ou de la charité.

Cette assemblée romaine a révélé combien sont dépassées en de nombreux pays les querelles idéologiques entretenues autour de la notion même de développement, querelles qui n'intéressent guère les Caritas des pays pauvres. Elles demandent aux riches de ne pas exporter chez elles leurs querelles. Pour sa part, le Secours catholique français a pu se rendre compte de la confiance que les « Caritas-sœurs » mettent en lui. Signe évident : Denis Viénot, qui dirige l'Action internationale de l'organisme français, a été élu par 106 voix sur 108, trésorier de la Caritas internationalis.

Les conclusions de cette assemblée de Rome seront sans doute utiles à l'épiscopat français au moment où celui-ci met au point son **« plan de solidarité ».**

**Joseph VANDRISSE.**

## L'Action catholique des enfants a 50 ans

### 25 000 jeunes attendus à Nantes et Angers

**QUINZE MILLE ENFANTS** de 5 à 15 ans le dimanche de la Pentecôte à Nantes, 12 000 à Paris parmi lesquels des centaines de petits Normands, plus de 10 000 à Angers... **« Planète 100 000 »,** l'immense fête organisée par l'Action catholique des enfants pour son 50ᵉ anniversaire, rassemblera comme prévu 100 000 enfants dans neuf villes différentes. Peut-être plus.

**« Bouge ta planète »,** c'est le mot d'ordre. Les enfants le feront à Angers en aménageant la cantine, les classes et la cour de récréation de l'école de leurs rêves ; à Nantes, en se transformant en parlementaires de la paix et en votant des droits de l'enfant, etc.

Dans chaque ville, une délégation de cinquante à cinq enfants investira un lieu public et, devant maires, députés, responsables divers – les ministres invités ne seront pas là – feront part de leurs propositions.

**DIALOGUE AVEC LES JUIFS.** - Supérieur des Oratoriens depuis 1984, le P. Jean Dujardin vient d'être nommé secrétaire du Comité épiscopal catholique français pour les relations avec le judaïsme. Le P. Dujardin est né le 31 octobre 1936 à Cambernon, dans la Manche.

**LES PAUVRES AU VATICAN.** - Le pape a demandé à Mère Teresa, de Calcutta, d'ouvrir un foyer pour les pauvres au Vatican même. Un bâtiment prévu pour 74 lits, avec deux sections (hommes et femmes), sera construit dès cette année non loin de la grande salle d'audience bâtie par Paul VI.

3. If asked to take part in the programme
   'POUR CONSTRUIRE LA PAIX, CONSTRUISONS DES COMMUNAUTÉS DE JUSTICE ET DE CHARITÉ'

   How would you proceed?
   How would you define the 'Communautés' referred to here?
   What would be your priorities?
   Which problems would you try to solve?
   How?

Compare your suggestions with someone else's.

## • L'ÉGLISE ET LES FEMMES: LA QUESTION DE LA PRÊTRISE ...

Read these two articles carefully:

# Rome dans l'expectative...

***Par hostilité et refus à la prêtrise des femmes, des prêtres anglicans pourraient rejoindre le catholicisme romain. Le Vatican est prêt à les accueillir mais à certaines conditions.***

LE VATICAN :
**Joseph VANDRISSE**

« *Si l'Eglise d'Angleterre se décidait à ordonner prêtres des femmes, je suis prêt à engager des conversations avec l'Eglise catholique ou l'Eglise orthodoxe.* » Peu de temps avant l'ouverture du synode de son Eglise, l'évêque anglican de Londres, le Dr Graham Leonard, âgé de soixante-cinq ans, marié et père de deux enfants, avait déclaré – et sans doute pour signifier la gravité de l'enjeu des décisions à prendre – qu'il garderait sa liberté à l'égard de son Eglise. Il se disait convaincu, sur la base d'un sondage, d'être suivi par un bon nombre d'évêques, de prêtres et de laïcs.

A l'issue du synode, l'évêque se montrait plus réservé : « *Il est important de distinguer entre des sondages et des pourparlers officiels. Je n'irai pas vers Rome parce que je suis déçu de mon Eglise.* » Il annonçait que le comité directeur de l'Association pour le ministère apostolique, dont il est le président, tiendrait une réunion cette semaine. Une question – purement théorique pour l'instant – peut alors être posée : quelle serait l'attitude de l'Eglise romaine en cette affaire ?

Le problème n'est pas totalement nouveau puisqu'il s'est posé dans l'Eglise épiscopalienne des Etats-Unis, qui est membre de la communion anglicane, tant il est vrai que tous les anglicans ne sont pas anglais comme tous les Anglais ne sont pas anglicans : cette Eglise compte cent diocèses et trois millions de fidèles. Après des ordinations de femmes au presbytérat, un certain nombre de prêtres avaient quitté leur Eglise à partir de 1976 et, depuis cette date, avaient multiplié les démarches pour être admis dans l'Eglise catholique. En août 1980, les dossiers étaient introduits à Rome, à la Congrégation pour la doctrine de la foi.

Celle-ci, deux mois plus tôt, avait fait savoir aux évêques américains qu'elle donnait un avis favorable à la demande. L'entrée de ces personnes dans l'Eglise catholique devait être comprise – selon la congrégation – « *comme la réconciliation de personnes individuelles qui désirent la pleine communion catholique* ». Le concile Vatican II, dans son décret sur l'œcuménisme (n° 4), avait explicitement prévu ce cas : c'était là honorer les exigences de la liberté religieuse et de la liberté de conscience.

### Réconciliation

La procédure avait alors été engagée par soixante-deux prêtres, une vingtaine d'autres demandant des explications. Rome leur proposa, s'ils le désiraient, un statut qui leur permettrait de conserver quelques éléments de leur héritage anglican. S'ils étaient mariés, ils n'étaient plus soumis à la règle commune du célibat ecclésiastique. Les demandeurs sollicitèrent l'autorisation d'être ordonnés prêtres dans l'Eglise catholique (c'est la pratique de l'Eglise romaine, confirmée en 1986 par une bulle de Léon XIII, déclarant invalides les ordinations anglicanes). Ces prêtres sont maintenant au service des paroisses américaines.

L'attitude de Rome en cette affaire pourrait servir de jurisprudence, d'autant qu'il y a d'autres précédents. En 1951, Pie XII autorisait l'ordination sacerdotale d'un ancien pasteur protestant, Rudolf Goethe, descendant du poète, marié et converti au catholicisme, tout en levant pour lui et pour un autre pasteur la loi du célibat. Depuis lors, et depuis l'ouverture de dialogues officiels bilatéraux entre Eglises sur la question des ministères, et si l'Eglise catholique et une autre Eglise trouvaient un accord concernant l'eucharistie et le ministère, le contexte de la pratique de l'Eglise romaine pourrait être modifié.

En attendant, sans qu'il n'y ait aucun fléchissement dans l'attitude de l'Eglise catholique vis-à-vis du mouvement œcuménique, celle-ci peut et doit accueillir la réconciliation de personnes qui demandent à être admises dans la communion catholique.

**J. V.**

# Elles mettent en danger l'Eglise anglicane

## *L'ordination de ces quinze diaconesses vendredi à Canterbury et la perspective de l'accession des femmes à la prêtrise divisent l'Église d'Angleterre et inquiètent sa hiérarchie.*

L'Eglise anglicane ordonnera-t-elle des femmes au sacerdoce ? Si oui, quand cela pourra-t-il se faire ? Et quelles seront les conséquences d'une telle décision ? Réponse à la première question : oui très probablement. A la deuxième, le Dr Runcie, primat de la Communion anglicane, estime que cela ne pourra se faire avant juillet 1992 et plus probablement pas avant 1994.

C'est en 1984, lors du synode annuel de l'Eglise d'Angleterre, que la première décision de principe a été prise et le processus engagé. Par 307 voix contre 183, ce synode avait, en effet, décidé d'engager la procédure canonique pour examiner la question.

Pour parvenir à ce résultat, il avait fallu que les trois collèges du synode – évêques, prêtres et laïcs – donnent leur accord. Ils l'avaient refusé lors de la consultation de 1978. En donnant leur agrément en 1984, ils permettaient aux responsables de l'Eglise anglicane de consulter officiellement les diocèses, ce qu'ils firent dans les mois qui suivirent. Ceux-ci ayant approuvé la décision du synode, la question revenait tout naturellement devant les trois collèges.

C'est au cours de l'année 1985 que des risques de craquements au sein de l'Eglise d'Angleterre sont clairement apparus à propos de ce dossier brûlant. A Oxford, au cours d'une assemblée du clergé, l'évêque de Londres, le Rev. Graham Leonard, avait clairement évoqué le risque d'une scission : « *Les partisans de l'ordination des femmes,* avait-il dit, *affirment en général que ceux qui ne sont pas d'accord avec eux, soit se rallieront à d'autres Eglises, soit finiront par accepter cette mesure. Ils se trompent. Nous nous organiserons séparément.* » La menace d'une scission interne apparaissait très nettement.

Mais il convenait d'abord que les partisans de cette ordination rassemblent une majorité des deux tiers pour réaliser leur projet. Et ce, dans chaque collège. Au synode de York en juillet 1986, il apparut que le collège des évêques était favorable à 70 % tandis que celui des prêtres ne l'était qu'à 58 % et celui des laïcs à 63 %. Tandis que le « Mouvement pour l'ordination des femmes » (M.O.W.) reprenait l'offensive, une pétition nationale pour le maintien du *statu quo* recueillait les signatures de quarante-deux évêques, de deux mille deux cent quatre-vingt-seize prêtres et de douze mille quatre cents laïcs.

### « Rupture presque irrémédiable »

Le synode qui vient de prendre fin a voté à son tour avec les résultats suivants : dans le collège des évêques, trente-deux voix favorables contre huit ; dans le clergé, cent trente-cinq voix favorables contre soixante-dix ; chez les laïcs, cent cinquante voix favorables contre soixante-sept et deux abstentions.

La menace de scission qu'évoquait en 1984 l'évêque de Londres dans le cadre d'une « campagne électorale » (il s'agissait d'élire des délégués diocésains) devient aujourd'hui une réalité, même si l'ordination proprement dite ne doit intervenir que dans cinq ou sept ans.

Pour l'éviter, certains envisagent une cohabitation entre les deux formules au sein même de l'Eglise anglicane. Ainsi a-t-on admis au cours du dernier synode qu'un diocèse pourrait demander à son évêque de ne pas ordonner de femmes au sacerdoce même si l'évêque en question y est favorable.

Mais les répercussions dans le domaine œcuménique risquent d'être plus graves encore. Une telle possibilité paralysera le dialogue avec les catholiques et les orthodoxes. A Vancouver, lors du service solennel qui a été célébré pendant l'Assemblée mondiale du Conseil œcuménique, les évêques orthodoxes avaient quitté le podium après la lecture de l'Evangile, du seul fait de la présence de diaconesses en vêtements liturgiques. En décembre 1984, le cardinal Lustiger, recevant à Notre-Dame le Dr Runcie, archevêque de Canterbury, avait parlé de « *rupture presque irrémédiable* » si l'Eglise anglicane procédait à ces ordinations.

Est-il vraiment opportun d'ajouter un obstacle de plus sur la route déjà difficile des Eglises vers l'unité ?

**Jean BOURDARIAS.**

Draw up a list of facts and events which illustrate the refusal (or the reluctance) to accept women as priests.

Ask others around you as to whether this question is important or not.
Yes?
No?
Why?

Compare your findings with someone else's.

Let's now move to essay titles.

## • L'HOMME EST LIBRE, MAIS D'UNE LIBERTÉ CONDITIONNÉE.

How would you defend this statement?

How would you define 'une liberté conditionnée'?

Select five statements in the list below which would help you to write an essay on this subject.

1. L'homme est un complexe de besoins.

2. On se doit de respecter les autres.

3. La vie en société exige des sacrifices.

4. Les rapports sociaux sont ritualisés.

5. Chacun doit respecter la loi.

6. La société a l'obligation de protéger la propriété privée.

7. Le travail est aliénant mais nécessaire.

8. L'homme produit des objets pour la satisfaction de ses besoins.

9. L'homme est né pour l'action.

10. Dans chaque homme, il y a un conquérant qui sommeille.

11. L'homme le plus vertueux est celui qui est le plus utile à ses concitoyens.

12. Le bonheur se mérite.

13. Le bonheur a ses lois.

14. La politique ne peut négliger le bonheur.

15. Dans toute société, il y a des dominants et des dominés.

Compare your choice with someone else's.

## • ON S'ENNUIE PRESQUE TOUJOURS AVEC CEUX QUE L'ON ENNUIE.

In the list below find three conciliatory points of view to discuss this subject:

1. N'est-il pas vrai de dire que l'on attend des autres qu'ils nous surprennent?

2. Peu de gens supportent le silence.

3. La plupart des individus veulent être distraits et amusés.

4. Il est bien connu que la plupart des couples n'ont rien à se dire; est-ce à dire qu'ils s'ennuient?

5. A quoi se marque l'ennui?

6. Sans désir, il n'y a pas de communication possible.

7. Les hommes politiques et les enseignants doivent apprendre à supporter l'ennui qu'ils lisent dans le regard de leur auditoire.

8. Toute communication est narcissique.

9. La plupart des gens s'écoutent parler.

10. A moins de vouloir quelque chose de son auditoire, on l'abandonne très vite devant son indifférence ou sa passivité.

11. Le visage impassible de notre auditeur nous plonge dans l'angoisse ou le dépit.

12. La vanité est toujours plus forte en nous que la générosité; nous pardonnons plus facilement à ceux qui nous ennuient qu'à ceux que nous ennuyons.

13. Rares sont les individus patients.

14. Pourquoi est-il si difficile pour les êtres humains de se trouver un 'terrain d'entente'?

15. Nous attendons des autres qu'ils nous renvoient une image favorable de nous-mêmes.

Discuss your choice with someone else.

- **À MESURE QUE LES SUPERSTITIONS DIMINUENT CHEZ UN PEUPLE, LE GOUVERNEMENT DOIT AUGMENTER DE PRÉCAUTIONS ET RESSERRER L'AUTORITÉ ET LA DISCIPLINE.**

Are there any statements in the list below, which neither support nor condemn the above declaration?

1. La légitimité de tout pouvoir politique est basée sur des postulats (droit divin, égalité, etc.) qui sont, par définition, indémontrables.

2. Le sentiment patriotique est une des meilleures garanties de la stabilité de l'ordre social.

3. Quand les moins privilégiés d'une société s'identifient de moins en moins à la nation et de plus en plus à une classe sociale, les gouvernements devraient commencer à s'inquiéter.

4. Les gouvernements reçoivent de la part des gouvernés un mandat qu'ils doivent remplir s'ils veulent qu'il soit renouvelé.

5. Les gouvernements sont plus souvent jugés sur leurs discours que sur leurs actes.

6. Le peuple donne sa faveur, jamais sa confiance (Rivarol).

7. La politique ne se définit-elle pas avant tout comme la résolution pacifique des conflits?

8. Une société démocratique est caractérisée par la reconnaissance populaire de la légitimité de l'autorité politique et par une discipline librement consentie.

9. Ce qu'on appelle l'unité nationale ne peut vraiment exister qu'en temps de guerre.

10. Le peuple n'a qu'un ennemi dangereux, c'est son gouvernement (Saint-Just).

Compare your list with someone else's.

## • L'ÉGALITÉ EST À LA FOIS LA CHOSE LA PLUS NATURELLE, ET EN MÊME TEMPS LA PLUS CHIMÉRIQUE.

1. It may be useful to give some thought to VOLTAIRE's view on the subject!

   'Il me paraît essentiel qu'il y ait des gueux ignorants ... Ce n'est pas le manoeuvre qu'il faut instruire, c'est le bon bourgeois, c'est l'habitant des villes ... Quand la populace se mêle de raisonner, tout est perdu.'

   (à Damilaville, ler avril 1766)

Consider VOLTAIRE's views further and compare them with those of any philosopher with whom you are familiar.

2. What are your own views on the subject?
   Find five examples proving that 'l'égalité est naturelle'.

   Think of five situations which prove that 'l'égalité est chimérique'.

Discuss your views with someone else.

- **JE SUIS CONSTERNÉ PAR LA MÉCHANCETÉ DES HOMMES ET STUPÉFAIT QU'ELLE N'AILLE PAS PLUS LOIN.**

  – Read this statement carefully.

  – What perception of humanity does it convey?

  – Do you share the author's view?
    YES/NO? WHY/WHY NOT?

We recorded the reactions of a group discussing this title. Firstly, students were asked to comment briefly on the wording of this sentence. Here is what they said:

* Il y a un équilibre de la phrase.

* Cette symétrie frappe le lecteur.

* Le mot méchanceté est un peu démodé.

* Qu'est ce qu'il veut dire au juste?

* C'est presque un paradoxe.

* 'Consterné', 'Stupéfait' sont des termes très forts qui indiquent la profondeur de la réaction.

* Cette formulation est très claire.

* Il y a là une certaine ambiguïté.

* Ça me fait penser à Rousseau.

* C'est curieux, c'est à la fois une affirmation brutale et péremptoire et en même temps l'aveu d'une incompréhension.

* La première partie de la phrase est pour moi une évidence, la seconde me semble un peu hésitante, peut-être ridicule ou naïve même.

* C'est beaucoup trop général, je préfère les sujets précis.

* Il y a une certaine coquetterie stylistique qui m'agace un peu mais la question est intéressante.

* Le problème avec ce type de sujet c'est de ne pas tomber dans la banalité ou les généralités et j'ai du mal à penser à des exemples quand je vois un mot abstrait comme méchanceté.

* Moi ce que j'aime bien c'est le 'je' dans la phrase; c'est quelqu'un qui dit quelque chose et ça me donne envie de discuter avec lui; j'ai carrément envie du lui prouver qu'il a tort!

  – Which reactions do you agree with?

  – Did they miss anything? Can you think of anything else?

Here is what they said about the various issues raised by the topic:

1. D'un côté, l'auteur est choqué que les hommes soient si méchants, de l'autre, il s'étonne que leur méchanceté ait des limites; c'est un point de vue pessimiste et optimiste à la fois.

2. On ne peut discuter cette proposition qu'en se référant à des cas particuliers; il faudrait d'abord définir de quels hommes il s'agit, puis ce que l'on entend par méchanceté et ensuite, il faudrait se demander **qui** juge? Selon quels critères? De quel droit?

3. L'homme est ici assimilé à une 'bête humaine', à un animal capable de commettre les crimes les plus atroces mais capable aussi de se contrôler, c'est ce qui étonne l'auteur.

4. Même les bons pères de famille et les maris modèles peuvent à un moment devenir de grands criminels.

5. Les États se livrent à des atrocités en temps de guerre, ce qui ne les empêche pas quelquefois de venir en aide aux pays qu'ils viennent d'écraser.

6. A supposer que l'on admette la méchanceté **naturelle** de l'homme, il faut aussi accepter la force de son instinct de préservation. Ceci est vrai des individus et des sociétés. Est-ce que délibérément les individus choisissent le risque (la mort, la prison...)?

7. Les hommes vivent en société et toute société est fondée sur des principes; ce sont ces principes qui mettent un frein aux tendances destructrices des hommes.

8. Mais, est-ce que ce sont les individus qui sont méchants? La société n'a-t-elle pas une part de responsabilité dans tout ceci? On pourrait dire que les hommes sont méchants parce qu'ils veulent se défendre, parce qu'ils se sentent menacés, dominés, opprimés, malheureux.

9. On dirait que l'auteur a eu très peur dans sa vie, qu'il a fait l'expérience du danger, de la menace, mais que finalement, il s'en est bien sorti!

10. A partir du moment où on accepte que l'amour et la haine sont liés, on pourrait aller jusqu'à dire que l'on est méchant quand on aime.

11. Il y a tant d'injustice et de souffrance dans le monde qu'on peut s'étonner du fait qu'il n'y ait pas plus de drames, d'affrontements. Si l'homme était méchant, vraiment méchant, nous serions toujours en guerre.

12. On ne peut pas expliquer tous les conflits humains par la méchanceté des hommes, c'est trop simple et d'ailleurs, sans conflit, il n'y a pas de vie.

13. L'homme n'est ni bon ni méchant; il peut être l'un et l'autre; la cruauté et la tendresse coexistent en chacun. Même les parents peuvent être sadiques envers leurs enfants.

14. Il y a quand même des cas pathologiques: des gens qui sont dérangés mentalement et qui ont envie de tout détruire y compris eux-mêmes. Mais c'est là une minorité de gens, à moins que nous soyons tous fous par moments!

15. Sans principes moraux, l'homme ne peut pas réguler ses instincts. C'est sans doute vrai mais alors il faudrait se demander pourquoi la famille, l'école, l'église n'arrivent pas à inculquer un sens moral aux individus.

16. Les rapports des hommes avec le mal sont complexes, on le sait, mais ici la méchanceté évoque plutôt des actes répréhensibles, condamnables, Or, les hommes n'arrivent pas à se mettre d'accord sur ce qui est bien ou condamnable. La société doit constamment redéfinir son éthique.

17. Est-ce que les tribunaux condamnent les 'méchants'? Il y a des 'méchants' qui sont coupables, d'autres qui sont innocents. Est-ce que ça n'est pas ça qui compte?

18. Dans les feuilletons télévisés, les films d'aventures, il y a toujours des bons et des méchants; c'est une vision du monde un peu simpliste destinée à l'éducation des enfants peut-être, mais dans la réalité, il est impossible de faire cette distinction.

19. Quand on pense au nazisme et aux massacres de la deuxième guerre mondiale, on est plus que consterné, on est horrifié.

20. C'est peut-être une forme de sagesse, de maturité ou de modestie que d'accepter que nous avons tous des côtés un peu lâches, un peu cruels; ça devrait nous rendre plus tolérants.

Does this list provide you with ideas which would enable you to explore some of the issues raised by the title (which may be implied rather than clearly stated)?

Discuss your ideas with someone else and try to assess where, how and why your understanding of the question differs.

How then would you organise your argument in an essay on this topic?

In the next chapters you will find some guidelines on how to plan an argument.

Chapter 8

# En fin de compte

By now you should be familiar with ways of:

* agreeing, defending, supporting, approving
* disagreeing, attacking, criticising, disapproving
* seeing both sides of:
  an argument
  a question
  a remark
  a problem
  an issue.

The aim of this chapter is to help you to draw up a plan, that is to say to:

- organise your ideas in a logical, coherent order
- eliminate thoughts and arguments which are either irrelevant or secondary given the viewpoint that you have adopted
- explore further questions and issues discussed in previous chapters.

You may find it useful to return to chapters 5, 6 and 7 before approaching this one.

Let's first explore some topical subjects.

## • LE CINÉMA.

Why and how do you (and people around you) choose a film? If there are not enough cinema-goers around you, you may be interested in the answers given to this question by French people in a recent survey.

Quelles sont les raisons qui vous poussent à aller voir un film?

| *(*)Question posée aux interviewés ayant déclaré aller au cinéma* | Avril 1987 |
|---|---|
| | % |
| Le sujet du film | 69 |
| Les vedettes qui jouent dans le film | 45 |
| Les conversations avec les amis ou les collègues de travail | 37 |
| Les émissions de télévision sur le cinéma (avec les extraits de films par exemple) | 28 |
| Les critiques des journalistes dans la presse écrite | 23 |
| Les récompenses obtenues par les films (césars,oscars,palmes) | 17 |
| Le nom du metteur en scène | 15 |
| La publicité sur les films dans la presse | 9 |
| Le titre du film | 6 |
| La publicité sur les films à la radio | 5 |
| Les affiches dans la rue | 4 |
| Les photos à l'entrée des salles de cinéma | 4 |
| Les programmes de cinéma dans les journaux | 2 |
| Sans opinion | 2 |

Compare the answers given in the chart above with

- your opinion
- the result of your own survey.

Use this information to start thinking about one of the following essay topics:

1. Le cinéma n'a aucun rapport avec la littérature.

2. Le cinéma n'est pas un art.

3. Les cinéastes concurrencent les romanciers.

4. Les gens vont au cinéma pour oublier leurs soucis.

5. Le cinéma est un divertissement et rien de plus!

6. Le cinéma d'art et d'essai ne plaît qu'à une toute petite minorité.

7. Les gens ne lisent plus, ils préfèrent aller au cinéma ou regarder la télévision.

8. Le cinéma est une industrie.

9. Les films à grand spectacle ont remplacé les grands romans populaires.

10. Les gens vont au cinéma pour voir leurs vedettes favorites.

11. Le cinéma est de plus en plus dépendant de la publicité.

12. La télévision a mis le cinéma en péril.

Which topic did you choose? Why? Compare your choice with someone else's and discuss the use you each made of the results of the survey (either yours or this one).

Now read this article about 2 films *à petits budgets* and discuss the assumptions behind the title 'Bienheureux les pauvres...' Do you see the rôle of the cinema as being to 'décrire la vie réelle de(s) gens ordinaires'?

# Bienheureux les pauvres...

*Spike Lee est américain, Chris Bernard, britannique. Tous deux ont dressé le portrait de gens ordinaires. Avec de petits budgets et un grand talent.*

Et si, pour décrire la vie réelle de gens ordinaires, il valait mieux être fauché ? Dans un film à petit budget, les acteurs, souvent inconnus, jouent la spontanéité plutôt que la comédie, et les décors eux-mêmes sont « naturels ». Deux récents longs métrages, qui ont failli ne jamais exister par manque de moyens, gagnent ainsi à être pauvres.

Sans prétendre refaire le monde, « She's Gotta Have It » (« Nola Darling n'en fait qu'à sa tête ») se donne d'emblée au spectateur. Simple et tranquille, le film de Spike Lee ressemble à son héroïne. Habitant New York, noire et sensuelle, Nola Darling a trois amants. Mars, cycliste rigolo, avec ses jambes de flamant rose et sa dégaine impayable ; Greer, séducteur macho, aussi amoureux de Nola que de sa propre personne ; et Jamie, sage intello, trop raisonnable pour être partageur.

Dans l'immense lit de Nola, autour duquel elle a allumé des bougies, les amants se succèdent. Aucun n'est à la hauteur, mais ensemble ils se complètent et suffisent à son bonheur. Les hommes aiment Nola et Nola aime les hommes, ce qui leur paraît anormal. Face à la caméra, ses amis accusent et prennent les spectateurs à témoin : « Elle n'en a jamais assez » ; « Ses amants sont interchangeables, c'est une obsédée... ». Sous la pression, elle traverse une crise. Peut-être est-elle malade ? Ou nymphomane ? Elle s'interroge, essaie la chasteté, rencontre un psy, puis se rendort seule sous sa couette, sûre d'elle et plus forte que jamais.

Noir américain, âgé de 30 ans, Spike Lee est tout droit sorti de la New York University's Graduate Film School — l'école de Jim Jarmusch. Avec trois sous, une bande de copains talentueux et une pellicule en noir et blanc achetée par sa grand-mère, il a écrit, réalisé et monté son film. Le tournage a duré douze jours, et le résultat rappelle les meilleurs films de la Nouvelle Vague.

Comme il n'y a pas un seul comédien blanc, certains ont jugé que « She's Gotta Have It » était une fable sur la négritude. Cependant, la conclusion ne comporte pas de moralité. Avec ses personnages branchés et son histoire « sensuelle et sans suite », « Nola Darling n'en fait qu'à sa tête » est simplement un beau film.

Signe des temps, les personnages de Spike Lee seraient trop chics pour habiter le nord de l'Angleterre, qui sert de cadre à « Letter to Brezhnev » (« Bons Baisers de Liverpool »). Dans l'usine où elle travaille, Teresa vide les entrailles des poulets, puis glisse les organes dans un sachet en plastique qu'elle fourre dans le corps du volatile. Blonde platine, portant bas résille et talons aiguilles, Teresa décrit le procédé en termes plutôt crus. Sa copine de toujours, Elaine, est au chômage. Pour l'une et l'autre, il n'y a plus rien à espérer dans la région.

Le film de Chris Bernard, tourné en trois semaines avec des amis bénévoles et moins de 100 000 Francs, aurait pu n'être qu'un simple reportage sur une ville en crise et le désarroi de ses habitants. Mais il va plus loin. Elaine, qui a rencontré un marin russe pendant une escale de son bateau, tombe amoureuse. Elle obtiendra finalement des autorités soviétiques un billet d'avion, afin de le rejoindre en Ukraine.

## *Toute la journée devant la télévision*

Au-delà des qualités artistiques du film, qui sont incontestables, la question est posée : tout en bas de l'échelle sociale, vivant en région sinistrée, Elaine est-elle plus malheureuse à Liverpool qu'en U.R.S.S. ? Et quel sentiment patriotique peut-elle éprouver quand, de son point de vue, la Grande-Bretagne l'a laissée choir ?

A Liverpool, Elaine habite chez ses parents, dans une maison louée, tout comme ce poste de télévision que sa sœur regarde toute la journée. Peut-être est-ce là la seule malhonnêteté du film, et elle est de taille : tous les personnages britanniques sont des « consommateurs » un peu bornés, dignes d'un roman de Huxley. Seule Elaine, en vraie romantique, part réaliser son rêve — une grande histoire d'amour — au pays des Soviets. Soit. Mais, pour être tout à fait clair, il fallait poursuivre l'histoire jusqu'au bout. Et montrer qu'elle se dirige vers l'univers d'Orwell. MARC EPSTEIN ■

## • LA FAMILLE.

It is often said that one-parent families are more and more frequent ... Look at the chart below and analyse the *facts* (and figures) for France.

STRUCTURE DES FAMILLES EN FRANCE MÉTROPOLITAINE

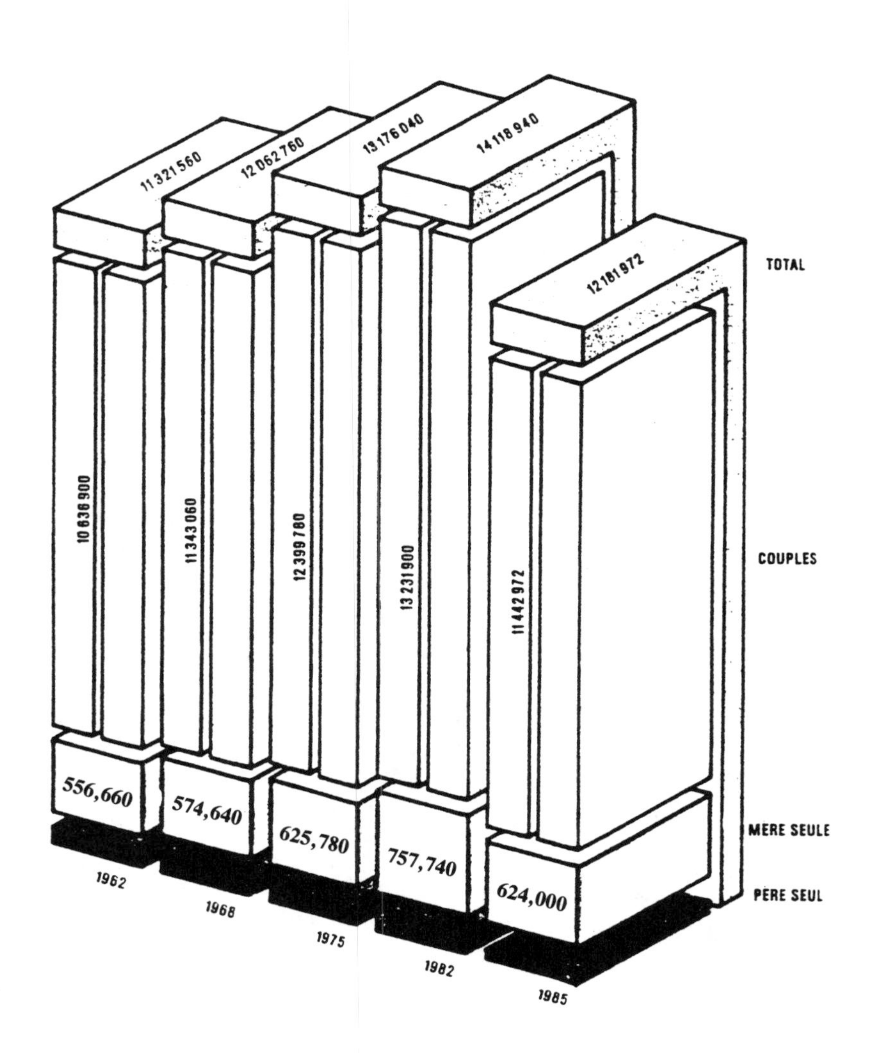

Your personal experience may contradict the picture given by these figures, in which case you will be well placed to write controversial answers on the following topics:

Choose two questions from this list and give three answers to each of them:

1. N'y a-t-il pas de plus en plus de pères seuls?

2. Le nombre croissant de mères seules n'oblige-t-il pas à revoir tout le système social?

3. Le couple ne reste-t-il pas la norme à notre époque?

4. Peut-on dire que la famille est une institution périmée?

5. Comment éviter que les enfants de mères ou de pères seuls se sentent en minorité?

## • L'EMPLOI.

Analyse the following charts:

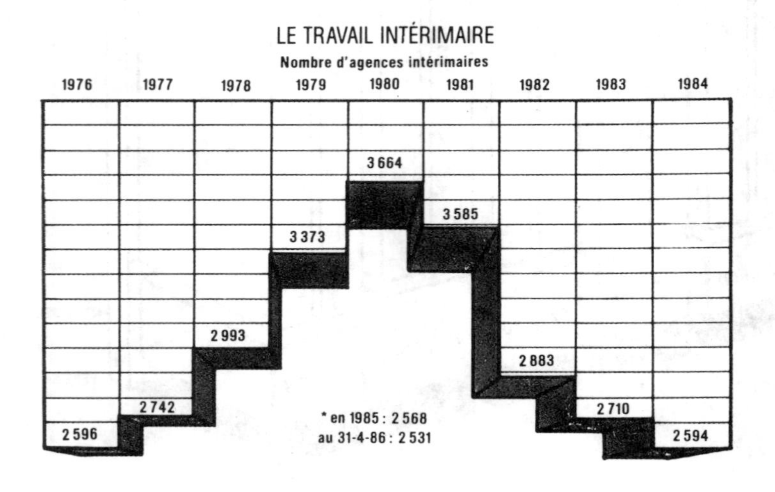

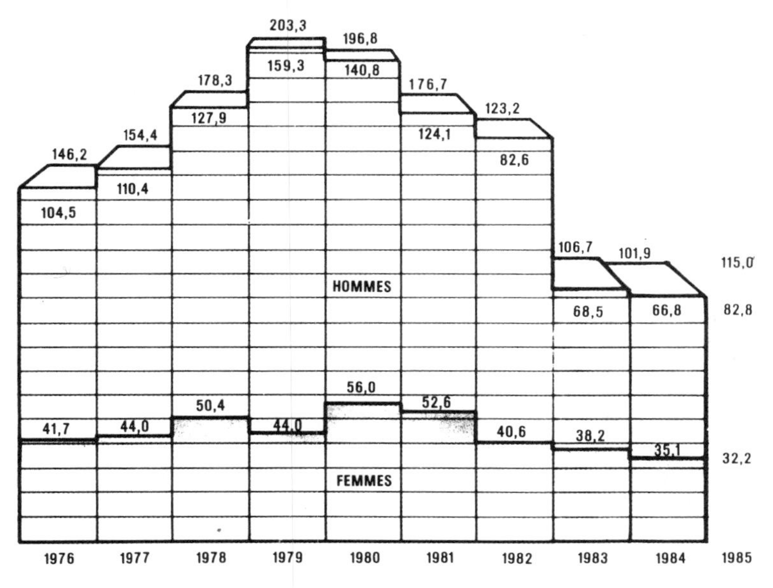


* prévision effectifs 1986 - Total : 125 000 (hommes : 90 000, femmes 35 000)

'Comment trouver des formes d'emploi souples qui préservent les acquis sociaux'?

Answer this question by choosing six of the following statements which you consider to be particularly relevant, and do so in an order which, in your view, is a *logical* one.

| Your selection of statements 1–6 |
| --- |
| |

* Les agences intérimaires sont nombreuses mais le chômage ne diminue pas.

* Les travailleurs intérimaires sont mal organisés et mal protégés.

* Les gens sont prêts à tout pour gagner un peu d'argent.

* Travail intérimaire et syndicalisme sont-ils compatibles?

* Le travail intérimaire est un pis-aller.

* Le pouvoir des syndicats a beaucoup diminué au cours des dernières années.

* Les vacances et la retraite sont de plus en plus considérées comme un luxe (et non comme un droit).

* Le problème de l'emploi (et donc du chômage) est un problème politique.

* Le droit au travail est un droit pour chacun.

* Le travail intérimaire convient aux femmes.

* Les petits 'boulots' sont mal payés.

* Les gens préfèrent travailler au noir plutôt que de s'adresser à des agences intérimaires.

* Les agences intérimaires ne sont pas de grands pourvoyeurs d'emploi.

* Les agences intérimaires cautionnent le mythe selon lequel celui qui le veut peut trouver un emploi!

Compare your selection with someone else's.

## • LES VACANCES.

You may be interested to know that Monsieur Dupont (see chart below) now enjoys five weeks holiday a year whereas his Korean counterpart has to be satisfied with three days off a year.

Analyse the figures and diagrams given below and note what you find particularly striking.

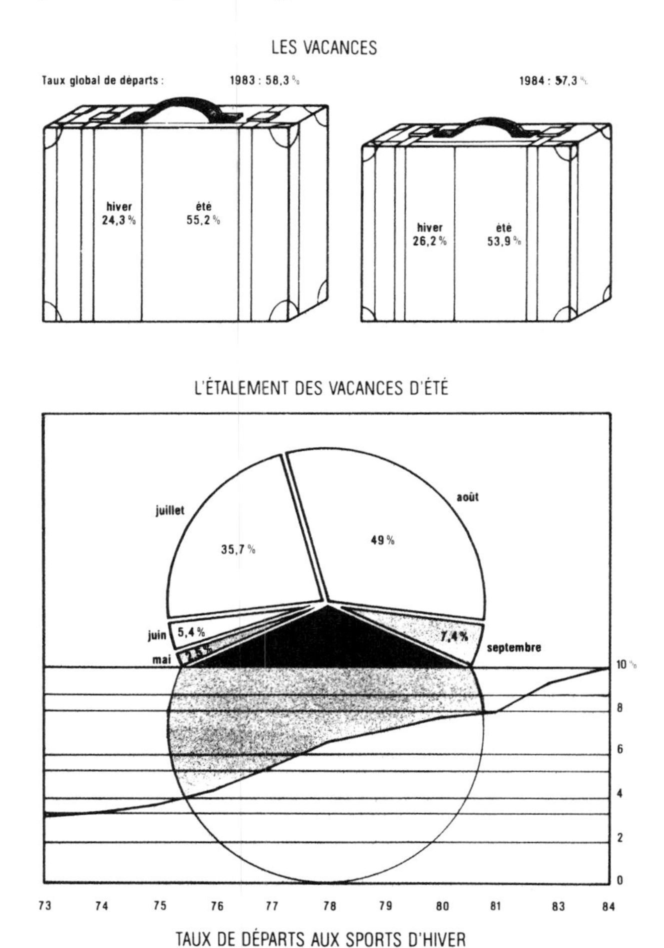


Compare your notes with someone else's

Select *one* essay title from the following list:

1. Les vacances sont une perte de temps.
2. Les sites naturels sont pollués par la horde des vacanciers.
3. Tout le monde prend ses vacances en même temps (et aux mêmes endroits!).
4. Des vacances trop longues mettent l'économie en péril.
5. Les vacanciers font marcher le commerce.
6. Les sports d'hiver sont accessibles à tous.
7. Ceux qui ne partent pas en vacances se sentent de plus en plus défavorisés.
8. L'augmentation de la durée des vacances est un progrès.
9. Les vacances sont souvent très fatigantes.
10. Les congés payés ont été une des plus grandes victoires des travailleurs.

Then pick up in the list below ideas which you will develop to write your essay.

* Les vacances devraient être plus étalées.
* En été on n'entend parler que d'accidents et de bouchons sur les autoroutes.
* Les administrations fonctionnent au ralenti pendant un quart de l'année.
* Il faut éviter la fermeture des usines au mois d'août.
* Les vacances scolaires dictent les déplacements des familles.
* Les équipements sportifs et touristiques sont en plein développement.

* L'essor du tourisme populaire a revitalisé les campagnes.
* Les transistors devraient être interdits sur les plages.
* L'homme a besoin de repos.
* Les gens ont perdu le goût des loisirs simples.
* Le culte du soleil et du bronzage rend les gens idiots.
* Il faut toujours en avoir ou en faire plus que le voisin: en vacances comme pendant l'année!
* Il y a des lieux de vacances à la mode: les snobs ne peuvent pas y résister!
* Pour être dans le coup, il faut faire ou de la planche à voile, ou du ski pendant ses vacances d'été!
* Pendant les vacances les gens changent de mentalité.
* Au bureau, les gens ont deux sujets de conversation: la télévision et les vacances!
* Les voyages organisés ont privé les gens de tout esprit d'initiative.
* Rien de plus déprimant que de voir des terrains de camping à perte de vue!
* Les vacanciers ne visitent pas un pays; ils 'font' l'Inde, l'Égypte, l'Écosse en 10 jours!
* Le tourisme est une industrie.
* Il est faux de croire que les vacances se sont démocratisées.
* Les magasins de souvenirs attirent plus de vacanciers que les musées.

Compare your choice with someone else's.

**• L'EUROPE.**

**Would you say that 'L'EUROPE EST NÉCESSAIRE et URGENTE'? Yes? No? Maybe?**

**Read the article below and pick up ideas and arguments you would like to develop:**

# Pourquoi nous voulons l'Europe

*par Yann de l'Ecotais*

Le trentième anniversaire de la signature du traité de Rome sera célébré dans quelques semaines. L'Express ne croit pas que les Européens, les Français notamment, puissent en être quittes avec quelques coups de cymbales, trois sermons et deux plaques commémoratives — le fonds de commerce de leur culture dominicale. Comme il a su, il y a un tiers de siècle, que l'avenir de la France passait par la décolonisation, ce journal sait aujourd'hui que l'avenir de la France se confond avec celui de l'Europe.

Parce que l'Europe risque de se trouver un jour ou l'autre sans parapluie nucléaire américain à ouverture automatique. Or, dans la responsabilité historique, géographique, humaine de la France, l'Europe est plus importante que le « national-nombrilisme » qui nous porte naturellement à la controverse sur le glissement-vieillesse-technicité de la fonction publique, en regardant de haut les « petits » du Benelux. Pour mieux oublier, sans doute, qu'en l'an 2000 le franc représentera epsilon des réserves monétaires mondiales.

Parce que l'Europe est aussi l'ultime chance pour la France de sortir d'une société hexagonale bloquée par ses certitudes et ses corporatismes, ses exceptions fiscales et ses statuts catégoriels, par tout ce qui raréfie une imagination que la meilleure raison du monde ne remplacera jamais.

L'Europe est nécessaire et urgente. Mais nécessaire ne veut pas dire utopique, ni urgente, précipitée. Trois erreurs ont toujours été commises, particulièrement en France, dans l'analyse de la construction européenne.

La première : le tout ou rien. Il n'y aurait pas de Communauté, par exemple, si les systèmes sociaux ou les taux d'imposition n'étaient pas unifiés. Mais est-ce le cas dans les différents Etats américains ? Quel fantaisiste peut affirmer aujourd'hui que les médicaments ouest-allemands ne sont pas bons et qu'ils doivent répondre à des normes françaises, plus sûres ?

Deuxième erreur : le tout, tout de suite. L'Europe n'avancerait pas sous prétexte qu'en une génération les Six, puis les Neuf, puis les Douze n'auraient toujours pas supprimé les contrôles d'identité aux frontières, auraient maintenu de légères différences entre les prix agricoles, ne bénéficieraient pas d'une monnaie commune. Nous avons la mémoire courte. Lorsque fut signé le traité de Rome, les armes ne s'étaient tues que depuis douze ans. En 1960 encore, la grande majorité des chefs d'entreprise français pensaient que la suppression des droits de douane conduirait à un désastre national.

Troisième erreur : le tout-économique. Le nez sur une impossible — et d'ailleurs peu souhaitable — fusion des politiques économiques nationales, chacun a oublié que l'économie est non pas un but, mais un moyen. Qu'elle est au service d'une conception de la société. Que la liberté, la dignité et l'indépendance, outre un bon taux de croissance, nécessitent un supplément d'âme que les citoyens doivent extraire du plus profond d'eux-mêmes.

Poser ainsi le problème, c'est s'interroger sur l'Europe que nous voulons. A présent, le doute n'est plus permis. Son existence même suppose une rapide prise de conscience de la dimension « défense », que les gouvernements ont trop longtemps éludée. La rencontre de Reykjavik entre les deux grands fut un électrochoc. Les idées doivent mûrir vite pour que soit précisé le rôle de l'Europe dans l'Alliance atlantique. En matière militaire, il faut *commencer*. C'est le premier volet de notre Dossier.

Dans sa philosophie même, le traité de Rome constituait la rampe de lancement d'un grand mouvement libéral européen. Supprimer toutes les frontières, laisser circuler les hommes, les marchandises et les capitaux, favoriser le jeu du marché dans le respect des règles de la concurrence loyale, d'une part ; s'assurer que les régions, les secteurs ou les populations les plus démunis auraient droit à la solidarité communautaire, d'autre part. Dans le domaine économique et social, déjà prolongé aujourd'hui sur le plan monétaire, il faut *accélérer*. Voilà pour le deuxième chapitre.

L'Europe la plus surprenante est celle dont personne ne parle jamais, parce qu'elle s'insinue dans les esprits, forge les habitudes, modifie doucement les cultures, infléchit les opinions publiques. Cette Europe en douce, celle du droit des citoyens, des patriotismes convergents, des liens informels et permanents entre responsables, des « sabras » nés après la signature du traité, fait l'objet du troisième volet de notre enquête et rebondit sous la rubrique culturelle. Elle est la plus prometteuse. Inéluctable déjà, il faut *l'accompagner*.

Reste, en conclusion, à *s'engager*. Comme l'Espagne, avec la conviction de ceux qui ont longtemps attendu le droit d'entrer dans la Communauté. En prenant, pour la France, à droite comme à gauche, des paris fermes, mais réalistes, qui permettraient d'abandonner sans heurts et sans gêne les vieilles lunes : le colberto-conservatisme ici, la parenté marxiste là.

On trouve toujours trois Français sur quatre partisans de ne rien changer à rien. Pour une fois, ils paraissent, dans la même proportion, tentés par une aventure. Alors, comme disait Churchill : debout ! ■

**Discuss your selection and your arguments with someone else and see if you can come to an agreement through the exchange of views.**

Let's now work on some essay titles.

- **L'ACCÈS DES CLASSES MOYENNES À LA CULTURE A RENDU LES PRATIQUES CULTURELLES SYNONYMES DE CONSOMMATION.**

Imagine three people reacting very differently to this statement (because, for example, they don't accept a common definition of 'culture', 'classes moyennes', 'consommation' or because they even dispute the relationship established here between social class and culture). According to the beliefs and values which you have attributed to your fictitious speakers try to identify among the statements below those which each one might make. Call your speakers A,B and C and mark the chart accordingly.

| | Speakers | | |
|---|---|---|---|
| | A | B | C |
| – Nous vivons dans une économie de marché et la consommation est indispensable au bon fonctionnement du système. | | | |
| – La culture n'est plus réservée à une élite et les réactionnaires de tous bords le regrettent! | | | |
| – Les classes moyennes sont non seulement imposées, mais on les accuse, en plus, de grignoter les privilèges des amateurs éclairés. | | | |
| – Les privilégiés ne s'habitueront jamais à partager leurs biens. | | | |
| – La logique commerciale domine les sociétés dites avancées. | | | |
| – Quelle arrogance de prétendre que certaines classes sociales viennent seulement d'accéder à la Culture! | | | |
| – Cette déclaration est tout à fait élitiste. | | | |
| – Il est vrai que de nos jours il est de plus en plus difficile de faire la différence entre *une oeuvre* et *un produit*. | | | |
| – Les médias ont standardisé la culture. | | | |
| – Il y a de plus en plus de pauvres et les riches, pourtant de moins en moins nombreux, sont de plus en plus riches ... On peut donc se demander de *qui* on parle quand on parle des classes moyennes! | | | |
| – Les grandes oeuvres du passé sont classées, répertoriées, mais ce qu'on appelle l'art contemporain n'est souvent qu'une collection d'objets dont on voudrait nous faire croire qu'ils ont tous la même valeur! | | | |

| | Speakers | | |
|---|---|---|---|
| | A | B | C |
| – Les classes moyennes sont souvent d'origine populaire. | | | |
| – La culture populaire est souvent valorisée par les intellectuels ou les théoriciens. | | | |
| – On n'ose plus parler d'aristocratie. | | | |
| – La grande bourgeoisie a toujours été très active dans le domaine culturel. | | | |
| – Il semblerait que le prolétariat soit toujours exclu de la culture. | | | |
| – Les musées se sont transformés en supermarchés et c'est tant mieux. | | | |
| – Il ne faudrait pas confondre la culture avec la possession de gadgets. | | | |
| – Pour survivre, il faut consommer; où est donc le problème quand on évoque la culture en termes de consommation? | | | |
| – On admire une oeuvre d'art, on ne la consomme pas! | | | |
| – Il est scandaleux que le marché de l'art soit aussi lucratif. | | | |
| – Comment peut-on accepter que des oeuvres d'art qui font partie du patrimoine national, soient achetées par des particuliers? | | | |
| – L'art a toujours eu besoin de mécènes et l'on doit aux fortunés du passé l'existence des trésors que nous admirons dans les musées ou les bibliothèques. | | | |
| – Le drame à notre époque c'est de ne plus oser hiérarchiser les valeurs: on met dans le même sac la bande dessinée, le rock, le design, la gastronomie, la publicité, Turner et Bach! | | | |

Compare your choice with someone else's. Try to explain why and how you have attributed certain statements to a particular speaker and give a brief description of each one. Then imagine that your role is to try to establish a consensus in a group of people with opposing views on this question.

- **DANS LES SOCIÉTÉS DITES AVANCÉES, LES INDIVIDUS PRÉFÈRENT DEVENIR ACTIONNAIRES PLUTÔT QUE DE SE SYNDIQUER.**

How would you discuss this statement? Select in the list below six 'ideas' which you find interesting and/or relevant.

1. Chacun rêve de devenir actionnaire.
2. Les privatisations des grandes sociétés permettent à beaucoup de gens de réaliser leur rêve: s'enrichir.
3. Le capitalisme populaire est une mystification.
4. Les petits actionnaires n'ont aucun droit de regard sur la marche des entreprises dont ils possèdent des actions.
5. Les individus qui pensent surtout à s'enrichir tendent à se sentir de moins en moins solidaires des laissés pour compte dans la société.
6. Dans une démocratie, il est normal que les gens puissent s'enrichir.
7. Les luttes syndicales sont devenues archaïques.
8. Chacun pour soi est la devise des sociétés libérales.
9. Le pouvoir politique se distancie de plus en plus des forces syndicales.
10. L'époque des grandes luttes syndicales appartient au passé!
11. Le corps social est plus divisé que jamais.
12. Les pesanteurs bureaucratiques existent aussi dans les syndicats.
13. L'individualisme est nécessaire au dynamisme d'une société.
14. Sans solidarité, une société est menacée à plus ou moins brève échéance.
15. La stabilité politique est garantie si le gouvernement réussit à donner à chacun l'illusion qu'il peut être du côté des nantis.

Compare your choice with someone else's.

## • LES BANQUES N'ONT-ELLES PAS UNE GRANDE PART DE RESPONSABILITÉ DANS L'ENDETTEMENT DU TIERS MONDE?

Choose five of the following statements to illustrate your answer:

1. Le bon fonctionnement d'un système bancaire est indispensable à toute société moderne.
2. Les banques sont le principal responsable de l'endettement des pays du Tiers Monde.
3. Les pays qui ne se sont pas développés économiquement sont ceux dans lesquels le développement du crédit est resté embryonnaire.
4. Les taux d'intérêt pratiqués par les banques sont trop élevés.
5. Les banques ne sont pas des sociétés philanthropiques. Si elles ne font pas de bénéfices, elles font faillite!
6. La plupart des gouvernements paraissent avoir bien peu de pouvoir sur les banques.
7. Les banques ne font rien d'autre que défendre les intérêts de leurs actionnaires.
8. Il y a beaucoup de pratiques immorales dans le système financier international.
9. Ce ne sont pas les banques qui sont coupables de l'imbroglio de la dette du Tiers Monde, mais la corruption des dirigeants politiques de ces pays eux-mêmes.
10. La dette des pays du Tiers Monde ne nous concerne pas.
11. Il n'y a rien d'immoral à faire fructifier son argent.
12. Les activités bancaires devraient être soumises à un contrôle plus strict de la part des pouvoirs publics.
13. Pourquoi s'en prendre aux banques? Les banquiers sont des gens comme tout le monde.
14. Il n'y a pas de mauvais créditeurs. Il n'y a que des mauvais débiteurs.
15. Il est scandaleux que les banques fassent des bénéfices sur le dos des pays pauvres.

## • PEUT-ON PARLER D'UNE DÉFAITE DE LA PENSÉE À NOTRE ÉPOQUE?

Choose five of the following statements to illustrate your answer:

1. L'industrie de la distraction est en plein développement.
2. Les gens n'ont plus le temps de penser.
3. Nous vivons dans une civilisation audio-visuelle.
4. Nous n'avons plus de modèles pour penser le monde.
5. Il faut *produire* toujours plus!
6. Revendiquer *sa* différence (ethnique, sexuelle etc.) c'est se couper de la culture, la culture tout court, celle qui transcende les différences.
7. Plus rien n'a de sens.
8. Les loisirs standardisés abêtissent.
9. L'appât du gain a toujours existé.
10. Les gens ne sont pas plus idiots maintenant qu'avant.
11. La pensée est-elle plus noble que l'action?
12. Il faut à chaque époque redéfinir un art de vivre.
13. Il y a de plus en plus de gens instruits.
14. Un livre se vend comme un paquet de lessive.
15. Créer n'est pas penser.

Compare your choice with someone else's and discuss the points on which you agree or differ.

In the final section of this chapter you will find further essay titles; as most subjects have already been mentioned in previous chapters, working on them will also be useful revision.

Each essay title is followed by ideas for discussion; before reading them, try to do your own thinking and make sure you have dealt with the following:

– What is at stake here?

– What are the different issues raised by this statement?

– List those you perceive as being the most relevant.

– Establish the relationships that you see between them.

– Then, identify clusters of ideas which you see as
  1. supporting the original statement of the essay title
  2. contradicting it
  3. coming to a compromise.

## • LE CHÔMAGE.

**Le chômage est un des plus grands défis de la fin du XXème siècle.**

1. Malgré les déclarations partisanes, il n'y a pas de solution politique, de droite ou de gauche, au problème du chômage.

2. Remplacer les hommes par des machines augmente à la fois la productivité et le chômage.

3. Dans une économie de libre concurrence, le marché seul doit déterminer l'emploi.

4. L'État a le droit et le devoir d'intervenir pour garantir à chacun le droit au travail.

5. Si l'on cessait d'importer des biens produits à bon marché par la main d'oeuvre sous-payée du tiers monde, il y aurait du travail pour tous dans les pays industrialisés.

6. Le chômage actuel n'est que temporaire; la modernisation des économies résoudra bientôt ce problème.

7. Dans quelques années, le travail à temps partiel sera devenu la règle; peu de gens seront employés à plein temps.

8. Dans une société d'individus libres, personne ne doit rien à personne.

9. Si le travail à temps partiel se généralisait, se poserait alors le problème de sa rémunération: à travail à mi-temps, demi-salaire ou salaire complet?

10. La société a le devoir d'assurer une existence décente à ceux à qui elle ne peut pas procurer du travail.

## • LES IMPÔTS.

**Dans une société moderne, la réduction de l'impôt sur les personnes physiques est un signe de progrès.**

1. Plus on réduit les impôts, plus on permet aux individus d'utiliser leur argent comme bon leur semble.

2. Moins les gens seront assistés par l'État, plus ils se prendront eux-mêmes en charge.

3. Moins il y a d'impôts, moins il y a d'État; et moins il y a d'État, plus il y a de libertés individuelles.

4. Aujourd'hui, la critique de l'État est aussi une critique de l'État-Providence; vouloir moins d'État, c'est n'attribuer que des vertus au marché.

5. La réduction de l'impôt sur le revenu est indispensable à une relance des investissements.

6. L'équivalence entre épargne et investissement est un mythe; rien ne permet d'affirmer que, si les gens ont plus d'argent parce qu'ils sont moins imposés, ils épargneront davantage ou, mieux encore, ils investiront plus.

7. Si l'on veut sortir de la récession actuelle, il faut que les gens puissent consommer davantage, donc qu'ils soient moins imposés.

8. Les impôts sont utiles surtout s'ils permettent à l'État de réduire les inégalités sociales en imposant les plus riches pour aider les plus pauvres.

9. La réduction des impôts est un leurre; ce que l'État perçoit en moins d'un côté, il le récupère de l'autre.

10. Si les impôts diminuent, la qualité de l'éducation et de la santé publique risque de se dégrader.

## • LE LIBRE-ÉCHANGE.

**Il est artificiel de protéger une économie contre la concurrence étrangère.**

1. Les mesures protectionnistes encouragent les producteurs nationaux à l'inefficacité; le libre-échange les force à être compétitifs.

2. Il est plus important d'assurer le plein emploi dans son propre pays que de contribuer à donner du travail à la main-d'oeuvre d'autres pays en achetant leurs produits.

3. Tous les grands pays industrialisés pratiquent le libre-échange.

4. Le libre-échange n'existe que dans les manuels d'économie et dans les discours des hommes politiques; aucun pays ne le pratique.

5. La libre circulation des marchandises favorise l'expansion du marché international.

6. La libre circulation des marchandises va de pair avec celle des personnes; toute atteinte à l'une comme à l'autre est une atteinte au principe de liberté.

7. Pourquoi ne pas contrôler les importations alors que l'on sait très bien que tous les pays exportateurs ne respectent pas les règles du libre-échange puisqu'ils subventionnent leurs exportations?

8. Les barrières douanières et les quotas d'importation ne doivent être utilisés qu'à titre exceptionnel car ils faussent les règles du jeu.

9. La production de biens manufacturés augmente à un rythme trop rapide pour que le marché international puisse l'absorber; le protectionnisme ne peut donc que se développer.

10. Il est dérisoire de voir à notre époque, un pays comme le Japon participer à l'élaboration de codes de conduite en matière de commerce international quand on sait qu'il est pratiquement impossible d'y exporter quoi que ce soit.

## • LA LIBERTÉ D'INFORMATION.

**Pour bien fonctionner, la démocratie représentative suppose la participation effective de citoyens libres et bien informés.**

1. La notion de secret d'État est devenue de plus en plus envahissante au détriment de la liberté et du droit à l'information du citoyen.

2. Pour bien fonctionner, un régime démocratique doit pouvoir compter sur l'indifférence de la plupart des individus. Les gens n'ont envie de participer de façon active que lorsqu'ils sont mécontents de leur sort; sinon, ils font confiance à leurs représentants.

3. Comment peut-on dire que les citoyens des pays démocratiques ne sont pas bien informés quand on voit la pléthore médiatique qui nous entoure.

4. Si l'on considère les divers contrôles politiques et financiers exercés sur les moyens d'information (presse écrite, radio et télévision), on constate que la liberté d'information est un mythe.

5. Dans nos sociétés, chacun est libre de créer un journal s'il le veut.

6. N'est-il pas aberrant d'entendre des hommes politiques affirmer que la liberté de chacun sera mieux respectée si l'État exerce moins de contrôle sur les activités économiques de la société, au moment où l'État se dote d'un réseau de renseignements de plus en plus dense sur chaque citoyen.

7. Les débats du Parlement sont publics.

8. La plupart de nos sociétés souffrent de l'absence d'un forum officiel où puissent être débattus les aspects cachés de l'action des gouvernements; aucun pays européen n'a par exemple l'équivalent des commissions sénatoriales d'enquête pratiquées aux États-Unis.

9. Dans une démocratie, l'État est le meilleur juge de ce qui ne doit pas être porté sur la place publique dans l'intérêt de la sécurité du pays et de la stabilité de l'ordre social.

10. Nous vivons dans un monde où les visions sinistres de Kafka et d'Orwell devraient être prises au sérieux.

## • LE SYSTÈME ÉLECTORAL.

**Un principe de base de la démocratie représentative est que la composition partisane du Parlement national reflète aussi précisément que possible l'expression électorale de la volonté populaire.**

1. Plus un système électoral accroît la distorsion entre le nombre de voix et le nombre de sièges obtenus par chaque parti politique, moins il assure la représentativité du Parlement.

2. Une élection doit avant tout permettre de dégager une forte majorité au gouvernement, et le scrutin majoritaire à un tour réussit celà mieux que tout autre.

3. Le scrutin majoritaire à un tour n'est concevable que lorsque deux partis seulement s'offrent au choix des électeurs; lorsque plus de deux partis s'affrontent, il aboutit le plus souvent à faire élire des députés qui ne représentent qu'une minorité des électeurs de leurs circonscriptions.

4. Le scrutin majoritaire à deux tours et, mieux encore, la représentation proportionnelle, font apparaître des majorités gouvernementales qui représentent le plus fidèlement possible le choix électoral des citoyens.

5. Les véritables options politiques de nos sociétés sont suffisamment tranchées pour que deux partis politiques les représentent très bien. L'arrivée sur la scène politique de nouveaux partis nationaux ne se justifie pas.

6. La représentation proportionnelle favorise l'instabilité politique: voyez ce qui se passe en Italie!

7. Evoquer le risque de faiblesse ou d'instabilité gouvernementale pour s'opposer à l'adoption de la représentation proportionnelle est un argument fallacieux, à moins de considérer que les pays scandinaves, la Hollande, l'Allemagne, ont des gouvernements faibles.

8. Les partisans du scrutin majoritaire à un tour sont en réalité opposés à des gouvernements de dialogue et de compromis.

9. Les électeurs ont besoin de pouvoir se prononcer sur des choix simples; la représentation proportionnelle est un mécanisme trop complexe et qui risque de les induire en erreur.

10. Dire que la représentation proportionnelle ou le scrutin majoritaire à deux tours offrent aux électeurs des choix trop compliqués ne revient-il pas à dire qu'il y a des pays où les électeurs sont capables de faire de tels choix et d'autres où ils ne le sont pas.

- **LE DOLLAR.**

**Aujourd'hui, le monde entier s'inquiète de la santé du dollar.**

1. Pourquoi le dollar est-il aujourd'hui une monnaie privilégiée?

2. Le système monétaire international dépend-il du dollar?

3. Pourquoi l'économie nord-américaine est-elle la plus importante du monde?

4. Comment la chute brutale du dollar depuis 1985 peut-elle s'expliquer?

5. Un des signes de santé d'une économie est en général le faible niveau d'endettement de son secteur public; or l'endettement de l'économie nord-américaine est un des plus élevés qui soit.

6. Le passage de l'étalon-or à 'l'étalon-dollar' a-t-il représenté un progrès pour le système monétaire international?

7. La plupart des multinationales sont en fait nord-américaines.

8. Quels sont les rapports du yen avec le dollar?

9. La balance commerciale est devenue une des préoccupations majeures de l'administration nord-américaine. Quelles conséquences cela a-t-il pour l'économie mondiale?

10. La création d'une monnaie européenne commune ne seraitelle pas pour l'Europe un moyen efficace de lutter contre la suprématie du dollar?

11. N'est-il pas étonnant de voir que l'économie nord-américaine donne des signes de faiblesse?

12. Cela a-t-il un sens de parler de l'impérialisme du dollar?

13. La quasi-totalité de la dette des pays du tiers monde est en dollars; d'autres devises ne pourraient-elles pas remplacer ce dernier?

14. Le dollar a même envahi la zone-rouble; quelles conséquences politiques cela peut-il avoir?

15. Il est grand temps d'établir le système monétaire international sur des bases plus stables; quelles solutions peut-on envisager?

## • LA POÉSIE.

**La poésie est tombée en désuétude.**

1. Les gens n'ont plus le temps de lire.
2. La poésie exige une forme de recueillement.
3. Il y a de plus en plus de cercles de poésie.
4. Chacun écrit, en secret, des poèmes.
5. Seule la poésie peut dire le monde.
6. La poésie se vend mal.
7. Les poètes sont les mal aimés de nos sociétés mercantiles et technocratiques.
8. Peut-on imaginer un homme d'affaires lisant de la poésie entre deux réunions terriblement importantes?
9. La poésie bouscule les idées reçues.
10. La poésie est réservée à une minorité.
11. Chacun est poète à ses heures, souvent sans le savoir!
12. La chanson n'est-elle pas aussi poésie?
13. L'école rend souvent la poésie rébarbative.
14. Un poème demande de son lecteur humilité et patience.

15. Les poètes ne sont pas des intellectuels.

16. La poésie est souvent obscure.

17. Un poème est un jeu de sons et d'images.

18. Sensibilité et imagination ne sont plus prisées de nos jours; la poésie en est victime.

19. La préciosité de la poésie est rebutante.

20. Les romanciers ne sont-ils pas aussi poètes?

## • L'HISTOIRE ET LE ROMAN.

**'L'historien et le romancier font entre eux un échange de vérités, de fictions et de couleurs, l'un pour vivifier ce qui n'est plus, l'autre pour faire croire ce que n'est pas.'**

**Rivarol**

1. L'histoire est un récit.

2. L'histoire comme le roman obéit à des contraintes d'écriture.

3. Un roman n'est ni vrai ni faux mais il exige la crédulité de son lecteur.

4. La vérité et la réalité sont les enjeux du roman.

5. Le roman est aussi un texte social.

6. Le roman nous entretient de conflits.

7. L'histoire du peuple est à faire; le roman populaire y aidera.

8. L'histoire comme le roman ne peut se passer de héros.

9. Les leçons de l'histoire sont à lire dans le roman.

10. Les grands romans sont des fresques historiques.

11. Le roman se moque des anecdotes et péripéties historiques.

12. L'historien et le romancier se font concurrence.

13. L'historien se borne à décrire; le romancier analyse et projette.

14. Un livre d'histoire et un roman utilisent le même matériau, mais on ne les lit pas de la même manière parce qu'ils n'ont pas le même statut.

15. La Nouvelle Histoire comme le Nouveau Roman s'interrogent d'abord et avant tout sur le langage.

16. Le temps est la préoccupation majeure des historiens et des romanciers.

17. Il est naïf de croire que l'histoire puisse être objective.

18. L'historien baisse les bras devant la complexité des actions humaines; le romancier, au contraire, s'en délecte.

19. Le romancier n'a de comptes à rendre à personne et surtout pas au tribunal de l'histoire.

20. L'historien et le romancier sont les produits de leur époque.

## • LA PUBLICITÉ.

A group of students working on this title: 'La publicité devrait être interdite', organised their thoughts as follows:

**Pour commencer:**

– Définition de la publicité: Pousser à la consommation? Tromper les gens? Séduire pour vendre? Informer? Faire jouer la libre concurrence?

- La publicité a toujours existé, elle a seulement pris une forme différente de nos jours; elle est également plus puissante.
- La publicité existe même dans les pays socialistes.
- On n'arrivera jamais à supprimer la publicité, en tout cas pas dans un pays démocratique.
- Pourquoi aller jusqu'à dire que la publicité devrait être interdite?
- L'invasion de la publicité dans notre vie quotidienne nous prive de notre liberté.
- Sans être partial peut-on essayer de définir dans quelle mesure la publicité nous affecte?
- Son influence est-elle aussi nocive qu'on le suggère souvent?
- La publicité a-t-elle de bons côtés?

**Pour prouver qu'il n'y a pas lieu d'interdire la publicité:**

- La publicité active la concurrence et la concurrence est sinon une bonne chose du moins un des aspects d'une économie de marché.
- C'est un moyen de subventionner les médias ce qui permet de maintenir le prix (des journaux etc.) à un niveau assez bas.
- Elle montre le choix de produits à la disposition des consommateurs.
- On peut choisir de la regarder à la télévision, dans la rue (mais on peut aussi l'ignorer).
- Elle peut être artistique et amusante.
- Quand on en connaît les ruses on peut en rire.

- La publicité met un peu de couleur dans les paysages urbains gris et sales.

- Elle ne pousse pas nécessairement à la consommation mais elle aide à choisir entre les marques de produits.

- Beaucoup de gens travaillent dans la publicité; en cette période de chômage, il serait absurde de priver tant de gens de leur emploi.

- Les grands peintres ont souvent fait des affiches qui sont devenues de véritables oeuvres d'art.

**Pour montrer qu'il faudrait penser à la contrôler sinon à l'interdire:**

- Elle est trop séduisante; elle corrompt les jeunes gens et les personnes les moins instruites.

- La publicité est souvent dégradante; elle est sexiste.

- Elle renforce les rôles stéréotypés: homme/femme et les inégalités sociales.

- Elle est immorale.

- Elle encourage les gens à trop fumer, trop boire, trop manger.

- Elle accroît les bénéfices des multinationales mais entraîne la faillite des petits commerçants.

- Elle crée de faux besoins (de vacances dans des pays exotiques par exemple).

- Elle est mensongère.

- Elle est envahissante.

- Dans les journaux les articles sont entrecoupés par la publicité.

- Les films sont interrompus à la TV.

- Les paysages sont gâchés par des publicités incongrues ou de mauvais goût (en ville et à la campagne).

- La publicité est omniprésente. Même les universités doivent apprendre à se vendre.

- Elle est dangereuse.

- Il a été prouvé que la publicité s'adresse à notre inconscient et que nous sommes donc manipulés par elle.

- Elle modifie nos comportements et le tissu social en valorisant l'image, l'apparence, le jeu, au détriment de questions et de valeurs plus profondes; la politique est devenue aujourd'hui un spectacle.

**Pour finir:**

- Il peut paraître arbitraire ou exagéré de déclarer que la publicité devrait être enterdite ou totalement bannie puisqu'elle n'a pas que des aspects négatifs.

- La publicité n'est donc ni totalement mauvaise ni tout à fait bonne.

- On pourrait soumettre la publicité à une certaine forme de censure ou de contrôle.

**Mais:**

- La censure n'est pas un principe démocratique.
- L'opinion publique est en fait seule juge de ce qui est une atteinte à sa liberté.
- Nous ne sommes pas des enfants à protéger contre tout.

- Il faut apprendre à vivre avec la publicité et apprendre à en décoder les messages.

- La publicité est un jeu; il faut en connaître les règles pour ne pas perdre.

**Donc, pour la conclusion (peut-être...):**

- Sans interdire la publicité il faut la réglementer et l'empêcher d'envahir totalement notre vie.

- La publicité ajoute un peu de gaieté, de frivolité, de piment dans notre vie qui sans cela deviendrait trop morose.

- Quelle vie aurions-nous dans un monde où tout serait soit obligatoire, soit interdit!

This is not yet a structured plan, and more work has to be done in order to produce an essay. Precise guidelines on drawing up a plan are to be found in chapter 10.

In this last example 'La publicité devrait être interdite', the data has been provisionally organised in such a way that the argument is beginning to take shape; this could be called a draft plan. Some ideas and articulations are as yet ill-defined and irrelevant or redundant, but this attempt at organising the material is a necessary and unavoidable step in essay writing. (It is in fact the result of sorting out notes and ideas first written as random thoughts.)

Chapter 9

# Les mots et expressions pour le dire/l'écrire

This chapter offers you a selection of activities designed to improve your proficiency in French. All exercises are short and self-contained – some more difficult than others. It's up to you to decide which ones you work on and in which order. Concentrate here on the actual wording and build up your own stock of expressions according to your needs. (Remember that there's an index and a mini-dictionary on pages 275 and 308.)

## • DU GRAPHIQUE AU TEXTE (I).

**De la musique plein les oreilles.**

Study the following charts carefully:

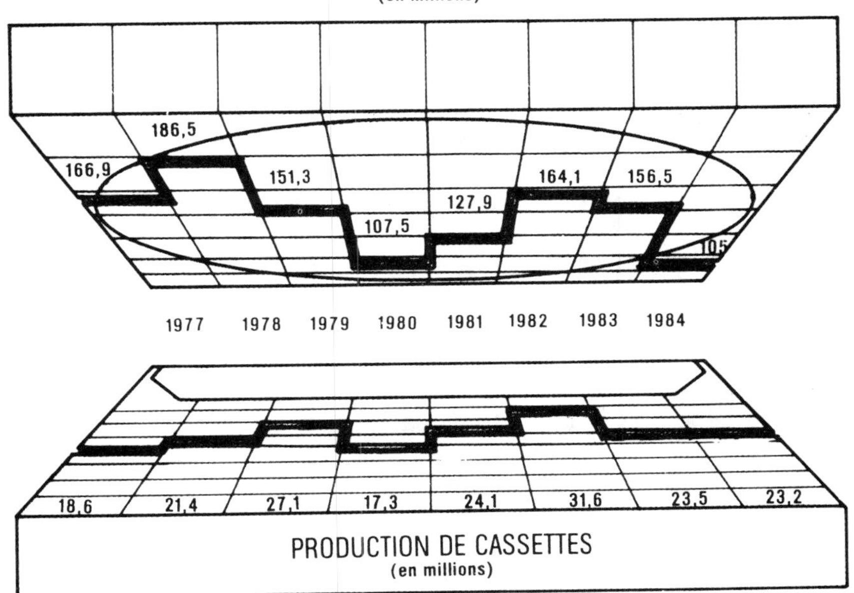

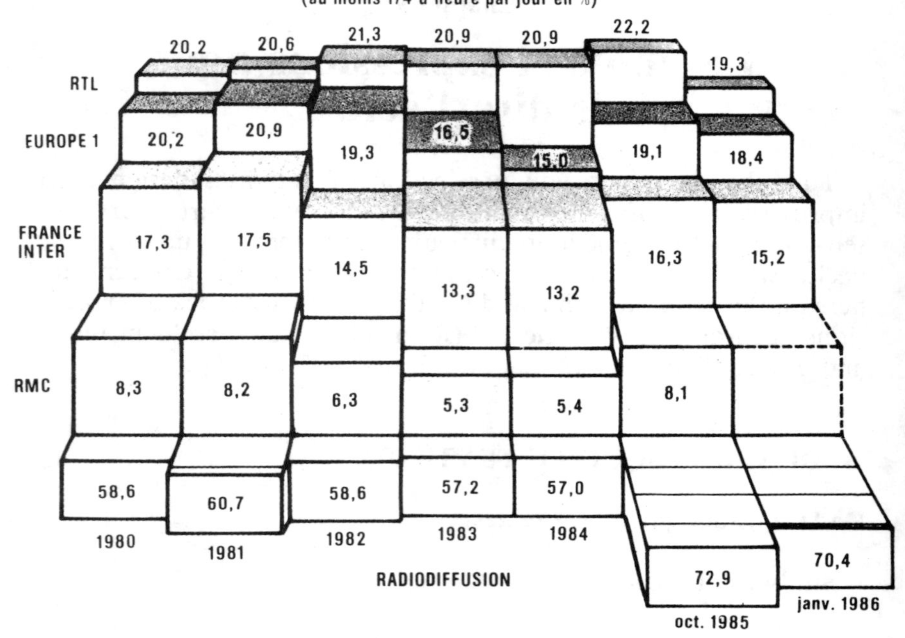


Write down what strikes you most.

Which five of the following sentences do you consider to be most useful in expressing what you would say about this survey?

1. La production de cassettes a légèrement baissé depuis 1982.

2. Les disques se vendent de moins en moins.

3. Ces statistiques prennent-elles en compte les disques compacts?

4. De 1977 à 1979 la vente de cassettes a progressé.

5. Les cassettes n'ont pas supplanté les disques.

6. En 1985, 72,9% de la population française écoutent la radio au moins 15 minutes par jour.

7. 1984 n'a pas été une bonne année pour la radio.

8. France Inter n'avait pas retrouvé en 1986 son audience de 1981.

9. La radio la plus écoutée en 1986 était R.T.L. (Radio Télévision Luxembourg).

10. R.M.C. (Radio Monte Carlo) a été la radio la moins écoutée en 1986.

11. Europe 1 a perdu des auditeurs depuis 1981.

12. Ces statistiques ne prennent pas en compte les radios locales.

13. Un quart d'heure d'écoute par jour semble bien peu pour juger de l'audience des radios.

14. Comment arrive-t-on à ces statistiques?
Quelles sont les méthodes d'enquête, de sondage, utilisées?

15. Les statistiques portant sur l'audience radiophonique devraient être plus détaillées et permettre en particulier de savoir si les auditeurs écoutent de la musique ou des informations.

16. Les cassettes vendues sont-elles enregistrées ou vierges? Ces chiffres ne l'indiquent pas.

17. Rien ne nous dit que les cassettes vendues en France ont été achetées par des Français.

18. Ce qu'il faudrait savoir, c'est la composition de l'audience d'une radio; est-elle écoutée par des jeunes, des retraités, des citadins, des ruraux, des hommes, des femmes, des ouvriers, des hommes d'affaires etc.?

19. Les disques et les cassettes sont-ils produits et vendus en France?

Compare and discuss your choice with someone else's.

# • DU GRAPHIQUE AU TEXTE (II).

## La lecture.

According to one of the three charts following *'on lit plus'* in France today.

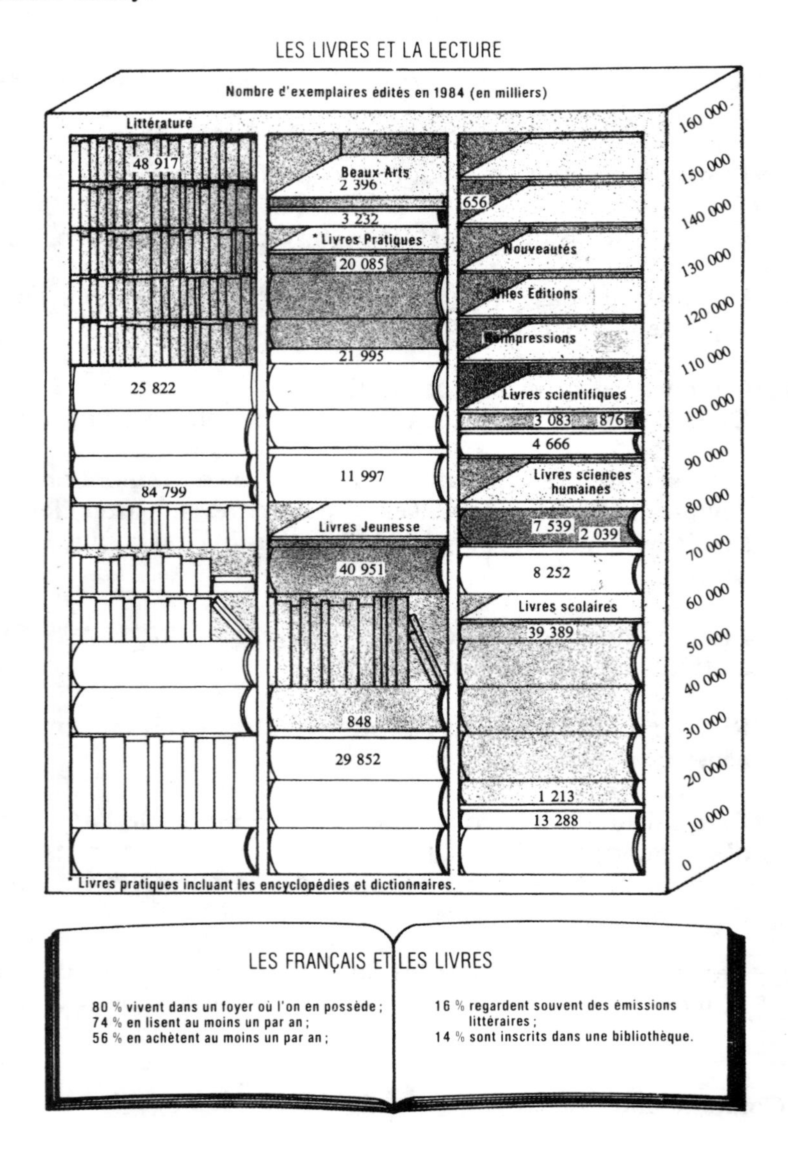

MAGAZINES

Les 25 meilleures ventes en 1984
(en milliers)

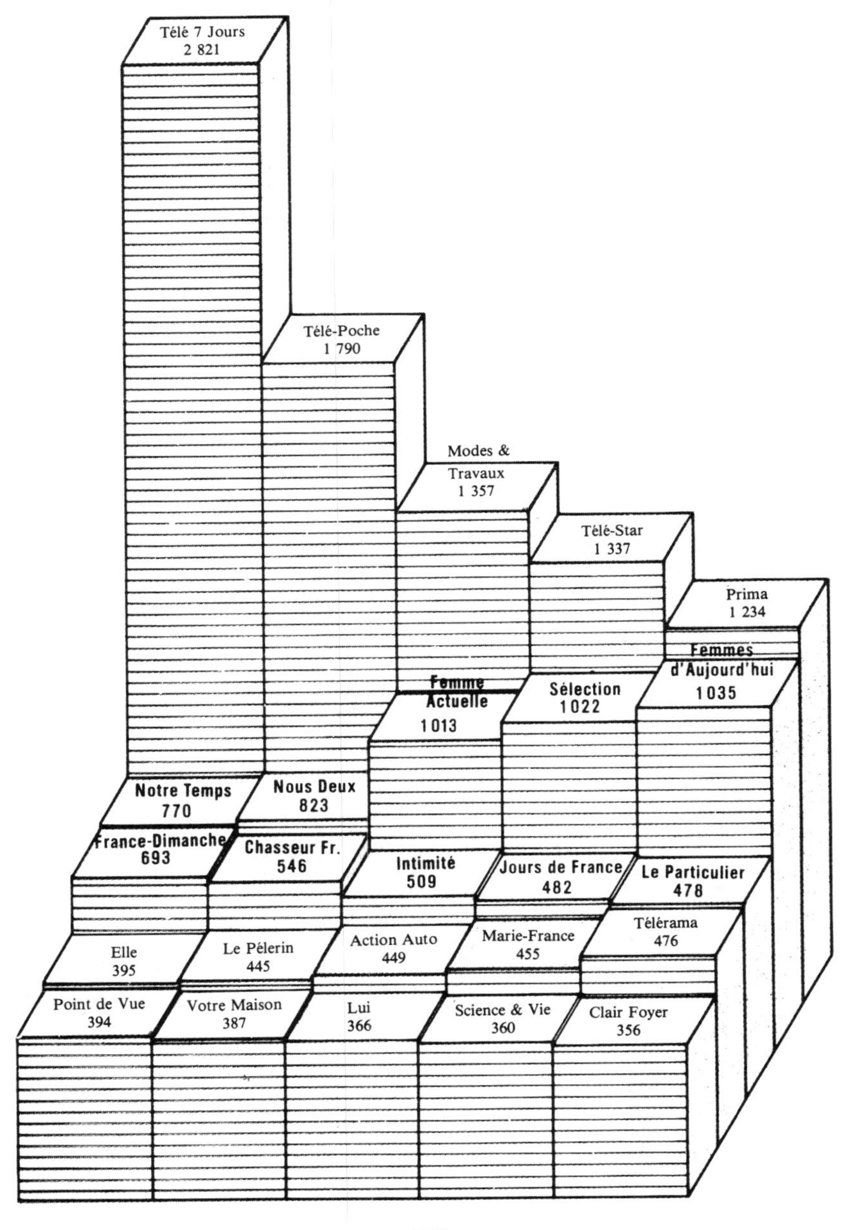

LES GRANDS QUOTIDIENS
PARISIENS ET RÉGIONAUX

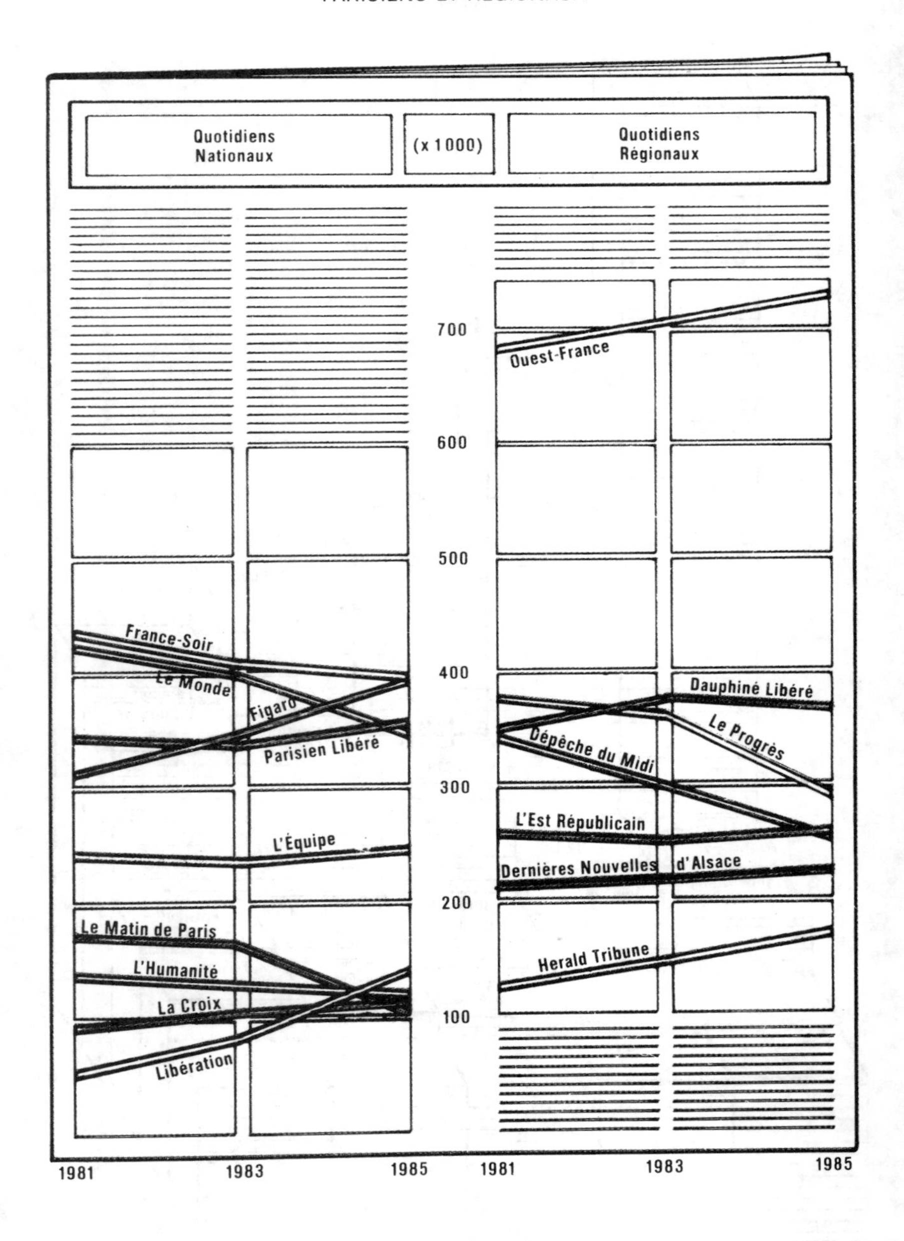

But what is read?

Analyse the three charts and note what strikes you most.

Compare your reactions with someone else's.

Write a short article (500 words) on French reading habits (comparing them if possible with what you know about reading habits in your own country); you may find the following expressions and remarks useful and even challenging:

* Les Français lisent peu.
* La télévision encourage les gens à lire.
* Les magazines d'information sont peu nombreux.
* Les magazines de radio-télévision battent tous les records de vente.
* Les quotidiens régionaux sont en bonne santé.
* Le tirage des quotidiens nationaux est en baisse.
* Les bibliothèques publiques n'ont pas beaucoup d'abonnés.
* Comment expliquer que le *Herald Tribune* se vende autant en France?
* Les gens ne lisent pas nécessairement les livres qu'ils achètent.
* L'échiquier politique français est bien représenté dans la presse.
* Les sportifs ont deux journaux quotidiens.
* Les Français lisent surtout des hebdomadaires.
* Les femmes lisent énormément d'hebdomadaires.
* C'est dans le domaine de la littérature qu'il y a le plus de nouveautés publiées.
* La jeunesse doit se contenter de réimpressions.
* Les livres scolaires représentent une proportion importante du marché.
* Qu'appelle-t-on 'livres pratiques'?
* 44% des Français achètent moins d'un livre par an.
* Les livres scientifiques n'ont pas beaucoup de succès.
* Les Beaux-Arts sont le parent pauvre de l'édition.

## • COMMENT DIRE?

### 1. Le régionalisme.

Which ten expressions would be most useful in writing an essay on this topic?

l'appartenance régionale
la langue régionale
un dialecte
un patois
une identité régionale
l'histoire locale
le réveil (d'un sentiment)
la défense du patrimoine
la sauvegarde d'un héritage
la protection de la nature
le respect des traditions
l'attachement au pays natal
la nostalgie des origines
vivre et travailler au pays
l'expatriation
l'exode rural
le traditionalisme
la pesanteur du passé
retrouver ses racines
une révolte
une protestation
le terroir
le droit à la différence
la communauté (locale ou régionale)
les minorités
les comportements
le poids des institutions
la centralisation
la consommation de masse
l'équilibre du monde rural
l'uniformisation
l'industrialisation
les médias
le fédéralisme
l'État
la bureaucratie
les techniques modernes
un phénomène de société

### 2. Le tragique.

Which twenty words would be most useful were you to write an essay on this subject?

un acte
une action
un amour
une angoisse
une bataille
un chagrin
un combat
un complot
une condamnation
un conflit
un coupable
une crainte
un crime
un désarroi
un destin
un dieu
un drame
un échec
un ennemi
une épreuve
un espoir
un fait divers
une fatalité
une faute
une grandeur
un héros
une horreur
une injustice
une justice
une lutte
un malentendu
une mort
un mystère
un obstacle
un paradoxe
une participation
une passion
une peine
un pouvoir
une promesse
une raison
une rupture
un sort
un spectacle
un triomphe
une vertu
une violence
une vocation
une volonté

**3. Ville et campagne.**

The sentences below would be useful in an essay or discussion on the relative advantages and disadvantages of living in a town or in the country. Complete the gaps:

1. La nature est ............. notre mère nourricière, mais ............. grâce au travail des hommes.

2. Quoi qu'en ................. les touristes, la nature n'est pas accueillante.

3. Il nous suffit de ................ aux orages, aux tempêtes, aux tremblements de terre pour nous en ................ .

4. Il est amusant de ................ que le mot 'ville' soit aussi souvent suivi de l'adjectif 'inhumaine'.

5. Or, rien n'est ............... humain qu'une agglomération urbaine.

6. Ce sont les ............... qui ont créé les villes.

7. Les citadins s'imaginent à ................. que la vie rurale est saine et reposante.

8. Le citadin dénature les ................ par ses campings et ses résidences secondaires.

9. Le comportement des citadins vis-à-vis de la campagne est ............... .

10. Plus la campagne est urbanisée, plus les citadins l' .............. .

Suggested answers in Appendix 1.

4. **Les loisirs.**

**Were you to write an essay on this topic, which word(s) would you eliminate in each of the sentences below?**

1. Qu'est-ce qu'un *plaisir/joie* organisé?

2. Ce qui est *vivant/triste* n'a pas besoin d'être *programmé/engendré* de l'extérieur.

3. Le travail professionnel est le plus souvent *contraignant/amusant*; il exclut la *fantaisie/laideur*; allons-nous retrouver ce même *esclavage/contrainte* dans les loisirs?

4. Quel *terme/exemple* bizarre que ce mot de passe-temps! Le temps passe tout *seul/tôt* et ne passe que trop *tard/vite.*

5. Le *pire/meilleur* des gaspillages, ce n'est pas celui de *l'énergie/la forme,* mais du temps.

6. Le mot *animation/possible* est très à la mode.

7. Pas de réunion, d'excursion qui n'ait, de nos jours, son *animateur/directrice* ou *animatrice/directeur.*

8. Le but des loisirs devrait être de nous *ressourcer/fatiguer.*

9. Les loisirs contemporains sont souvent *dérisoires/étoilés.*

10. La *contemplation/admiration* de la beauté devrait être notre priorité, pendant nos loisirs.

Justify your choice to someone else.

## • FAITES VOTRE CHOIX.

Eliminate one or two words in each sentence in order to produce a meaningful and correct statement:

1. Il s'agit ici d'une analyse/exemple marxiste de la situation.

2. Cette définition/exercice est beaucoup trop serrée/vague.

3. La démarche/discussion à adopter nous paraît simple/rose.

4. Le problème/critère posé est particulièrement fin/complexe.

5. Nous analyserons tout d'abord/très tard les conséquences d'une telle affirmation/récitation.

6. Nous nous demanderons ensuite si/par cette attitude est défendable.

7. Ne peut/sait – on pas, dans ce cas, commencer par la fin?

8. En bref/sorte, nous conclurons par une phrase du premier ministre.

9. C'est une suggestion/catalogue intéressante.

10. Comment discuter/rêver un tel sujet?

Justify your choice to someone else.

## • UN (TOUT PETIT) PEU DE MÉTRIQUE.

Complete the following sentences, using the words provided:

rythme – alexandrin – rime – pieds – vers – strophes – césure – sonnet – poème – tercets – enjambements – ode – quatrains – hémistiche – ballade.

1. Bonheur ........... avec malheur.

2. Un ......... est un ......... de douze ......... .

3. Apprenez les trois premières ......... de ce ......... .

4. Un ......... est composé de deux ........ et de deux ........... .

5. J'ai perdu le souffle à cause des ......... .

6. L'..........., c'est la moitié de n'importe quel vers ou seulement d'un alexandrin?

7. Attention au .........! Respectez la ......... à l'hémistiche.

8. Quelles sont les différences entre une ......... et une ..........?

Suggested answers in Appendix 1.

## • LE CONTRAIRE.

How would you say the exact opposite to each of the following statements?

1. Lire est une perte de temps.

2. La culture est un luxe.

3. La violence est inévitable.

4. La justice est un leurre.

5. On va au théâtre/cinéma pour rire, pour se détendre.

6. Le Nouveau Roman est un échec.

7. Nous vivons dans un monde égalitaire.

8. La poésie est réservée à une élite.

9. L'artiste doit être au service des hommes de son temps.

10. Les hommes et les femmes sont égaux en principe et dans les faits.

Discuss your answers with someone else.

## • DU SENS.

Write ten correct and meaningful sentences by matching beginnings from Column 1 with endings from Column 2.

| | Column 1 | | Column 2 |
|---|---|---|---|
| 1. | Comment peut-on lire un roman sans | a. | de Paul ou de Jean dit la vérité. |
| 2. | Il est difficile de savoir qui | b. | la consommation des ménages dans les deux pays. |
| 3. | Comparons, pour finir, | c. | sur l'une des causes les plus graves. |
| 4. | Nous mettons ici le doigt | d. | personnages? |
| 5. | Mais ceci est | e. | un autre débat. |
| 6. | Il nous semble que | f. | constat. |
| 7. | L'auteur n'a manifestement pas réussi à | g. | la distance qui les sépare. |
| 8. | Il nous faudrait mesurer | h. | cette discussion ne mène nulle part. |
| 9. | Une telle évolution est | i. | se libérer de ses préjugés. |
| 10. | Nous ne pouvons que faire ce | j. | surprenante. |

Suggested answers in Appendix 1.

## • LES MOTS ET EXPRESSIONS.

Complete the following sentences by using an appropriate word from the list below:

demander – entendre – conception – montrer – commencerons – attitude – appelle – temps – approche – ensuite – phrase – raisonnement – exemples – question – définir – cohérente – interroger – sens – cohérence

1. Sans ......... précis, je ne vois pas du tout la logique de ce ............ .

2. Il faudrait d'abord se .............. si cette .......... est justifiée.

3. Encore faudrait-il s' .............. sur ce qu'on .......... 'liberté'.

4. Dans un premier ............. , nous démontrerons la .......... de cette .......... .

5. Ensuite, nous essaierons de .............. que cette idée peut être remise en .............. .

6. Cette ............ du problème nous paraît tout à fait erronée.

7. Nous ........ par ............. ce concept.

8. Nous verrons ........... si notre argumentation est ........... .

9. Il faut d'abord s' ............ sur le .......... de cette phrase.

10. Cette ........ nous semble très ambigüe.

Suggested answers in Appendix 1.

## • LES MOTS ET EXPRESSIONS POUR LE DIRE ET L'ÉCRIRE.

Re-read the article on Europe on page 158 and write ten full sentences (all dealing with Europe) using the words and expressions given:

erreur(s) – système(s) – pays – problème(s) – rôle(s) – matière(s) – domaine(s) – conclusion(s) – conviction(s) – longtemps – commises – droit – unifier – s'interroger – s'engagent – faut – permis – social – culturel(le)

1. Que ............-il entendre par construction européenne?

2. Trois ............ sont toujours ......... dans l'analyse de la construction européenne.

3. La première ......... est de vouloir .......... les taux d'imposition et les .............. sociaux dans tous les ........... membres.

4. Poser ainsi le .......... c'est ............ sur l'Europe que nous voulons.

5. A présent, le doute n'est plus .......... .

6. Il faut que soit précisé le ......... de l'Europe dans l'Alliance atlantique.

7. En .......... militaire, il faut *commencer.*

8. Dans le .......... économique et .......... il ........... *accélérer.*

9. L'Europe ........ est en train de se faire; elle est la plus prometteuse.

10. En .........., il est important que tous les pays ........... avec la même ............ que ceux qui ont attendu le ............. d'entrer dans la Communauté.

Answers in Appendix 1.

## • UN OU UNE?

1. Select in the following list ten words you frequently use and the gender of which you are not sure. Make a list of them and try to learn them. Compare and discuss your selection with someone else.

2. Which words would you find most useful:

2.1 When discussing a play and/or a novel?

2.2 In assessing a political broadcast and/or government policies on education?

2.3 In discussing the marketing potential of a new product with colleagues within the same multinational corporation?

2.4 When expressing your views on Twentieth Century French writers and/or philosophers?

2.5 When writing a short article on either the Middle East or the Eurotunnel?

2.6 As a social worker in discussion with somebody who has just committed a petty crime?

2.7 When trying to convince somebody that s/he ought to read more and/or know more about history and/or art?

2.8 In the summing up of a criminal case?

Compare your choice with someone else's.

accent
accusation
actualité
adepte
alternative
amélioration
analogie
analyse
aperçu
appareil
argument
art (mineur)
article
attaque
attitude
avis

bataille
bouleversement
burlesque

calcul
changement
chiffre
citation
cliché
code
combat
comique
complexe
composition
compte
concession
conclusion
confirmation
conflit
conscience
conséquence
contexte
contrainte
convention

conversation
critique
critique (d'art)
culture

débat
décennie
décision
déclaration
défaut
défense
défenseur
définition
degré
démarche
désir
détérioration
développement
devoir
dialogue

difficulté
discours
disparité
dispositif
dissertation
diversité
doctrine
domaine
dose
doute
drame

écrivain
effort
émergence
émotion
endroit
énoncé
enquête
ensemble

entretien
époque
équilibre
erreur
esprit
état
étonnement
étude
évidence
évolution
excès
exemple
existence
expression
extrait

façon
fait
farce
faute
fonctionnement
fond
forme
formulation

gestion
goût
guide

habitude
heure
horaire
hypothèse

idée reçue
identité
idéologie
illogisme
impression
incorrection
indice
interdiction
interdit
intérêt
introduction
investigation
ironie

itinéraire

jugement

langue
leçon
lettre
lien
lieu
lieu commun
livre
loi
lot

manière
manque
mérite
mesure
métaphore
méthode
mode (de vie)
mode (vestimentaire)
modification
moment
monde
mot
mouvement
moyen
mythe

nature
niveau
norme
nouveauté

obligation
observation
oeuvre
opinion
opposition
optique
organisation

page
panorama
paradoxe
parti
partie
passage
période
perspective
philosophe
phrase
place
plaidoyer
pluralité
poème
point
point de vue
politique
possibilité
pouvoir
précision
prise de position
problème
processus
programme
progrès
projet
propagande
proportion
proposition
public

question
quête

raison
rapport
recherche
réciprocité
récit
réflexion
réforme
régime
règle
remaniement
remarque
remise en cause
remise en question
rencontre
répartition
réseau
réserve
résultat
résumé
roman

sagesse
sarcasme
savoir
schéma
scrupule
sélection
sens
sentiment
série
siècle
situation
société
songe
sort
stratégie
style
suite
supériorité
supplément
survol
symbole
système

tabou
technique
témoignage
temps
tendance
tension
terme
texte
tournure
tragique
trajectoire
transformation
transition
trimestre

unité

vérité
vocabulaire

## • DU LITTÉRAIRE.

Here is a list of words frequently used in essays on contemporary literature.

1. Make sure you know the gender of each of them.

2. Find a definition for words you're not sure about; compare your definition(s) with someone else's.

3. Use as many words as possible to write a short text (100 to 150 words) on ONE of the following topics:

   3.1 Le roman peut-il se passer de personnages?

   3.2 La littérature contemporaine est profondément ennuyeuse.

   3.3 La littérature n'a rien à voir avec la politique.

   3.4 Qu'est-ce qui rend un personnage romanesque intéressant?

   3.5 Comment l'oeuvre littéraire peut-elle contester l'ordre social?

   3.6 Qu'est-ce que l'existentialisme?

Discuss your text with someone else.

absurde
aisance
allégorie
amalgame
anachronisme
archaïsme
argumentation
attrait

brio
burlesque

clivage
code
collectivité
comique
conflit

contestation
conviction
crédibilité
croyance

démarche
démonstration
dérision
digression
drame

élan
élégance
emprunt

formule

humanisme

immanence
incitation
ironie

légende
lexique
lieu commun
lourdeur
lyrisme

métaphore
métonymie
morale
mythe

narrateur
naturalisme
nouvelle

opinion
optimisme

parodie
pessimisme
platonisme
point de vue
pouvoir
préjugé
présupposé
public

réalisme

récit
recueil
réel
rhétorique
romantisme

scepticisme
structure
surréalisme
symbole
symbolisme

technique
tragique
transcendance

vision

## • OUI/NON/POURQUOI?

Read these utterances carefully.

Note what strikes you about them in the way they are formulated.

Discuss your assessment/choice with someone else.

Re-read them and try to see whether you could use them in an essay. If not, why not?

1. Il faudrait voir à ne pas prendre des vessies pour des lanternes.
2. Seule compte la dimension ludique du texte.
3. La démonstration est parfaite, les exemples le sont moins.
4. Cohérent ce texte? Mon oeil!
5. Les écarts par rapport à la norme, c'est pas de la tarte à apprécier.
6. La métonymie et la métaphore sont les deux mamelles de la poésie.
7. La matérialité du langage, ça veut dire quoi au juste?
8. Le dénoté et le connoté pour moi c'est plus que du flou – c'est le brouillard complet!
9. Paul Claudel a découvert les vertus mimétiques de l'écriture.
10. Bon ben, je crois que je peux m'arrêter là; j'ai pourtant pas tout dit.
11. Je voulus jeter un regard sur *Le Figaro,* procéder à cet acte abominable et voluptueux qui s'appelle lire le journal.
12. Les opinions politiques et religieuses ne se discutent pas, un point c'est tout! Pour moi c'est aussi clair que de l'eau de roche!

See Appendix 1.

## • DE L'ORAL À L'ÉCRIT (I).

**Le rôle des syndicats aujourd'hui.**

This is an extract from a transcription of a debate between a sociologist and a politician on trade unions today; read it carefully first and then re-write it as if you wanted to incorporate it in an essay on the same topic. Leave out what seems to you irrelevant, i.e. the marks of the spoken code such as repetitions, exclamations etc.

– ...il est vrai de dire que les syndicats ont aujourd'hui perdu leur crédibilité.
– Au lieu de parler de crédibilité, soyons brutaux; ils ont surtout perdu leurs adhérents.
– Vous n'allez quand même pas jusqu'à dire que les syndicats ont complètement disparu.
– Non mais vous avouerez qu'ils sont sérieusement sur le déclin; vous comprenez bien que les gens ont autre chose à faire à notre époque qu'à militer dans un syndicat; avec toutes les possibilités qu'ils ont maintenant de se divertir ils seraient bien idiots de penser surtout à lutter.
– Mais vous semblez croire que tout est pour le mieux dans le meilleur des mondes et vous faites en particulier l'impasse totale sur le chômage.
– Mais enfin, soyons sérieux; est-ce que les syndicats ont des solutions pour régler le problème du chômage? Ce sont eux qui font l'impasse sur cette question.
– Non, là vous êtes totalement injuste.
– Citez-moi des exemples, allez, dites-moi quelles sont les centrales syndicales qui ont formulé des propositions autres que dérisoires et ridicules pour régler cette épineuse question.
– Il faudrait d'abord laisser la parole aux syndicats; peut-être seraient-ils alors en mesure de formuler des propositions concrètes.
– Là, je vous arrête tout de suite, nous sommes en démocratie et les syndicats s'expriment librement; ils ont en fait un temps d'antenne considérable et vous savez comme moi que certains dirigeants syndicaux sont devenus des vedettes du petit écran.
– Là n'est pas exactement la question.
– Si justement elle est là! Si les dirigeants syndicaux étaient moins préoccupés par leurs prestations médiatiques, ils penseraient davantage aux problèmes de fond de notre société.

– Vous voyez là une des raisons de la désaffection dont sont victimes les syndicats?
– Où *là*? Que voulez-vous dire?
– Pensez-vous que le déclin des syndicats soit imputable à leurs dirigeants?
– Évidemment, évidemment, s'il ne s'agissait pas de clowns ou de notaires pompeux ...
– Oh! là vous y allez un peu fort!
– Mais enfin ayez le courage de reconnaître les faits: les dirigeants syndicaux ont envie d'être des vedettes, des vedettes de télévision et les gens ne les croient plus, ne les croient plus du tout.
– À un moment où les vedettes de télévision ont de plus en plus de prestige, ceci ne me paraît pas convaincant mais poursuivons; ne voyez-vous pas une évolution du corps social qui serait susceptible de mieux rendre compte de la perte de crédit des syndicats?
– Si, si bien sûr mais cela crève les yeux, y a-t'il vraiment besoin de l'analyser?
– Vous pourriez donner des exemples?
– C'est très simple – mais vous le savez mieux que moi, c'est votre métier après tout – il n'existe plus de prolétariat à proprement parler.
– Il existe bien une classe ouvrière tout de même?
– Je me le demande – vous pensez sans doute aux travailleurs immigrés mais sont-ils syndiqués? – les ouvriers sont devenus des bourgeois – vous savez qu'il y en a qui ont des résidences secondaires – ça veut dire qu'ils s'en foutent[1] totalement de la défense des droits des autres; ils ont leur maison, prennent des vacances à la mer et à la montagne, leurs enfants sont à l'université.
– Oh! Oh!
– Si, si et les discours revanchards des syndicats les barbent; il n'y a rien de plus ringard[2] qu'un discours de syndicaliste; vous êtes syndiqué vous?

(1) se moquent (fam.)
(2) rétrograde, vieillot.

After this last question the debate got really heated... You don't have to be in such a passionate frame of mind to discuss this question; so select from this exchange what seems to you interesting or relevant in order to write down ideas, in a coherent way, on *'le rôle des syndicats'*.

Compare your text with someone else's.

## • DE L'ORAL À L'ÉCRIT (II).

**Qu'est-ce qui vous fait rire?**

What makes you laugh?

Ask people around you the same question.

Write down your ideas.

Now read the text below, which is a transcription of a discussion on the same topic recorded at the end of a dinner party (the speakers were not aware at the time that they were being recorded... and were quite surprised when they heard what they had said!).

– Qu'est-ce que vous voulez? Les gens sont tristes aujourd'hui.
– Oh! Pourquoi tristes? Faut pas exagérer.
– Non mais regardez les jeunes dans la rue, ils sont tous habillés en noir avec des gueules pas possibles!
– L'époque n'est pas marrante, vous l'avouerez!
– Bof! Y a toujours quelque chose: la guerre, la misère.
– Et maintenant la bombe atomique, le chômage.
– Mais vous, finalement qu'est-ce qui vous fait rire?
– Les bonnes plaisanteries.
– Vous pourriez donner des exemples?
– Eh bien non justement, on n'ose plus raconter de blagues à l'heure actuelle.
– Tiens donc, pourquoi?
– Parce qu'on vous accuse immédiatement d'être raciste, d'être macho ou antisémite. Tenez l'autre jour, j'ai commencé à raconter une blague belge; vous savez celle des Belges qui vont à Calais.
– Non, c'est laquelle?
– Des Belges vont à Calais et quand ils arrivent en France et qu'ils voient PAS DE CALAIS ils font demi-tour. (Rires)
– Oh! Elle est bonne!
– Heureusement qu'on a les Belges!
– Eh bien, figurez-vous que ça leur plaît pas toujours aux Belges d'être la risée des Français.
– Normal remarquez!
– C'est franchement ignoble!
– Toujours est-il que quand j'ai commencé à raconter mon

histoire, il y a quelqu'un dans le groupe qui, sur un ton très digne, m'a dit 'Je suis Belge Monsieur et fier de l'être'!
– Non?
– Si, je le comprends remarquez, enfin d'une certaine manière parce qu'au fond on dit belges, les Belges mais ça n'a rien de réel, enfin je veux dire, c'est un mythe, une caricature.
– Ouais un bouc-émissaire, ça existe dans toutes les cultures!
– On dit bien que les Ecossais et les Auvergnats sont pingres, que les Bretons sont têtus, les Normands indécis.
– Ouais ça va pas très loin tout ça!
– Moi ça ne me fait pas rire en tout cas.
– Alors, qu'est-ce qui vous fait rire?
– Oh, je sais pas, les situations cocasses, inattendues, les jeux de mots, les mots d'esprit, les comédies de Molière.
– Les contrepèteries?
– Par exemple, mais elles sont souvent osées pour ne pas dire cochonnes.
– Forcément, le rire, ça a à voir avec le sexe.
– N'importe quoi!
– Si, si, je suis très sérieux, y a eu des études là-dessus.
– Non?
– Je vous le garantis.
– Où ça vous mène de glisser sur une peau de banane!
(Rires)...

We had to stop the transcription here as the discussion explored a subject-matter for laughter which was, we felt, beyond the scope of this book! But there are expressions here that you may find useful.

Make your choice and write an answer to the question: *'qu'est-ce qui vous fait rire?'* Compare yours with someone else's.

## • TOURNURES DE PHRASE.

The time has come to give you a list of useful turns of phrase to help you organise a discussion or write an essay.

Go through the list below and note those with which you are already familiar (most, if not all, have been used in previous chapters).

Compare your list with someone else's.

Then, working with a partner, select turns of phrase which would enable you to:

A. Introduce a subject.

B. Classify your ideas and put them in some order.

C. Enumerate different aspects of a problem.

D. Express an opinion (agreeing or disagreeing, violently or mildly).

E. Present an idea and/or an example.

F. Link and compare two ideas (show their similarities or differences, or assess their respective values).

G. Make a point convincingly.

H. Question a viewpoint.

I. Argue in a subtle, undogmatic and concessionary manner.

J. Refute and/or shift the argument (by raising other questions).

K. Conclude (bring the discussion to an end).

– **Il s'agit ici** (d'un problème religieux)

– **Nous nous trouvons ici devant** (une affirmation catégorique)

– **Tout d'abord** (essayons de définir les mots-clés)

– **En premier lieu** (nous tenterons de prouver que l'égalité est un mythe)

- **Pour mettre un terme à** (ce débat/cette discussion)

- **Pour clore** (cette discussion)

- **Afin de mieux** (cerner la question/présenter ce problème)

- **En bref,** (nous dirons qu'un tel jugement est archaïque)

- **En guise de conclusion,** (nous citerons cette phrase d'Alfred Sauvy: 'Les épreuves accidentelles, guerres, crises aiguës peuvent être une source de progrès')

- **Nous proposerons donc** (une autre formulation du problème)

- **Il serait vain** (de vouloir conclure/tout dire)

- **Il ne faut toutefois pas** (généraliser)

- **Dans quelle mesure** (ces quelques exemples sont-ils représentatifs?)

- **S'il est vrai que** (les syndicats sont en perte de vitesse)
  **de dire que...**

- **Ne peut-on pas également** (souligner le rôle des gouvernements dans ce déclin)

- **Serait-il plus pertinent d'envisager les rapports entre** (liberté) **et** (fiscalité) **sous la forme suivante...**

- **D'une manière** (moins dogmatique/plus nuancée)

- **Ce jugement** (péremptoire/partiel/partial) **ne nous semble pas** (défendable/mériter de commentaires)

- **Comme** dans (tel texte) **la question** morale/politique
  chez (tel auteur)
  au (tel siècle)
  /religieuse) **est ici** (secondaire, occultée, esquivée)

- **Comparons, pour finir,** (l'attitude)
  (la technique)
  (l'opinion)
  **de** (Monsieur X) **avec celle** (de Madame Y)

- **Non seulement** (cette idée est fausse) **mais elle est aussi** (dangereuse)

- **Il en va de même** (pour la peine de mort)

- **On retrouve la même idée chez** (tel auteur) **dans** (tel texte) **au** (tel siècle)

- **Notons que** (cette idée n'est pas nouvelle)

- **Bien loin de** (minimiser le rôle de la télévision, un tel scandale le renforce)

- **Ce qui signifie, en fait, que** (la conception de la justice est nationale)

- **Ce que** (les gens veulent) **c'est** (gagner de l'argent)

- **Précisons que** (nous limiterons notre définition de l'art à la littérature)

- (Les travailleurs immigrés se sentent) **d'autant plus** (rejetés) **qu'** (ils vivent dans des ghettos)

- **Il se peut que** (nous ayons tort)

- **Si l'on considère** (les faits) **on s'aperçoit qu'** (ils contredisent cette déclaration)

- **Comment peut-on** (affirmer) **une telle** (insanité)/ **de tels** (propos)!

- **De la même manière,** (le monde entier s'inquiète de la santé du dollar)

- **A titre d'exemple, prenons le cas du** (roman réaliste) /**de** (la tragédie racinienne)/**des** (romans populaires)

- **Il est possible que** (nous critiquions abusivement cette attitude) **mais** (nous pouvons nous justifier)

- **Il semblerait que** (nos hypothèses soient ici vérifiées)

- **Il serait tout à fait étonnant de** (trouver/constater) **que** (le contraire est également vrai)

- **Pour prendre un exemple, citons** (*L'Etranger* d'Albert Camus)

- **Contrairement à ce qu'on pense/croit généralement** (le Nouveau Roman n'a pas tué les personnages)

- **En second lieu** (nous analyserons les relations entre les partis politiques et les centrales syndicales)

- **Premièrement** (nous verrons comment les pays
- **Deuxièmement** membres voient leur participation
- **Troisièmement** à l'Europe de demain)

- **Il est exact que** (tous les problèmes ne sont pas résolus)

- **Il est certain que** (le tunnel sous la Manche a beaucoup d'opposants)

- **Quant à** (l'administration américaine, son rôle devra être analysé en détail)

- **Certes** (la poésie n'a plus beaucoup de défenseurs) **mais** (ceux qui la défendent le font avec passion)

- **Il faut reconnaître** (que nous sommes tous aveugles à certaines réalités)

- **Dans un premier temps** (nous nous contenterons de la définition du dictionnaire)

- **En définitive, il semble bien que** (le problème ait été mal posé)

- **Il n'est pas question de** (présenter ici une étude détaillée des constitutions des deux pays)

- **Nous nous bornerons à nous demander si** (l'une est plus démocratique que l'autre)

- (Le débat est) **indéniablement** (ailleurs)

- **Il nous faut maintenant nous demander si** (de tels critères pourraient être appliquées à tous les produits culturels)

- **Sans doute** (faut-il reconnaître que le développement du tourisme est un progrès) **mais** (ne faut-il pas) **en même temps** (en voir les excès et les dangers?)

- **En ce qui nous concerne** (les médias sont potentiellement dangereux)

- **Plus** (nous étudions cette question) **plus** (nous prenons conscience de sa complexité)

- **Revenons maintenant à** (l'exemple cité plus haut)

- **On peut parfaitement admettre** (l'existence de tendances racistes chez les individus)

- (Cette idée est) **sans aucun doute** (la plus discutée sur la place publique aujourd'hui)

- (Nous avons) **incontestablement** (ici une prise de position anticléricale)

- **Cependant** (les choses ne sont pas aussi simples)

- **Toutefois** (nous sommes prêts à en reconnaître le bien-fondé)

- **Néanmoins** (nous exprimerons des réserves)

- **Finalement** (cette approche ne nous convient guère)

- (Ces exemples) **prouvent donc que** (la question est plus complexe qu'il n'y paraissait au premier abord)

Remember that an essay is a *demonstration* and what matters is not to learn all these expressions but to feel that you have a battery of verbal tools at your disposal which will enable you to write what you want to write on a particular subject.

Should you feel more secure armed with a more complete list than this one, we would advise you to re-read the previous chapters and make your own selection of useful (and recurrent) turns of phrase.

Hopefully, the preceeding exercises have stressed the importance of an adequate manipulation of linguistic tools when writing in French. The important points you should keep in mind are to:

1. master the vocabulary, however simple, you are most likely to use again and again, e.g. *exemple, problème, exercice* etc.

2. make sure that you have at your disposal words and expressions which do not have an obvious equivalent in French.

3. be aware of what are called 'faux amis'; it would be pointless and misleading to print a list of them and to stress (for example) that *a character* is not *un caractère.* It's better for you to draw up a list of such terms or words. Going through the book and making your own selection will be much more useful than a ready-made list.

4. Understand that the production of meaning doesn't rest entirely on lexical items (words), syntax also comes into play. You should be able at this stage to use complex sentence structures to express strong or conciliatory views, contradictions, implications, causes and consequences, to illustrate and convince, to draw up parallels between different situations, to compare and evaluate attitudes etc.

   This is not a grammar book but we hope that in giving you so many utterances in French you will have picked up turns of phrase which will enable you to communicate efficiently in French and feel at ease with structures like:

   – **Plus** nous explorons cette question, **plus** nous en découvrons la complexité.

   – **Moins** nous en savons dans ce domaine, **mieux** c'est.

   – **Il ne s'agit pas** d'un constat neutre **mais** d'une véritable condamnation.

- **Comment** peut-on **se poser cette question sans se demander d'abord** si un tel rapport est logique?

- **Comment** peut-on arriver à cette conclusion **alors que** les termes du débat ne sont **même** pas clairs?

- **Si dans un premier temps,** nous adoptons ce point de vue, il nous faudra **ensuite** en envisager les limites et les contradictions.

- Il nous faudra **faire un sort** à ce concept vague d' 'engagement' **afin** d'étudier les textes en tant qu'oeuvres d'art et non pas **comme** des réservoirs d'idées.

- Ceci est **d'autant plus** défendable **que** les déclarations de l'auteur le confirment.

- **Or,** comme nous l'avons vu, il y a ici trop d'implicite.

- **Par ce qui précède** nous voyons que cette position est indéfendable.

- **Il serait étonnant que** nous puissions établir le bien-fondé d'une telle mesure.

- **Selon** les hommes politiques de droite, les citoyens n'auraient qu'une préoccupation: s'enrichir; **mais ne peut-on pas** leur rétorquer que c'est là le résultat de leurs discours.

- **Il en va de même** pour le théâtre moderne; on peut certes insister sur les différences entre Racine et Ionesco mais **n'est-il pas plus urgent, pour notre propos,** de souligner que pour les deux dramaturges l'homme reste la véritable énigme.

- **Si l'on ajoute** à ces réflexions, les analyses faites par les sociologues, **on ne peut qu'être d'accord avec** la philosophie de Rousseau.

- Il faut **non seulement** définir ce concept **mais** se demander **également dans quelle mesure** il entretient un mythe.

These few examples may seem to you too convoluted or remote and far from your usual way of saying things; but don't forget that social communication (as practised in the media, in schools, by politicians etc.) does not produce 'simple messages'; it presupposes a certain knowledge or set of common values on the part of the receiver. Therefore to fully understand what is going on and to be able to challenge the various discourses which are imposed upon us, we have to explore and practice the resources (tricks and traps) of language.

Hopefully, this book will enable you not only to write an essay in French, but also teach you *How to do things with words.*

Chapter 10

# Comment commencer?

It may seem odd to give guidelines on how to write an introduction, be it to an essay or to a debate, almost at the end of such a book. This is not due to misjudgement on our part, but is in fact logical. It is often argued that some people start talking before knowing what they want to say and that it is the very process of writing which makes them think and hopefully write coherently. This may happen, but it seems to us just as fallacious to pretend that this is the 'normal' way of writing an essay, as it is to suggest that essay writing is an art which you possess or not. If you do, things come naturally; if you don't, you have to work hard to acquire a skill you can only hope to develop to a limited extent (!).

Let's be more realistic and admit that we all have to make an effort to organise our thoughts and ideas and to work on how best to make a point (let alone convince somebody ...).

So, when you're thinking about an introduction you have to know:

- what ideas you already have on a given subject
- how these ideas differ from other people's
- how they compare with the views expressed on the same subject by authors or journalists you are familiar with.

In the previous chapters we invited you to explore your own ideas and to discuss them; so we assume that you are now ready to come to terms with what is in our experience one of the main hurdles in essay writing: the introduction. The aim of this chapter is thus to help you to write an introduction.

The first step in writing an essay is to read the title carefully so as to avoid embarking on the wrong path; it will either ask a specific question or present a comment on some particular problem or issue. You have to identify what is at stake and what you are being asked to do.

To misinterpret the subject of an essay title is a frequent error which is usually the result of careless reading.

All too often people think that by starting to write as soon as possible they will be able to write more and thus improve their chances of doing well. More often than not, this is a miscalculation. You need some time to think about the particular light thrown onto the subject. If you pay attention to the way the title is phrased, you will not always succeed in interpreting correctly the meaning of the question but you will considerably reduce your chances of going off track. Once you have identified the problem(s) raised in the essay title, you're in a position to demonstrate your understanding of the issue or issues involved. An essay is primarily a demonstration and you will have succeeded if you feel satisfied at the end of your essay that you have demonstrated your own viewpoint on the subject by presenting your argument in a coherent and logical way.

Naturally, your essay will begin with an introduction; but you should not write that introduction before you have:

1) thought about the subject.

2) decided what your plan is going to be.

As you have already seen in chapter 6, drawing up a plan requires selecting from the several ideas you may have on a particular subject.

You should first write down all the ideas which come to your mind concerning the subject and you should do so without bothering about the order in which you write them down (we call this phase 'idées pêle-mêle').

Once you have a few ideas on paper, you should then begin to look for what some of them have in common, e.g. some ideas may put forward a particular point of view either for or against. This phase is often overlooked by students who tend to assume that their ideas are disjointed and that it is pointless to look for any relationship between them. Yet this is very unlikely. Such a relationship may not be apparent at first, but the ideas and points of view have been chosen and expressed by *you,* and even though you may feel that they are not original, they have somehow become part of your own frame of mind. What you have to do is establish the link that must exist between those apparently unrelated ideas. Such an exercise is not necessarily easy, particularly if you are used to writing at random without giving too much thought to the logical order of your argument. However, by practising with the help of a few guidelines, you should soon be able to improve your skills until it becomes a pleasurable routine. You will eventually discover that your natural reaction to an essay title is to:

1) look for keywords and their meaning.
2) presume that the articulation of those keywords holds the key to a correct understanding of the essay title.
3) identify the question asked on the issue(s) raised, i.e.: 'what is at stake here'?
4) write at random all your thoughts on the subject.
5) establish the relationships (by implication or contradiction) that you can detect between these apparently disjointed ideas.
6) use them to draw your own plan.

When you have achieved this, you will be well prepared for writing an essay and you will no longer need our book.

Let's take an example to illustrate what we mean. Consider the following title:

**...'les doctrines ont cet avantage qu'elles dispensent d'avoir des idées'...**

Edouard Herriot

The keywords here are:

*doctrines* *avantage* *dispensent* *idées*

1. The first keyword is apparently less easy to define than the other three. According to *Le Petit Larousse*

- *an 'idée'* is a 'notion que l'esprit se forme de quelque chose', it is also 'une opinion, une appréciation'.
- *'avantage'* means 'ce qui est utile, profitable'.
- *'dispenser de'* is 'exempter' or 'permettre de ne pas faire ou de ne pas avoir'.
- a *'doctrine'* is 'un ensemble des notions d'une école littéraire ou philosophique, d'un système politique, économique, etc. ou des dogmes d'une religion'. According to the *Shorter Oxford English Dictionary,* it is 'that which is laid down as true concerning a particular department of knowledge or 'a body of system of principles'.

2. Articulation between keywords: The two concepts of *'doctrines'* and *'idées'* are presented here as being opposed to each other and the articulation of that opposition is built around the other two keywords in the title: doctrines have the advantage that they allow one not to have ideas. Does it mean that ideas are a hindrance or, more so, that there is no place for ideas (i.e.: for individual opinions) in doctrines?

To adopt a particular doctrine means to adopt it uncritically. By juxtaposing a positive notion (*'avantage'*) and a negative one (*'dispensent d'avoir des idées'*), the essay title introduces in a fairly ironical way a profound criticism of the impact of doctrines on an essential component of individual freedom, the *'liberté de pensée'*.

3. What is at stake here is therefore a denunciation of *'doctrinaire'* systems of thought, which limit our individual right to think for ourselves by telling us what we must hold as true and unquestionable. It is also a criticism of those people who endorse doctrines and give up their right to have opinions of their own, almost a relief for some as the essay title ironically suggests. What you are asked to do here is to develop an argument **for** or **against** this statement.

4. Let us now assume that you have written at random 20 ideas or questions on this topic.

## • LES DOCTRINES ONT CET AVANTAGE QU'ELLES DISPENSENT D'AVOIR DES IDÉES.

1. Cet énoncé semble au premier abord paradoxal.

2. Qu'est-ce qu'une doctrine?

3. Qu'y a-t-il dans les doctrines sinon des idées?

4. 'Doctrinaire', adjectif dérivé de doctrine qualifie quelqu'un d'intolérant et dépourvu de sens critique.

5. Comment peut-on savoir si quelqu'un a des idées?

6. Peut-on donner à doctrine le sens d'idéologie?

7. Une doctrine ne cherche-t-elle pas avant tout à convaincre en s'opposant et en s'imposant?

8. On adhère à une doctrine à laquelle on croit; or, plus on croit, moins on réfléchit.

9. Quelles différences y a-t-il entre une doctrine et une religion?

10. Cette déclaration n'est-elle pas l'expression d'un mépris vis-à-vis de toute forme d'engagement?

11. Dans quelle mesure pouvons-nous évaluer cet 'avantage' que les idées auraient sur les doctrines?

12. Les idées ne sont importantes que lorsqu'elles mènent à l'action.

13. Cet énoncé ressemble à une condamnation.

14. Sans doctrines, les masses peuvent être manipulées et le Pouvoir n'a que faire de leurs idées!

15. Il est sans doute plus facile de condamner quelqu'un avec qui l'on n'est pas d'accord, si l'on est persuadé d'exprimer l'orthodoxie d'une doctrine.

16. Toute forme d'organisation politique est-elle 'doctrinaire'?

17. Peut-on faire un inventaire des 'doctrines' qui ont cours à un moment donné de l'histoire?

18. Le rôle de tous les gouvernements serait-il 'd'endoctriner' les citoyens?

19. L'intolérance caractérise-t-elle toutes les doctrines?

20. Pour quelles raisons les hommes ont-ils besoin de doctrines?

5. Read these viewpoints/questions carefully and try to establish clusters of points which have something in common. Would you agree that:

a) some of the above points are reactions to what seems at first to be a rather provocative statement (1-10-13).

b) certain other points rightly concentrate on the meaning of *'doctrine'* (2-3-4-6-9-17), some of the questions here being more specific than others (6-9).

c) other questions are even more specific in the sense that they already imply a certain definition of *'doctrine'* and build upon the implications of such a definition (7-16-18-19-20). Note that these implications all have a negative connotation.

d) other points concern the keyword *'idées'* and further explore some issues related to the opposition between doctrines and ideas alleged in the title in a way that either

(i) reinforces the negative connotation noted under (c). i.e.: 8-15

or (ii) introduces doctrines in a less negative way, i.e.: 3-14

or (iii) presents the hitherto entirely positive concept of ideas in a more qualified manner, i.e.: 5-11-12.

This is just one way of linking together the various points made at random earlier. Many more ways could be devised and you may have already noticed other clusters, grouped around different relationships and connections.

6. *The plan:* Let us now see how these connections could lead to a plan and therefore eventually help you to write an introduction. What emerges from the above is

a) a series of questions concerning the keywords of the subject title as well as an initial reaction of surprise vis-à-vis the title itself (see 5(a) and 5(b)). It is with this material that you will later write your introduction.

b) an opposition between *'doctrines'* and *'idées'* which gives an almost self-evident negative connotation to the first (see 5(c) and 5(d) (i)), and by opposition, a positive one to the second. This could be the first argument of your essay.

c) a questioning of the absolute value of the previous argument. This could be the second main argument of your essay. It would consist in qualifying your first argument by exploring the view that e.g.: not all *'doctrines'* necessarily demand blind following and some might even positively encourage discussion and individual opinions. A *'doctrine'* is not to be systematically confused with religion. There is always an element of absolute irrationality in the latter, i.e.: a belief in something or somebody that is by definition supernatural and thus cannot be proved. Some *'doctrines'* are equally based on notions that cannot be demonstrated (such as the supremacy of one race over all others for example), but this does not apply to all *'doctrines'* (see 5(d)(ii)). Similarly, *'idées'* should not be regarded as something godlike e.g.: *'idées'* that do not lead to action might be stale. (see 5(d)(iii)).

This is just one idea of a plan on this subject. There are in fact a variety of plans which can be drawn on any subject. What differentiates a good plan from a bad one is the logic of the connections established between its different parts and ideas. This does not mean to say that there is no originality and creativity going into the organisation of your data; a display of such qualities makes the difference between a good and a very good essay. But contrary to what many people say, these qualities are not innate, they have to be developed through practice and it would be irresponsible to pretend otherwise.

To illustrate the point that a variety of plans can be drawn, let us take another essay title as an example:

- **...'NOS SOCIÉTÉS SONT FONDÉES SUR LA CROYANCE QUE TOUS LES CITOYENS SONT ÉGAUX DEVANT LA LOI...'**

1. *Keywords* – fondées
   croyance
   tous égaux devant la loi

2. *What do they mean?*

3. *What is at stake here?*

The title does not so much state that all citizens are equal before the law, but that our societies are founded on the belief ('croyance') that all citizens are equal before the law.

This introduces a certain ambiguity on the subject. What counts as a foundation to our societies is the belief that such equality exists. Whether it does or not is thus open to question. You might believe that men/women are equal before the law or on the contrary, that they are not. Whichever way you approach this question, your ideas and statements will show that you share that belief, that you don't share it at all, or perhaps that you think the issue lies elsewhere, for example that this is just one instance of inequality and that, while recognising that it matters, you think it cannot be understood separately from other forms of inequality.

In this as in any other essay, you can with equal validity defend any one of these positions. It is not the position you adopt that matters but the way in which you present the argument to defend that position. There is no such thing as right or wrong here; only good or bad arguments.

In other words you could argue equally well here **for** or **against** the belief. By definition, to argue that this is not a question of belief but of fact – i.e. that all men/women are equal – is in itself an indication that you agree with the essay title but that you do so in a doctrinaire manner, which does not usually help to produce the best arguments(!).

Now carefully read some **random ideas** on this topic:

1. La fonction de la justice a un effet mystificateur.

2. La plupart des gens sont persuadés que la justice est la même pour tous, mais beaucoup changent d'avis quand ils ont eu affaire à elle.

3. Il est absurde de dire que le prix de la justice est trop élevé pour que tout le monde puisse y recourir librement: les gens démunis peuvent se voir accorder l'assistance juridique gratuite.

4. La justice est à l'image des hommes: imparfaite.

5. La justice n'est-elle pas toujours représentée par une femme aux yeux bandés, tenant un glaive dans une main et une balance dans l'autre?

6. Toute justice est une justice de classe.

7. Les magistrats, comme les médecins, se retranchent souvent derrière un jargon incompréhensible pour le commun des mortels.

8. Toutes les sociétés n'ont pas la même conception de ce qui est juste et de ce qui ne l'est pas.

9. Il y a des crimes que les gouvernements choisissent de laisser impunis.

10. L'opacité de la justice a un effet mystificateur.

11. La justice est impuissante devant le terrorisme international.

12. L'égalité des citoyens est une fiction démocratique, que ce soit devant la justice ou dans tout autre domaine.

Let's see how you could proceed to write your essay:

1) if you share this belief.

2) if you don't.

3) if you think the issue is elsewhere.

1. *if you share this belief:*
Clearly, among the ideas presented here, those which you would endorse would probably be (1-3-5). These are all arguments that you could advance and develop to make the point of what could thus be the first part of your essay. If you have read the title carefully, however, you will have noticed that it refers to a belief ('croyance'). If something is obvious or can be demonstrated, there is no need to believe in it; you can only accept that it exists. So, belief/'croyance' introduces a certain questioning of this alleged equality. The fact that you share this belief does not and should not prevent your seeing that there is an issue raised here and that others may see it differently from the way you do. How can this be? What can misguide people into thinking that all men/women are not equal before the law? To some extent, you have to anticipate their arguments and try to refute them. This could be the second part of your essay.

2. *if you don't share this belief:*
The ideas with which you could identify, might be 2-6-7-9-10-12.

3. *if you think the issue is elsewhere:*
The relevant points here are 4-8-11-12.

Some guidelines have been given above for a plan for the first position. Now try and draw up plans for the second and third positions along the same lines.

When you have decided on the plan you wish to adopt, you are then ready to write the introduction to your essay.

The purpose of an introduction is **to introduce** the essay, and this is less tautological than it may seem. What it means is that, after reading your introduction, your reader should:

1) know what you are talking about (what is the subject matter of your discussion).

2) be able to assess your understanding of the subject title.

3) see how you define the keywords that you have identified.

4) understand clearly how you are going to proceed to discuss them.

This means that it is in your introduction and nowhere else that you will:

1) say what you understand the subject to be about.

2) define the keywords.

3) indicate what are the key issues which the subject raises.

4) announce what ideas you are going to develop, in which order and why.

You could test the guidelines in this chapter by applying them to the previous essay title:

**...'Nos sociétés sont fondées sur la croyance que tous les citoyens sont égaux devant la loi'...**

– Think about the title (underline the keywords, identify the key concepts and issues).

– Write down your ideas and discuss them with someone else.

– Mix them with the following:

1. Partout, la loi vise à légitimer un certain ordre social, et la justice à le préserver.

2. La liberté de la justice assure son indépendance et sa neutralité.

3. Dans une société démocratique, peut-on imaginer que quiconque puisse se soustraire à l'autorité de la loi?

4. 'Selon que vous serez puissant ou misérable, les jugements de cour vous rendront blanc ou noir' (La Fontaine).

5. Convaincre les gens que la loi est l'expression la plus parfaite de la raison, c'est les persuader qu'il est déraisonnable de ne pas lui obéir.

6. Un moment décisif dans le progrès de nos sociétés a été celui où la légitimité de droit divin a été remplacée par la légitimité de la loi.

7. Le droit est le mécanisme de domination sociale le plus achevé.

8. La loi est la meilleure garantie des libertés individuelles.

9. L'élaboration de la loi et l'administration de la justice sont tellement ritualisées que seule une minorité de citoyens sont en mesure de les comprendre.

10. La justice coûte cher.

11. Cette déclaration est en fait une définition de la justice.

12. L'égalité est un mythe.

13. 'Liberté, égalité, fraternité' est une devise utopique.

14. Qui n'a fait dans sa vie l'expérience de l'injustice?

15. Nous voudrions tous vivre dans un monde juste mais l'erreur est humaine et nous ne pourrons jamais imaginer, sans parler de mettre en pratique, une justice parfaite.

16. Il serait faux de croire que la fin de l'Ancien Régime a mis fin aux privilèges.

17. Les erreurs judiciaires ne peuvent être évitées.

18. Il y aura toujours des menteurs et des tricheurs.

19. La loi doit être interprétée et ce par des hommes qui sont faillibles.

20. Jamais la loi ne pourra anticiper toutes les manifestations de la méchanceté et de la fourberie des hommes.

Select the material which will enable you to draw a plan **and** to write an introduction (you will be well advised to follow the guidelines given in the previous pages).

Then compare your 100 to 150 word text with someone else's.

Bear in mind that this is a topic which could be treated in a technical way by law or social science students who would then be asked to display a specialised knowledge of the issues involved. In a general essay, such specialist knowledge is not expected and students are instead required to use their own judgement and experience.

Here is one example of an introduction to such an essay written by a student whose background was mainly literary.

**...'Nos sociétés sont fondées sur la croyance que tous les citoyens sont égaux devant la loi'...**

Les dimensions de la planète se sont certes réduites depuis qu'existe la possibilité de traverser les océans en quelques heures, mais gardons-nous de croire que les différences entre les peuples et les cultures en ont été pour autant réduites ou annulées! Toute affirmation qui tend à faire l'impasse sur la diversité des moeurs et des pratiques dans le monde nous paraît suspecte et nous rappelle les dangers de l'eurocentrisme des conquérants et des colonisateurs; en fait, **nos** sociétés humaines sont diverses et les systèmes qui les régissent divergent quant aux valeurs qu'ils privilégient. Ceci étant dit, nous nous en tiendrons, dans cette discussion, à analyser la validité de cette déclaration dans le contexte qui nous est familier. Nous nous interrogerons tout d'abord sur le terme de **croyance** dont nous percevons immédiatement la connotation religieuse; 'l'égalité' en revanche nous permettra d'analyser les fondements d'un état laïque, et d'évaluer l'héritage de la Révolution. Nous tenterons de démontrer ensuite qu'il est bon que les hommes aient encore le sens de l'utopie mais que l'histoire et la vie quotidienne tendent à prouver que tous les citoyens n'ont ni les mêmes droits ni les mêmes devoirs.

Here is another example, written this time by a social sciences student:

L'égalité devant la loi est un des principes fondamentaux de toute société démocratique dont l'origine se situe dans l'histoire des idées et des mouvements sociaux qui ont marqué en Europe la chute de la plupart des monarchies de droit divin et les débuts d'un ordre social rationnel et individualiste. A partir de la fin du 18ème siècle, la neutralité et l'impartialité de la loi allaient être utilisées pour établir des sociétés sans privilèges et dans lesquelles l'administration de la justice serait aussi la meilleure garantie contre les excès éventuels du pouvoir politique. En devenant ainsi la principale source de la légitimité du pouvoir et de l'organisation sociale, la loi représentait pour tous l'expression la plus parfaite de la démocratie. C'est sans doute ce qui explique que la croyance populaire que nous sommes tous égaux devant la loi soit si fortement enracinée dans nos sociétés.

Mais, comme toutes les croyances, cette croyance est-elle justifiée? Les privilèges ont-ils réellement disparu avec la fin de l'Ancien Régime? L'égalité devant la loi n'est-elle pas un mythe? En remplaçant l'obéissance à Dieu par l'obéissance à la loi, nos sociétés n'ont-elles pas simplement substitué une fiction d'égalité à une autre? C'est ce que ce travail va tenter de démontrer en s'attachant d'abord à mettre en évidence le caractère nécessairement conservateur du droit et de la justice et en essayant ensuite de rechercher quels sont les mécanismes et les rituels qui permettent au mythe de l'égalité devant la loi de perdurer.

Finally, apply the method you have just been practising to another example:

**...'le droit de grève est une liberté fondamentale que chaque société doit reconnaître'...**

- Think about it first.

- Write down your ideas.

- Compare and/or mix them with the following:

1. Le droit de grève est un test de la nature démocratique d'une société: lorsqu'il n'est pas reconnu, les autres libertés individuelles ne le sont généralement pas davantage.

2. En ayant le monopole de l'exercice du droit de grève, les syndicats peuvent avoir tendance à se substituer aux autorités politiques élues pour gouverner un pays.

3. La règlementation de l'exercice du droit de grève exige à la fois que ce droit soit respecté par les législateurs et que les syndicats le pratiquent d'une manière responsable.

4. L'histoire récente a démontré que, dans l'intérêt de la société, il est essentiel de règlementer très strictement le droit de grève.

5. Toute société démocratique devrait être capable d'établir un pacte social entre l'État, les employeurs et les syndicats.

6. Le droit de grève est trop souvent utilisé à des fins politiques.

7. Les syndicats sont de moins en moins représentatifs des intérêts de la majorité des travailleurs.

8. Dans une société où le droit au travail n'est plus respecté, comment peut-on revendiquer le droit de grève?

9. Les grèves peuvent à notre époque paralyser un pays; cela est-il acceptable?

10. Les centrales syndicales sont les premières à ne pas accepter la seule pratique vraiment démocratique: le vote à bulletin secret de leurs adhérents pour toutes les décisions importantes.

11. Syndicats et partis politiques sont liés.

12. A notre époque, le risque du chômage a démobilisé les travailleurs.

13. 'Chacun pour soi, Dieu pour tous' semble être aujourd'hui la devise de tout le monde et les syndicats ne défendent plus qu'une faible proportion des travailleurs.

14. Les employeurs peuvent-ils empêcher leurs employés de faire grève?

15. Les prêtres et les médecins font-ils grève?

- Organise your data.

- Write an introduction.

- Compare your text with someone else's.

Remember, the introduction is probably the most difficult part of the essay so get as much practice as you can and select to start with three essay titles (from previous chapters or from chapter 12), of graded difficulty (one easy, one less easy, one difficult). **Work** on them. We are confident that, if you take some time over this, you will be in a much better position to write an introduction and an essay.

Remember that an essay is a DEMONSTRATION and that the introduction plays a vital part as it indicates the process of your reasoning, working towards establishing a coherent argument.

Chapter 11

# Pour finir

In an essay the conclusion should be *shorter* than the introduction and – this may surprise you – you would be well advised to spend less time on it than on your introduction. Very often students repeat some sentences of their essay in the conclusion; this should be avoided, as should the repetition of the essay title in full in the introduction.

A conclusion may be seen as an artificial ending to a debate which could go on; this is not entirely false as most essays have to be ended because time and space are limited, not because all possible and plausible paths have been explored in the discussion. One easy 'way out' in finishing an essay is to write a sentence like: 'Pour mettre un terme à cette discussion nous réaffirmerons que le point de vue exprimé dans le sujet semble laisser de côté un aspect important de la question, celui que nous avons présenté brièvement dans la dernière partie de ce travail; il faudrait en effet analyser plus longuement les rapports entre ... et ... Mais ceci est – ou serait – un autre débat.'

This would indicate that you have written a coherent argument but without taking into consideration every aspect of the issues raised by the subject; and you suggest in your conclusion yet another avenue which could be explored if time allowed.

In Chapter 9 you will find useful turns of phrase for composing your conclusion.

Let's take an example:

- **LES RAPPORTS NORD-SUD SONT À LA FOIS NÉGLIGÉS ET IMPOSÉS PAR LE NORD.**

The keywords are – rapports Nord-Sud<br>
négligés<br>
imposés

The essay title concerns the relations between the North (the richer countries of the world) and the South (the poorer ones).

*The question/issue* raised here is relatively straightforward once you know what the 'rapports Nord-Sud' are about. In other words, you must satisfy your reader that – even though you are not a specialist on this question – you are reasonably well-informed about the main issues involved. On the basis of your presentation of these issues, you will then be expected to argue *for* or *against* the statement, either totally or in a qualified manner.

Here are a few examples of random thoughts on the subject:

1. La grande majorité des pays pauvres n'exporte que des matières premières et, sur le marché international, le prix des matières premières est – à quelques exceptions près – toujours fixé par les pays acheteurs.

2. Les pays pauvres sont fortement endettés et leurs créditeurs se trouvent bien sûr parmi les groupes financiers les plus puissants des pays riches.

3. Il est faux de dire que les termes de l'échange sont systématiquement contraires aux intérêts des pays exportateurs de matières premières. Leur prix fluctue sur le marché international, parfois en faveur des importateurs, parfois en faveur des exportateurs.

4. La nouvelle division internationale du travail fait jouer à de nombreux pays pauvres le rôle de pourvoyeurs de main d'oeuvre à bon marché pour les multinationales des pays riches.

5. Sans les progrès techniques introduits par les multinationales, la plupart des pays pauvres seraient encore plus démunis.

6. Les multinationales exploitent le tiers monde et y font de très grands bénéfices.

7. La part des pays pauvres dans les échanges internationaux est minime; le commerce international a surtout lieu entre pays riches.

8. La voix des pays industrialisés est – et a toujours été – prépondérante dans la règlementation des relations économiques internationales, comme le montre l'évolution des accords du GATT.

9. Pourquoi les pays riches devraient-ils aider davantage les pays pauvres alors qu'ils ont déjà tant de mal à subvenir à leurs propres besoins?

10. En dehors de toute considération morale, le manque d'intérêt des pays riches à l'égard du tiers monde est une politique à courte vue, si l'on pense à la crise de surproduction qui menace en permanence les pays industrialisés.

Since the main objective of this chapter is to help you to write a conclusion to an essay, we will leave it to you to test the previous guidelines on the links that you could establish between the various statements as well as the plan that you could derive from the exercise, and we will thus concentrate on the conclusion.

Let's assume that your essay has tended to agree with the essay title, either in an unqualified or in a qualified way.

Now, recall our earlier advice in this chapter, namely that your conclusion can be used to raise issues directly related to your argument (or indeed derived from it), but which you cannot explore fully, either because of a lack of time or space, or because of the way in which you have constructed your plan. If you have agreed with the original statement of the essay here, it means that you are probably not satisfied with a state of affairs that penalises the South. You are likely to have developed the moral argument involved as part of your essay. In your conclusion, you might decide to go further and to suggest that the loser of such a policy is not only the South since, paradoxically, the North too will – sooner or later – pay a price for it. With technological progress constantly pushing up productivity in the industrial countries, their markets will find it increasingly difficult to absorb the goods supplied by industry. Would it not make economic sense to help the poorer countries to be less poor and to consume more so that they – in turn – can help to solve a crisis of over-production at world level? This is the argument of point no. 10 and it could be used in your conclusion as a relevant avenue which you are suggesting could be explored further.

It might often be the case that one or two of the random ideas which you have written before drawing your plan will in fact be the sort of material which you might want to save for your conclusion. This will not always happen of course, since the process of developing your argument may make you aware of some important issue which you had overlooked at the beginning.

## • OUI, NON, PEUT-ÊTRE?

Are these rough conclusions presented below acceptable to you? *Yes? No? Maybe?*

### 1. Comment peut-on définir la littérature?

Sartre s'y est employé dans *Qu'est-ce que la littérature?* et il n'a pas mis un terme au débat. A un moment où l'on parle tant de la mort du livre, il nous semble plus important de défendre la littérature que d'essayer d'en trouver une définition. En quoi, d'ailleurs, une telle définition serait-elle utile aux lecteurs?

---

### 2. Les lettres et les sciences sont-elles incompatibles?

Comme nous l'avons souligné, les hommes – et les femmes – de lettres ont quelquefois été des scientifiques; nous avons mentionné les Encyclopédistes, ceux du XVIIIème siècle et les modernes comme Raymond Queneau. Des romanciers comme Flaubert et Zola, et ils ne sont pas les seuls, ont eu un projet scientifique; l'un d'entre eux n'affirme-t-il pas: 'L'Art doit s'élever au-dessus des passions personnelles. Il est temps de lui donner par une méthode impitoyable la précision des sciences physiques'? D'autre part, les scientifiques ne sont pas nécessairement coupés des lettres et des arts; si les sciences englobent les sciences sociales et humaines, nous pourrions même dire qu'ils sont légion! Mais ce qui nous importe ici essentiellement, c'est le projet cognitif de l'homme, son désir de connaissance, sa quête du savoir. Qui pourrait alors démontrer ou prétendre que les sciences et les lettres ne sont au fond que deux façons de procéder?

---

### 3. Les médias nous informent mais à quel prix?

D'une certaine manière, 'tout se paie'; le commerce des biens comme celui des personnes est un système d'échange, très souvent inégal. Les médias n'échappent pas à cette règle et nous devons payer de notre tolérance (– à supporter des émissions idiotes ou la publicité –) le luxe de pouvoir nous transporter en quelques secondes à l'autre bout de la planète. Il n'existe pas d'information parfaite; les médias n'en sont pas plus responsables que notre propension à laisser dire et laisser faire. Les médias nous ressemblent et ils devraient, de temps en temps, nous faire prendre conscience que la plus grande loi humaine est la paresse.

---

### 4. Qu'est-ce que le bonheur?

Sans doute chacun se pose-t-il un jour ou l'autre la question de savoir comment et pourquoi il est malheureux; mais comme nous avons essayé de le montrer, si l'on atteint un certain état de bonheur, celui-ci est tellement fugace et fragile qu'il devient vite un souvenir. Est-il d'ailleurs jamais autre chose qu'un souvenir? Ce qui est important, ce n'est peut-être pas de définir le bonheur mais c'est d'essayer de faire sortir ceux qui ont du mal à vivre d'un état où ils ne jouissent même plus de ce qui nous paraît un minimum vital: *l'espoir*.

---

### 5. Toute science a pour but la prévoyance.

Au terme de ce débat, il nous semble avoir montré que, sans qualités d'imagination, le scientifique reste un exécutant et ne participe en rien aux découvertes qui ponctuent l'aventure humaine. Reste que la prévoyance pour être efficace implique de la précision et de la logique. En bref donc, nous dirons que le but ultime de la science est le progrès mais qu'elle ne peut se contenter de la Raison; il lui faut aussi un 'petit grain de folie'.

---

Discuss your comments, remarks and suggestions with someone else.

● **DE LA LITTÉRATURE.**

Read these short extracts from Landowski's *Le Devoir de français,* Editions Pédagogie Moderne, Paris, 1980.

Then try to assess for each of them what has been argued.

Choose among these statements those which would be 'your line' – the type of argument you could have developed.

Discuss your choice with someone else.

1. Moyen de comprendre le monde, moyen de se connaître mais aussi, finalement, moyen d'apprendre à vivre, la lecture conçue comme la 'rencontre de deux âmes' remplit en dernier ressort une fonction morale.

2. La lecture est une aventure intérieure, un dialogue (une sorte de psychanalyse) dont l'objet est de 'se trouver', de se connaître soi-même.

3. Pour débattre des problèmes de *théorie* littéraire et esthétique la meilleure initiation est dans la *pratique* concrète de l'interprétation littéraire.

4. C'est trop demander aux littérateurs que de vouloir qu'ils transforment le monde; leur rôle est d'abord beaucoup plus modestement de 'distraire'.

5. L'écrivain a un rôle de premier plan à assumer dans la société. Il suffit de se reporter un peu en arrière pour en mesurer la portée. L'écrivain, l'artiste, l'intellectuel – les créateurs en général – ont par définition vocation à faire partie des 'promoteurs sans équivoque des grandes valeurs de l'esprit. G. Bastide'.

6. La vraie lecture sera donc connaissance de la 'réalité', à la fois accès à l'univers qui nous environne, et découverte de soi-même.

7. La lecture – et notamment celle du roman – se voit assigner une fonction documentaire.

8. Au discours *normatif* sur les finalités de la littérature (pour éduquer? pour distraire? pour informer?), on substituera une démarche descriptive et explicative visant à cerner les moyens mis en oeuvre dans l'activité littéraire.

## • LA DISSERTATION 'BRILLANTE'.

– Read this definition carefully.

La dissertation 'brillante' n'est pas seulement celle qui soutient victorieusement des paradoxes ou qui fait état d'une pensée absolument originale, c'est aussi celle qui témoigne d'une 'culture' bien maîtrisée. Sans exiger d'être spécialiste de quoi que ce soit, la dissertation requiert cependant un minimum de connaissances relatives aux 'grands problèmes'. Eric LANDOWSKI.

– How would you define 'une culture bien maîtrisée'?

– What are, in your view, 'les grands problèmes'? Discuss your understanding of these questions with someone else.

– Draw up a list of issues you now feel confident to discuss.

– Exchange views with someone else on your respective lists.

## • POUR VRAIMENT FINIR ...

We cannot guarantee that you will be able to produce a brilliant essay after reading this book, but we hope we have succeeded in providing you with some stimulation and useful guidelines.

We hope that you will now feel more confident in debating issues in French and that you will enjoy for many years to come the game-playing approach that we have adopted here.

We would also like to feel that we have not only given you the opportunity to practise and improve your French but that, in presenting you with aspects of *'les grands problèmes de notre temps'* we have helped to sharpen the way you see things around you and in the world at large.

## Chapter 12

# Par ailleurs ...

In this final chapter you will find a selection of topics for discussion – and essay titles – presented in two broad categories:

1 SOCIÉTÉ (pp 235 – 238)
2 CULTURE (pp 238 – 242)

This division is arbitrary since, as you now know, culture and society are closely intertwined.

But it may help you to see the type of topics which are fairly frequent or which appear regularly in examinations.

Moreover, it has been illustrated in the book that discussing issues and writing an essay in most cases lead you to cross the boundaries of various disciplines (i.e.: sociology, politics, languages, literature, aesthetics, business studies etc.)

When debating a subject, one good strategy – which we have illustrated – consists in stressing the relationships (of implication, inclusion, similarity etc.) between viewpoints which apparently diverge in their presuppositions and subject matter (i.e.: a title with a keyword such as 'culture' – usually perceived as belonging to the realm of Humanities – Art – Philosophy – History etc. – could be discussed and commented on from a political, or a social, or a commercial viewpoint).

The selection of texts (on pages 244 – 260) further explores subjects which have been discussed throughout the book and this choice of material will help you to acquire the general knowledge which is assessed in an examination, and provide you with facts and figures on certain issues.

## 1. SOCIÉTÉ.

1. L'argent est un pouvoir.

2. Le degré d'intervention des pouvoirs publics dans le secteur économique est l'objet d'une querelle perpétuelle.

3. L'opinion publique est manipulable.

4. La cohésion d'une société n'est jamais qu'apparente.

5. Les salariés ne disposent collectivement que d'un pouvoir: la grève.

6. Toute fonction subalterne fait naître l'envie de désobéir.

7. Le secret d'État permet au Pouvoir en place d'agir à sa guise.

8. Les scientifiques et les entreprises privées sont jaloux de leurs secrets.

9. Le droit, le pouvoir, le secret sont des formes de propriété.

10. La vie humaine est faite de conflits.

11. La thèse de l'union nationale revient constamment dans la bouche de ceux qui prétendent 'ne pas faire de politique'.

12. Le droit international n'existe pas parce que la raison du plus fort est toujours la meilleure.

13. Le pouvoir des États recule à mesure que celui des multinationales avance.

14. Le droit à la retraite sera bientôt un luxe.

15. Le droit des peuples à disposer d'eux-mêmes est réservé aux pays riches.

16. Le crédit à la consommation crée l'illusion de l'abondance.

17. On ne prête qu'aux riches.

18. Personne d'autre que les hommes d'affaires ne doit s'occuper de réglementer le monde des affaires.

19. A l'Est comme à l'Ouest, les intérêts qui soutiennent la course aux armements sont trop puissants pour que celle-ci s'arrête.

20. En politique, les notions de droite et de gauche sont dépassées.

21. Un service public n'a pas à faire de bénéfices.

22. Les deux grands ne cessent de se faire la guerre par pays interposés.

23. L'Europe ne pourra jamais se construire tant que les dirigeants des pays européens ne penseront qu'à leurs prochaines échéances électorales nationales.

24. N'est-il pas scandaleux qu'à notre époque des hommes aient faim?

25. La nouveauté attire et fait peur.

26. L'opposition révolutionnaire est toujours de courte durée.

27. On est célèbre par ce qu'on détruit et non par ce qu'on propose.

28. Vivre, c'est faire des compromis.

29. Un révolutionnaire est inaccessible à la pitié.

30. Les disciples abandonnent leurs droits et leurs devoirs vis-à-vis d'eux-mêmes et des autres.

31. Les statistiques permettent de donner à un mensonge ou à une fiction les apparences d'une vérité scientifique.

32. L'individualisme et l'égoïsme vont souvent de pair.

33. Certaines sociétés acceptent l'excentricité mieux que d'autres.

34. Le racisme est la honte de l'homme.

35. Dans une démocratie, la liberté de l'individu et la loi de la majorité doivent être équilibrées.

36. L'équilibre du monde est le fait des deux super-puissances.

37. Dans les pays où le communisme est très minoritaire, les partis de gauche dénoncent les extrêmismes et proposent des programmes 'raisonnables' et 'progressistes'.

38. L'amnésie atteint les sociétés autant que les hommes.

39. L'ingratitude est une 'vertu' collective; toutes les classes sociales affirment, à un moment ou à un autre, être 'désavantagées'.

40. L'absence de solidarité dans le corps social est la marque du déclin d'une société.

41. Comment l'inégalité des revenus peut-elle se maintenir dans une société où a cours le suffrage universel?

42. La vertu est rarement pure.

43. La répartition égale des tâches doit d'abord s'apprendre et se vivre en famille.

44. Les compétitions sportives ont dénaturé le sport.

45. Rares sont ceux qui peuvent se libérer de leurs préjugés.

46. L'honnêteté est la plus grande des qualités.

47. L'homme n'est pas foncièrement méchant.

48. La cruauté envers les animaux devrait être plus sévèrement punie.

49. Est-ce aux femmes qu'il revient d'élever les enfants?

50. Les sectes religieuses n'ont jamais été si nombreuses.

## 2. CULTURE.

1. La culture est ce que nous avons en commun avec d'autres.

2. On appelle culture ce qui en fait n'est que la complicité de quelques-uns.

3. La plus grande ambition des parents devrait être de faire de leurs enfants des êtres cultivés.

4. Quel devrait être le rôle d'un ministre de la culture?

5. La culture est désormais jugée en termes de consommation.

6. Il n'est pas concevable que la culture générale ne donne pas une place privilégiée à l'histoire.

7. Quoi qu'on en dise, les postes-clés sont, dans le monde contemporain, occupés par des gens cultivés.

8. Dans toute société, les pratiques culturelles sont hiérarchisées.

9. L'efficacité est le maître-mot de notre époque et il est incompatible avec la culture.

10. Le mot même de culture est intimidant.

**2.1 Communications de masse.**

1. La presse quotidienne est en voie de disparition.

2. Les récits de notre temps sont à chercher du côté des médias.

3. La télévision a profondément bouleversé nos modes de vie.

4. La télévision comme la publicité exploite les mythes culturels.

5. Les moyens de communication de masse standardisent les comportements.

6. Les normes linguistiques sont modifiées par les médias.

7. La télévision et le cinéma ne cessent d'échanger leurs procédés.

8. Sommes-nous bien informés?

9. La culture médiatique n'est pas une culture au rabais.

10. Il est urgent de donner à l'étude des communications de masse une place importante dans les institutions scolaires et universitaires.

**2.2 Langue et Littérature.**

1. Le langage sert-il à communiquer?

2. Tout écrivain est prisonnier de l'idéologie.

3. C'est par la lecture que nous aiguisons notre capacité de raisonnement et donc notre aptitude à juger.

4. Le langage nous conditionne.

5. Les échanges linguistiques sont aussi des rapports de force.

6. Qu'est-ce que lire?

7. Les livres ne devraient pas nous détourner de la réalité.

8. Le roman comme le poème est la mise en scène d'une quête.

9. Une question sous-tend l'expérience romanesque: comment représenter le réel?

10. La poésie nous invite à prendre conscience de l'énigme qu'est notre vie.

11. Le théâtre s'adresse à nos sens et non à notre intellect.

12. Le théâtre moderne s'est débarrassé de la tentation solennelle et illusionniste.

13. C'est paradoxalement au théâtre que nous sentons l'importance du silence.

14. Les grandes oeuvres littéraires pulvérisent les frontières nationales.

15. Une lecture 'féministe' du texte littéraire est-elle défendable?

16. La vanité du Critique c'est de croire — et de faire croire — que lui et lui seul a 'compris' l'oeuvre qu'il commente.

17. Les critiques et les écrivains ont une fâcheuse tendance à se prendre au sérieux.

18. Quels sont les critères de définition des genres littéraires?

19. L'étude linguistique d'un texte littéraire est-elle nécessaire?

20. La littérature a-t-elle souffert ou bénéficié du développement de l'audiovisuel?

21. Pourquoi cette tenace dichotomie (forme et fond/style et idées) dans l'étude du texte littéraire?

22. En quoi, et comment un texte est-il littéraire (ou dit tel)?

23. N'est-ce pas l'oeuvre qui rend possible l'interprétation de la biographie (et non l'inverse)?

24. La meilleure tradition de notre littérature est celle de l'aphorisme ou de la maxime.

25. Le roman doit exprimer les multiples relations du visible avec l'invisible.

## 2.3 Art.

1. L'esprit de dénigrement ne cesse de s'accroître et l'art contemporain en témoigne.

2. Le désespoir n'excuse pas la valorisation de la médiocrité qui s'étale dans nos galeries d'art.

3. L'artiste est totalement libre; il n'a de comptes à rendre à personne.

4. L'art ne représente pas la réalité, il la fait advenir.

5. Pourquoi s'intéresse-t-on autant à la 'sincérité' de l'artiste?

6. Le beau ne peut s'expliquer.

7. L'art fait coexister le rationnel et l'irrationnel.

8. Le grand artiste transfigure la laideur.

9. Le grand art exprime aussi la violence du monde.

10. De quelle liberté l'art témoigne-t-il?

The use you will make of this material will of course be dictated by **your needs** and objectives, whether you decide to illustrate a point you are in the process of making in an essay, and are therefore looking for 'quotations', or whether you are seeking information (facts, figures, analysis) on a particular topic, i.e. the French Communist Party today, Trade and Industry in Contemporary France, Poets and Writers etc.

Throughout the book we have illustrated various strategies and exercises based on texts; you should then be familiar with various ways of exploring this type of source material, but it may be appropriate to reiterate in broad terms the various ways of processing this data.

You may use a text as a 'pretext', that is as a display of linguistic and discursive resources. You will pick up in the text words and expressions you wish to learn and/or use for a particular purpose (say or write something, express an opinion, contradict somebody or a viewpoint etc.).

You may use a text as a piece of information. You will then select items of information from it that you need on a particular subject; this will enable you to sustain an argument with some evidence and to quote, if need be, your sources. (As shown in an article published by...). By collecting and comparing several texts on the same question or issue you could build up a fairly complete 'file' or 'dossier' on one particular point (i.e: le régionalisme, les villes nouvelles, les syndicats etc.).

You may alternatively use a text as the expression of an opinion, that you try to understand first (by a careful reading of what is said explicitly and implied) and then contradict or dispute (calling upon your own reading of the same question); the text becomes then a stimulus to your own analysis of an issue, in other words, a pretext to express your personal viewpoints. Some texts are so structured that you may find it useful to go back to the guidelines we spelled out in chapter 10 (p 211) in order to get the most from them in terms of information and argumentative strategies.

A final remark: it may not always be practical to read a text *'à deux'* or collectively, but we would advise you to try and share your reactions about a particular piece with someone else. This is a method we have been strongly advocating in the belief that **meaning** must come from somewhere; initially inscribed in the text, meaning is produced by words set in a network of relations. If a text is to be understood, these relations have to be identified and perceived, be they approved or disapproved of, by the reader. Therefore the more you manipulate the text, the more you care to listen to someone else's understanding of it, the more you will feel at ease in debating and essay writing.

These skills will eventually enable you to become as active as possible in the process which has been the objective of this book: the production of meaning.

# Further Reading

*PRÉVENTION*

## Sida : le test de Grenoble

*Comment mener campagne ? L'équipe Barzach suit de près l'opération sous forme de B.D. lancée par le rectorat.*

Dans deux mois, Martin (9 ans), écolier grenoblois, fera pour la leçon de choses un exposé sur le Sida. « Comme sujet, mes copains ont eu le cheval ou la tortue, raconte-t-il. Moi, je suis tombé là-dessus, et je n'y connais rien. C'est quoi, ce machin ? »

Depuis quatre ans, ce « machin » ranime la vieille peur des grandes épidémies. Au point que Michèle Barzach, le ministre de la Santé, décrétait en novembre 1986 « grande cause nationale » la lutte contre cette maladie, qui touche déjà, en France, 1 500 personnes. Sans compter les

« Merlot contre M.s.t. - Sida » : sensibiliser les 15-25 ans.

100 000 à 200 000 porteurs du virus, susceptibles de développer l'infection dans les années à venir. Et le ministre se voyait accorder, en janvier dernier, dans l'approbation générale, près de 4 millions de Francs de crédits pour orchestrer une vaste campagne de prévention. Problème : qu'allait-on faire de cette enveloppe qui dépassait le budget consacré à la lutte contre la drogue ? Depuis trois mois, une équipe de spécialistes piétinent autour de quelques idées classiques : une vague d'affiches, des spots télévisés et la diffusion de brochures d'information. Seule innovation, une enquête — encore inédite — réalisée par la Sofres sur le thème : « Comment parler du Sida et des maladies sexuellement transmissibles (M.s.t.) ? Vaut-il mieux faire peur ou rassurer ? » Question difficile. Par chance, une opération entamée il y a deux ans dans la région de Grenoble va pouvoir servir de champ d'expérience à l'équipe Barzach.

Grenoble : une quarantaine de cas de Sida, 500 séropositifs actuellement suivis à l'hôpital. Et des M.s.t. qui inquiètent encore plus Michel Zorman, médecin du rectorat : elles provoquent chaque année de 12 000 à 15 000 stérilités féminines chez les sujets de 15 à 25 ans.

Pourtant, les M.s.t. figurent au programme de biologie des classes de troisième. « Mais, en troisième, ils sont trop jeunes, juge Paula Lombardi, prof au collège Ampère de Grenoble. Quand je leur conseille de n'avoir pas trop de petits amis, ils ouvrent des yeux ronds. »

Aussi le Dr Zorman pousse-t-il le rectorat à sensibiliser la tranche d'âge supérieure. Il conçoit, en quelques mois, une B.D., tirée à 55 000 exemplaires, et distribuée aux étudiants de 15 à 25 ans dans les lycées et sur le campus. Elle met en scène Merlot, un détective privé chargé de traquer... les M.s.t. Un franc succès, malgré la piètre qualité artistique de l'ouvrage. L'album s'arrache déjà au marché noir. « Les adolescents ressentent d'habitude les infos distillées par les médias comme un puzzle dont ils n'arriveraient pas à faire coïncider les pièces, analyse Jean-Paul Paillet, proviseur du lycée Emmanuel-Mounier (2 000 élèves). Cette histoire les y aide. »

## *« Tu parles d'un progrès ! »*

Pourtant, au lycée Champollion, le lycée des classes prépa, les jeunes ont accueilli la B.D. avec condescendance. Comme s'ils n'étaient pas concernés. Inutile d'attendre d'eux qu'ils s'esbaudissent devant une campagne anti-Sida. On l'a bien vu avec les préservatifs, autre pilier du dispositif, dont la B.D. vante largement les mérites. Les 15 distributeurs automatiques qui ont été installés dernièrement près des restaurants et dans les cités universitaires du campus provoquent pour l'instant surtout des ricanements. « Ramsès II en utilisait, ils l'ont dit à la télé, affirme Stéphanie. Tu parles d'un progrès ! » « Le gouvernement en a autorisé la pub, renchérit Eric, mais ça ne va pas changer le comportement des gens. »

Il sera difficile d'évaluer les résultats exacts de cette campagne, qui aura touché, au total, 150 000 scolaires, grâce à un budget d'environ 800 000 Francs — soit 6 Francs par élève — financé aux deux tiers par la Mutualité française. Mais on sait qu'elle fait déjà des émules. L'académie de Marseille vient de commander 50 000 bandes dessinées. Et les cinq directeurs diocésains de l'enseignement privé envisagent sérieusement de s'associer au projet.

Jusqu'à présent, le rectorat n'a reçu que deux coups de fil de protestation. L'un émanait d'un parent d'élève qui jugeait la B.D. trop « pathologique ». L'autre reprochait aux pouvoirs publics d'assumer un « rôle généralement dévolu à la famille ». Mais quand la famille flanche...

SOPHIE GRASSIN ■

**Avec Sylviane Stein.**

# FUMEURS

## 36 % des Français fument

***Combien de cigarettes fumez-vous en moyenne par jour ?***

| | Ensemble juin 1987 | Rappel juin 1979 |
|---|---|---|
| | % | % |
| Moins de 10 | 12 | 8 |
| 10 à 19 | 10 | 11 |
| 20 ou 1 paquet | 8 | 9 |
| Plus d'un paquet | 5 | 6 |
| Fume la pipe ou le cigare | 1 | — |
| **Total des fumeurs** | **36** | **34** |
| Ne fument pas | 64 | 66 |
| | 100 | 100 |

## 41 % fument par plaisir

***Fumez-vous surtout ?***

| | Ensemble des fumeurs | Rappel juin 1979 |
|---|---|---|
| | % | % |
| Par habitude et sans trop de plaisir ? | 36 | 39 |
| Par plaisir ? | **41** | 31 |
| Par besoin physique ? | 22 | 27 |
| Ne se prononcent pas | 1 | 3 |
| | 100 | 100 |

## 69 % des non-fumeurs partent en croisade

***Essayez-vous de convaincre les personnes de votre entourage qui fument de ne plus le faire ?***

| | Ensemble des non-fumeurs | |
|---|---|---|
| | % | |
| Oui, à chaque fois | 20 | **69** |
| Oui, souvent | 24 | |
| Oui, quelquefois | 25 | |
| Non | 28 | |
| Ne se prononcent pas | 3 | |
| | 100 | |

## 69 % des fumeurs souhaitent arrêter

***Avez-vous déjà essayé d'arrêter de fumer et sinon avez-vous l'intention d'essayer d'arrêter ?***

| | Ensemble des fumeurs | |
|---|---|---|
| | % | |
| A déjà essayé | 57 | 69 |
| N'a pas essayé mais à l'intention de le faire | 12 | |
| Ni l'un ni l'autre | 30 | |
| Ne se prononcent pas | 1 | |
| | 100 | |

## Fumer dans les lieux publics : 86 % sont contre

***Etes-vous favorable ou opposé à l'interdiction de fumer dans les lieux publics ?***

| | Ensemble | Fumeurs | Non-fumeurs |
|---|---|---|---|
| | % | % | % |
| Favorable | 86 | 85 | 87 |
| Opposé | 8 | 10 | 6 |
| Ne se prononcent pas | 6 | 5 | 7 |
| | 100 | 100 | 100 |

## Une nouvelle indulgence pour les fumeurs

***Dans votre entourage, arrive-t-il que l'on vous reproche de fumer ?***

| | Ensemble des fumeurs | | Rappel juin 1979 |
|---|---|---|---|
| | % | | % |
| Oui, très souvent | 29 | 63 | 73 |
| Oui, de temps en temps | 34 | | |
| Non | 37 | | 26 |
| Ne se prononcent pas | — | | 1 |
| | 100 | | 100 |

## 68 % des non-fumeurs n'ont jamais fumé

***Vous-même, est-ce que vous avez été fumeur ?***

| | Ensemble des non-fumeurs |
|---|---|
| | % |
| Oui | 32 |
| Non | 68 |
| Ne se prononcent pas | – |
| | 100 |

## L'alcool, fléau numéro un

***Si vous étiez obligé de choisir, que supprimeriez-vous ?***

| | Ensemble des fumeurs |
|---|---|
| | % |
| L'alcool | 57 |
| Le tabac | 24 |
| Ne se prononcent pas | 19 |
| | 100 |

## Ce n'est pas un vice solitaire

***Quand fumez-vous le plus ?***

| | Ensemble des fumeurs |
|---|---|
| | % |
| Quand vous êtes seul | 36 |
| Quand vous êtes en famille | 11 |
| Quand vous êtes avec des amis | 42 |
| Ne se prononcent pas | 11 |
| | 100 |
| En activité | 30 |
| Au repos | 60 |
| Ne se prononcent pas | 10 |
| | 100 |

## La peur du cancer n'a rien changé

***Diriez-vous que vous avez tendance à fumer...***

| | Ensemble des fumeurs |
|---|---|
| | % |
| De plus en plus ? | 12 |
| De moins en moins ? | 21 |
| Sans changement ? | 66 |
| Ne se prononcent pas | 1 |
| | 100 |

## Les fumeurs gardent bonne conscience

***Personnellement, est-ce que vous fumez plutôt...***

| | Ensemble des fumeurs | Rappel juin 1979 |
|---|---|---|
| | % | % |
| Avec bonne conscience ? | 50 | 60 |
| Avec mauvaise conscience ? | 36 | 25 |
| Ne se prononcent pas | 14 | 15 |
| | 100 | 100 |

*Cette enquête a été menée du 6 au 13 juin 1987 auprès d'un échantillon de 904 personnes représentatif des Français âgés de 18 ans et plus. La représentativité a été assurée sur les critères suivants : sexe, âge et profession du chef de ménage après stratification par région et par habitat.*

# Chômeurs de longue durée

# Texte adopté à l'Assemblée

**840 000 chômeurs – soit près d'un sur trois – sont concernés par le projet de loi Séguin visant à favoriser la réinsertion des chômeurs de longue durée, et adopté samedi en première lecture à l'Assemblée. La majorité et le Front national ont voté pour ; le PC contre ; le PS s'est abstenu.**

A l'initiative du rapporteur RPR du projet, Jean-Pierre Delalande, un amendement a été adopté qui vise à limiter au maximum le licenciement « sec » des salariés de plus de 55 ans.

Les entreprises sont incitées à choisir le système de la préretraite pour ces salariés qui sont en augmentation sensible (+ 2 000 par mois), à la suite notamment de la suppression de l'autorisation administrative de licenciement. L'amendement, jugé « opportun » par Philippe Séguin, oblige toute entreprise qui ne proposera pas une préretraite à un salarié de plus de 55 ans licencié à verser à l'UNEDIC trois mois de salaire. Somme qui correspond à la charge financière moyenne d'une préretraite.

Philippe Séguin a rejeté en bloc les amendements du Front national visant à instituer une « préférence nationale » (priorité à l'embauche pour les Français et les ressortissants de la CEE, et priorité au licenciement pour les étrangers).

Les dispositions du texte restent inchangées :

– des contrats de réinsertion en alternance pour les chômeurs de plus de 26 ans ;

– des stages en alternance qui offrent à des chômeurs payés au SMIC des formations en entreprise et dans un organisme spécialisé ;

– pour favoriser l'embauche de chômeurs de longue durée à la suite d'un stage de formation, les chefs d'entreprises seront exonérés à 50 % des charges sociales jusqu'au 1er octobre 1988. La durée du contrat de travail devra être au moins égale à six mois ;

– suppression du délai de carence entre le versement de l'allocation du régime d'assurance chômage (UNEDIC) et celui de solidarité spécifique à la charge de l'Etat, délai pouvant aujourd'hui atteindre quatre mois.

## Des chrétiens contre la torture

# La foi face aux pouvoirs

**L'Action des chrétiens pour l'abolition de la torture, l'A.C.A.T., a tenu ce week-end à Lyon un colloque sur « foi chrétienne et pouvoir des hommes » avec le concours de plusieurs théologiens catholiques, protestants et orthodoxes. Le président international du mouvement a notamment souligné que, depuis quelques années, on note un certain refus des chrétiens à assurer les risques d'actions qui touchent au politique.**

LYON. – Mouvement dont la pratique quotidienne est absolument identique à celle d'Amnesty international, l'Action des chrétiens pour l'abolition de la torture a la particularité d'inciter ses membres – des chrétiens ordinaires – à faire de la théologie à partir d'une action qui interroge et décape leur foi. La question du pouvoir posée à ce colloque, ils l'affrontent chaque fois qu'ils envoient à un chef d'Etat un **« appel urgent »** pour qu'il soit mis fin à une situation de torture. **« L'A.C.A.T. me fait veilleur »,** dit l'une des 117 réponses au questionnaire qui a servi de plate-forme au colloque. Et une autre : **« La devise de l'A.C.A.T. pourrait être : le cor contre l'épée. »**

Il a beaucoup été question durant ce colloque des multiples façons dont l'Eglise et les chrétiens ont, depuis vingt siècles, refusé, critiqué, justifié ou accaparé le pouvoir. Jusqu'en l'an 170, rappela Mgr Khodr, archevêque orthodoxe du Liban – la seule communauté du pays qui n'ait pas créé ses propres milices – il n'est pas question d'un soldat chrétien. Et l'historien Maurice Jourjon souligne que les chrétiens ont conquis la liberté religieuse sur le pouvoir romain sans qu'une goutte de sang soit versée... à part le leur ; **« Un phénomène spirituel l'emportait sur le pouvoir politique et l'appareil policier. »**

### Le politique n'est pas pervers

Comment expliquer que le même message chrétien ait pu soutenir l'Inquisition et ses tortures ? Le théologien Christian Duquoc met en garde contre une tentation permanente de l'Eglise : confondre les desseins de Dieu et le mouvement de l'Histoire. **« Jésus nous demande,** dit-il, **de ne pas décider qui empêchera les desseins de Dieu de s'accomplir. L'Eglise n'est pas au terme de l'Histoire, mais dans le tmeps avec ce que cela implique d'ignorances et d'incertitudes. »**

**« Quand la foi devient fanatisme,** pense le théologien orthodoxe Olivier Clément, **elle est le ciment d'un ordre total qui exclut les déviants. Pourtant, le mot pouvoir n'est pas maudit. »** Et le politique n'est pas pervers puisque, selon le pasteur Collange, il a pour fonction d'organiser la vie des hommes.

En rappelant aux gouvernements qu'ils se rendent illégitimes en ne respectant pas les textes sur les Droits de l'homme qu'ils ont signés, les chrétiens de l'A.C.A.T., note le P. Gérard Defois, vont à l'encontre de ce dont ils ont été fortement imprégnés dans nos Eglises : l'obéissance systématique aux pouvoirs. Cela ne leur est pas facile : **« Depuis quelques années,** dit Guy Aurenche, président de l'A.C.A.T. internationale, **nous constatons dans les milieux chrétiens un net raidissement, un refus d'assumer les risques de toute action qui touche au politique... »**

**Madeleine GARRIGOU-LAGRANGE.**

# l'hiver des réformes

## PRISONS

**Privées, mais...**

S'il n'en reste qu'un, ce sera celui-là. Et il revient de loin : condamné par le Conseil d'Etat, critiqué par l'U.d.f. et menacé d'une censure par le Conseil constitutionnel ! Après avoir ferraillé avec tout le monde, y compris ses collègues du gouvernement, Albin Chalandon *(voir photo)* est convaincu d'avoir sauvé son projet de construction de prisons privées : 15 000 places, au lieu des 25 000 qu'il souhaitait créer. Pour emporter le morceau, il n'avait pas hésité à agiter la menace d'une libération massive de détenus et, surtout, à mettre sa démission dans la balance. Le Sénat, par le biais d'amendements suggérés par la chancellerie et votés la veille de la clôture de la session parlementaire d'automne, a réglé la question délicate du gardiennage. Des agents détachés du secteur public en seront chargés. Du coup, l'U.d.f., rassurée, votera, au printemps, la réforme.

Une dizaine d'entreprises, dont les groupes Maisons familiales et Accor, la Lyonnaise des eaux, qui vient de s'associer à Spie-Batignolles, planchent déjà sur le concours, qui sera lancé à la fin de janvier, portant sur l'architecture, l'organisation et la gestion des nouvelles prisons : une trentaine d'établissements, un marché de 4 milliards de Francs.

Pour répondre aux arguments de ceux qui dénoncent l'aspect mercantile du projet, la chancellerie étudie, actuellement, une suggestion du syndicat F.o. des directeurs d'établissement : les entreprises gestionnaires pourraient consacrer un pourcentage de leur budget à un fonds de réinsertion des prisonniers.

## HÔPITAUX

**Passera, passera pas ?**

Par une manœuvre qui choque même des membres de la majorité, comme Jacques Barrot, la disposition la plus sensible de la loi sur l'hospitalisation a été votée quasi en catimini : l'article sur le rétablissement des services privés à l'hôpital est passé tel quel, le 20 décembre, dans le fourre-tout des diverses dispositions d'ordre social.

Philippe Séguin en resterait volontiers là. Mais Michèle Barzach tient à sa loi, et fera valoir que les dispositions à faire voter ne sont pas de nature à jeter qui que ce soit dans la rue : retour au découpage des hôpitaux en « services », ou réforme des commissions médicales consultatives (les « parlements » hospitaliers).

Derrière Michèle Barzach : un puissant lobby parlementaire activé par un groupe de grands patrons et les anciens de Solidarité médicale, l'association du député R.p.r. Bernard Debré.

Mais, surtout, l'hôpital ne peut rester indéfiniment entre deux lois : le redécoupage structurel des hôpitaux en départements, instauré par la loi Bérégovoy de 1984, a été boycotté par 90 % des établissements, qui ont préféré maintenir l'organisation en services ; ceux-ci, officiellement, n'ont pourtant plus d'existence juridique. Jacques Chirac peut être tenté de mettre un terme à ce désordre en faisant voter au printemps prochain une loi qui rétablirait les services, tout en permettant la départementalisation là où il se trouve des volontaires pour l'organiser.

# ÉDUCATION

**Interdit de bouger**

Pour René Monory, le cap est tout tracé : plus de vagues, donc plus de réformes. Il se contentera de régner à coups de circulaires. Tâche n° 1 de son nouveau ministre des Universités : toiletter la loi Savary pour que les universités ne restent pas dans un no man's land juridique. A défaut de « statuts Devaquet », 45 % d'entre elles ont gardé des « statuts Edgar Faure », pour boycotter la loi socialiste, dont le décret d'entrée en vigueur n'a d'ailleurs jamais paru.

Du côté de l'école, ce sera la politique des petits pas. Plus de réformes spectaculaires — ni des lycées, ni du bac, ni des rythmes scolaires. Seul surnage, en dépit des syndicats, le nouveau statut des maîtres directeurs d'école. En revanche, les circulaires pour la rentrée 1987 seront l'occasion d'un remodelage, par petites touches, de la vie scolaire : modification du statut des 4 000 « pions », allongement du troisième trimestre en reculant la date du bac au 22 juin, modification des procédures d'appel en matière d'orientation, pour pouvoir repousser la date des conseils de classe. Mais, même là, gare aux couacs ! Sous la pression de Matignon, René Monory a dû annuler, le 25 décembre, une circulaire publiée le 18. Elle contredisait la future loi d'orientation sur l'enseignement artistique préparée par le compositeur Marcel Landowski, à laquelle Jacques Chirac tient mordicus. Là encore, le Premier ministre a renoncé au principe d'une loi-programme assortie d'engagement de crédits.

MARIE-LAURE de LÉOTARD
et SYLVIANE STEIN ■

---

LE TEMPS QUI CHANGE

## *L'équivoque libérale*

« *L'INFLEXION vers le libéralisme est-elle durable ?* » A cette question, l'actualité politique (les querelles au sein de la majorité entre « la bande à Léo » et les « bandes » concurrentes), économique (le succès des premières privatisations) et philosophique (les débats que vient nourrir, par exemple, la récente *Histoire intellectuelle du libéralisme*, de Pierre Manent) fournit des éléments de réponse probablement contradictoires.

Versons au dossier une autre pièce, qu'apportent opportunément, dans une des dernières livraisons de la revue *Médiaspouvoirs* (n° 5, décembre 1986), deux jeunes chercheurs de la SOFRES, François Cornut-Gentille et Philippe Mechet, en analysant les sondages d'opinion publiés sur ce thème par les journaux de 1982 à 1986.

Trois phénomènes signaleraient, selon ces enquêtes, une montée du libéralisme : « *Un désir de réduction de l'intervention de l'Etat, une valorisation du libéralisme par opposition au socialisme, enfin une nette amélioration de l'image des entreprises.* » Etait-il juste, à partir des résultats des sondages, de « *diagnostiquer l'émergence d'un courant libéral* » ?

Oui, disent les auteurs, « *si l'on désignait par là un mouvement d'opinion* » ; non, « *si on laissait entendre que ces évolutions reflétaient de nouvelles attitudes, voire un changement des mentalités* ». Autrement dit, la vague libérale traduisait une réaction politique, non une évolution en profondeur. D'où ses limites, une fois la droite revenue au pouvoir. Et si les deux personnalités placées en tête par les sondages, Raymond Barre et Michel Rocard, étaient considérées en même temps comme les plus libérales, c'est parce que, concluent les auteurs, « *le libéralisme n'a pas en France valeur de doctrine mais s'apparente plutôt à un style* ».

Dès lors, le libéralisme comme « machine de guerre » politique durera le temps que durera le rejet du socialisme. Comme système idéologique, il n'a pas encore pris racine.

THOMAS FERENCZI.

● **Vendredi 29, 9 h 07.**

# LA SEMAINE DE WOLINSKI

# Vues illusoires sur la dette

## *Sauver le Sud de la faillite, c'est créer une demande pour les pays du Nord*

par FRANCIS BLANCHARD (*)

DEUX événements viennent de nous rappeler la gravité du problème de la dette du tiers-monde. Il s'agit d'une part de la publication par l'OCDE et la Banque des règlements internationaux de chiffres qui montrent que la dette des pays en développement a dépassé 1 000 milliards de dollars. En d'autres termes, elle s'accroît. Il s'agit d'autre part de la diffusion d'un document préparé à la demande du souverain pontife par la commission Justice et Paix appelant pays créditeurs, pays débiteurs, banques commerciales, organisations internationales à unir leurs efforts pour s'attaquer à ce problème.

Force est de constater en effet qu'en dépit des tentatives faites notamment dans le cadre des instances internationales depuis la conférence du Fonds monétaire international de Séoul en 1985 où James Baker, secrétaire au Trésor des Etats-Unis, appelait à une action concertée, peu de progrès ont été réalisés. L'incompréhension entre créanciers et débiteurs tient sans doute à des perceptions différentes du problème et de ses implications d'un côté et de l'autre.

Dans les pays en développement, le problème de la dette est perçu certes comme un problème économique, mais aussi comme un problème social et politique. Dans leur volonté de rétablir rapidement leur crédibilité financière, les pays en développement ont dû appliquer de sévères politiques d'ajustement dont le poids est largement supporté par les couches les plus défavorisées de la population. Ce sont elles qui souffrent le plus lorsque les produits de première nécessité cessent d'être subventionnés, lorsque les prix des services publics augmentent, lorsque la dévaluation entraîne une montée des prix des produits importés, notamment alimentaires.

Si les gouvernements sont souvent contraints d'adopter de telles mesures impopulaires et politiquement dangereuses, c'est que la réduction des flux financiers en provenance des pays créditeurs ne leur laisse d'autre choix que d'ajuster leurs balances extérieures en réduisant les importations et en développant systématiquement les exportations, tâche d'autant plus difficile que la croissance demeure faible, les flux de capitaux vers le Sud insuffisants, le commerce affecté par les mesures protectionnistes. Malgré des appels nombreux et pressants, notamment de la part des dirigeants des grandes institutions financières internationales, les entrées nettes de capitaux dans les pays du tiers-monde ont été en s'affaiblissant. Réalise-t-on que le solde net des transferts de capitaux des pays en développement vers les pays industrialisés s'est élevé à plusieurs dizaines de milliards de dollars en 1986 ?

Alors que dans les pays en développement le problème de la dette est visible sous ses aspects social et économique, il apparaît dans les pays industrialisés essentiellement comme un problème financier qui requiert l'attention des spécialistes mais n'a pas d'impact sur la vie de tous les jours. Les problèmes quotidiens des populations, confrontées à un chômage persistant et à une reprise économique qui reste précaire, amènent en effet l'opinion publique à considérer avec méfiance toute politique comportant le risque de développer une « concurrence ailleurs » et de détourner les capitaux nationaux vers des investissements extérieurs alors que ces capitaux pourraient être mieux utilisés pour la création d'emplois sur place.

(*) Directeur général du Bureau international du travail (Genève).

Malgré le « bon sens » apparent qui fait leur succès populaire, ce sont là des vues qui sont illusoires. Sauver le Sud de la faillite, assurer son développement économique, c'est du même coup créer une demande pour les produits du Nord, d'abord les biens d'investissement, ensuite les produits une fois les niveaux de vie relevés. En un temps où le problème principal auquel se trouvent confrontés la plupart des pays industrialisés est de savoir où exporter, on peut s'étonner que l'attrait des marchés potentiels que constituent les pays en développement ne soit pas plus grand.

## Accroître l'aide

Il est temps d'ouvrir les yeux : il faut que les pays industrialisés accroissent leur aide aux pays en développement pour leur permettre de faire face à leurs engagements financiers et d'accélérer leur croissance. La solution des problèmes sociaux du Nord et en particulier de l'emploi passe par là. Il faut donc que les courants de capitaux reprennent vers le Sud et que le Nord accepte sans réserve les pays du tiers-monde comme partenaires commerciaux.

S'il faut stimuler vigoureusement les investissements privés, il faut aussi accroître les moyens d'action des grandes institutions financières internationales, Fonds monétaire, et surtout Banque mondiale et ses filiales, ainsi que les banques régionales. Bien sûr il conviendrait que les capitaux et ressources ainsi alloués soient mieux utilisés que ce ne fut parfois le cas dans le passé. Beaucoup ont été gaspillés à l'époque de la surabondance des pétro-dollars. Trop de fuites ont eu lieu vers des paradis fiscaux ou autres terres d'accueil. Plus de rigueur impliquerait sans doute, malgré l'ambiguïté du mot et son impopularité dans les pays débiteurs, une nouvelle « conditionnalité » des prêts et des aides. Mais peut-être les termes de cette conditionnalité devraient-ils être repensés pour atteindre les meilleurs résultats possibles, tant économiques que sociaux. A cet égard, une concertation avec les partenaires sociaux lors de la détermination des programmes nationaux d'« ajustement », de « restructuration » ou de « développement » (les trois termes devraient dans ce contexte être équivalents) constituerait sans doute le meilleur moyen de parvenir à définir des approches rentables sur le plan économique et tolérables sur le plan social. Le réalisme politique commande de veiller à ce que les seuils de tolérance ne soient pas dépassés.

# Hommages du vice à la vertu

**Eric Rohmer, qui se complut aux « Contes moraux », devrait être ravi de ce début d'année. Les films à l'affiche, le sien justement et ceux de Denys Arcand, de David Lynch ou de Gérard Oury, sont, dans l'humour comme dans l'angoisse, pavés de bonnes intentions. Mais la moralité ne fait pas le conte. Qui n'oublie jamais d'être divertissant.**

## Les mensonges de l'amour

A petits pas comptés, elle revient, la morale. Pas du Kant ni de la pudibonderie victorienne. Juste des rudiments d'éthique portative : savoir ce qui est plutôt bien ou mal. Bref, ce pincement rassurant ou gênant, le matin, devant le miroir.

Face au grand écran aussi. Ces temps derniers, les cinéastes aiment à décliner ce thème en majeur ou en mineur. Observez les très charmantes « Quatre Aventures de Reinette et Mirabelle »,, le dernier film d'Eric Rohmer. L'acte III, particulièrement, intitulé « Le mendiant, la kleptomane, l'arnaqueuse » : deux adolescentes s'empoignent sur la charité, manquent de s'étriper à propos de la délinquance. Aider ou châtier ? « La kleptomanie est un vice », tonne Reinette, la demoiselle au gros bon sens rural. « Une maladie », s'indigne Mirabelle, la citadine éclairée. L'objet du délit a beau être un saumon de Prisunic, Ignace de Loyola y retrouverait ses exercices spirituels.

Encore que, fait extraordinaire, Eric Rohmer nous divertisse. Ses dialogues, dits sur le ton de la fable, rappellent ceux du cynique Don Juan avec son benêt de Sganarelle. Déjà, le cœur était côté valet, pas côté dialecticien. Une fois de plus, la morale bricolée de ces adolescentes pataugeant dans les clichés nous touche. Comme s'il fallait cette naïveté candide pour s'arracher au diktat des sciences psychologiques. Celles qui trouvent des causes objectives à la lâcheté comme au courage, mis sur le même plan. Les méandres de l'inconscient expliqueraient tout, absoudraient tout. Exit le péché. Et vogue la galère des consciences, tant bien que mal.

Jusqu'aux inévitables récifs, semble prédire sur un ton égrillard le Canadien Denys Arcand. Son « Déclin de l'empire américain » — plébiscité aux Etats-Unis — parle, certes, d'abord de sexe. Mais cet humour de joyeux bûcheron débite aussi en tranches l'univers narcissique de la liberté individuelle. Qu'en faire ? Pas grand-chose, dit Pierre, historien : « Je ne serai ni Arnold Toynbee ni Fernand Braudel. Reste le vice. » Dans une salle de gym, les dames se content leurs frasques extraconjugales. A la maison, les hommes en font autant.

Les Canadiens sont catholiques, jurent par le tabernacle et se confessent beaucoup : « Le mensonge est la base même de la vie amoureuse. »

Chacun en convient. Sauf Louise, excellemment interprétée par Dorothée Berryman. Elle seule n'est pas lettrée, dans ce milieu universitaire. Louise parle de renaissance, quand ses amis prédisent l'inévitable décadence de nos sociétés. Elle ressemble à l'ingénue Reinette de Rohmer, croit à son prochain et le crédite des meilleurs sentiments. Apprenant qu'on les trompe, ni l'une ni l'autre ne l'accepte. Plus que leur résistance, c'est le trouble qu'elles provoquent qui impressionne. Qu'un seul réfute la règle du jeu, et se rompt le charme des faux-semblants, se casse l'équilibre des égoïsmes. Le rire se voile, tourne à la grimace. Denys Arcand gratte jusqu'au sang la plaie qui nous démange.

Ainsi soit-il, serait-on tenté d'ajouter. Après tout, le cinéma n'est pas un confessionnal. David Lynch, avec « Blue Velvet » (*voir l'article de François Forestier*), s'amuse de ces questions théologiques. Le mal, pense-t-il, on finit toujours par lui tordre le cou. Cet optimisme de la volonté, propre à la plupart des films fantastiques américains, rassure. Convainc-t-il ?

Tout autre son de cloche chez Nanni Moretti, l'Italien, qui remporte en France un joli succès avec sa « Messe est finie ». Son héros est prêtre, minoritaire, moralissime, comme la Louise de Denys Arcand. Il prêche le bien, comprenez l'écoute de l'autre. Et il n'entend rien. Pis, lui-même désespère : « Je ne pense qu'à moi », confie-t-il. L'Eglise catholique italienne n'a d'ailleurs pas réagi à ce film. Seul un séminariste orthodoxe s'est retrouvé dans le personnage. Sans doute un futur moine du monastère du mont Athos, où l'on se retranche définitivement du monde pour le prier de changer. Il y a vingt ans, les morales collectives explosaient. Ce sont leurs morceaux que les cinéastes ramassent à la petite cuillère. Peine perdue. Intimistes en diable, les valeurs se refusent obstinément à coaguler.

GUILLAUME MALAURIE ■

Voyage dans les marges de la littérature

# Attention au paratexte !

## *Titres, préfaces, notes, dédicaces, commentaires de l'auteur... Gérard Genette analyse tout ce qui dans un livre n'est pas le texte lui-même*

Comment lirait-on l'« Ulysse » de Joyce s'il ne s'appelait pas « Ulysse » ? Gérard Genette avait étudié voici quelques années, dans « Palimpsestes », les œuvres littéraires qui se réfèrent à d'autres œuvres, les évoquent ou les démarquent, les imitent ou les transforment. Le roman de Joyce offrait un exemple de tout premier ordre, puisque son titre en donne la clé homérique. Mais la question du titre s'est mise à vivre, dans la recherche de Genette, une existence autonome : les quelques mots placés par un écrivain en préface ne peuvent-ils pas préciser ses intentions ? Peu à peu, pour Genette, s'est formé le projet d'analyser tout ce qui dans un livre est extérieur au texte lui-même, cet apparat qui l'habille et le commente avec pour fonction dernière d'en orienter la lecture et la compréhension. Savant exégète de Proust et de Flaubert, Genette a donc abandonné le contenu propre des ouvrages pour s'intéresser aux avant-propos, notes, intertitres, aux épigraphes, dédicaces aussi — la dédicace de l'œuvre et la dédicace des exemplaires —, aux prières d'insérer, à la table des matières... Et puis encore à tout ce qui accompagne la publication : interviews dans la presse, émissions de télévision, correspondances ou journaux, etc. Après quatre années de travail, Genette nous propose cette enquête passionnante sur tous les « seuils » de la littérature, sur les *portes* qui séparent le public du texte et pourtant l'y conduisent. Un tel travail, on s'en doute, doit s'appuyer sur une formidable érudition : les connaissances de Genette sont, ici, époustouflantes. A chaque page, anecdotes et citations se bousculent. De Montaigne à Robbe-Grillet, en passant par Balzac et Mallarmé, Jane Austen ou Hemingway, le voyage et ses détours nous réservent plus d'une surprise. En 1922, par exemple, Gide fait une vente publique de sa bibliothèque, et en particulier des volumes dédicacés par ses anciens amis. Henri de Régnier lui envoie peu de temps après son dernier livre, avec ces quelques mots : *« A André Gide, pour sa prochaine vente ».* On le voit, ce que Proust nommait *« le langage insincère des dédicaces »* n'obéit pas toujours à la seule complaisance... A propos des correspondances privées, on trouvera cette réponse de Stendhal à Balzac, qui ne goûtait guère le style de « la Chartreuse de Parme » : *« Si la "Chartreuse" était traduite en français par Mme Sand, elle aurait du succès, mais pour exprimer tout ce qui se trouve dans les deux volumes actuels, il en eût fallu trois ou quatre. Pesez cette excuse. »* De Stendhal encore, cette « note pour lui-même : Madame de Chasteller se demande d'où lui vient son envie de porter à ses lèvres la main de Lucien ; l'auteur répond à son personnage : *« De la matrice, ma petite. »*

Au-delà des citations et des anecdotes, Genette s'interroge sur la fonction de ce « paratexte », révélateur de ce que l'écrivain a pu penser de son livre au moment même où il le produisait et de ce qu'il en a pensé après coup. Aux théoriciens, tenants de la primauté absolue du texte sur l'existence de l'auteur, Genette oppose cette prolifération de « paratextes » en marge de l'ouvrage qui indiquent comment celui-ci doit être lu. C'est que non seulement l'auteur existe mais en général s'attache à le faire savoir. Même les plus secrets comme Maurice Blanchot, qui fuient les interviews et les photographes pour préserver l'anonymat de l'œuvre, se plient au rituel des préfaces et des postfaces. Genette néanmoins ne propose pas un retour naïf au « sujet », à la « subjectivité ». Rien ne l'agace davantage que de telles proclamations. La leçon de Genette pourrait alors être celle-ci : il faut prendre le paratexte en considération, écouter ce qu'il exprime ; il guide notre lecture parfois sans qu'on le sache. En fait, pour nous libérer de l'intention de l'auteur, mieux vaut la connaître partout où elle s'affiche. Ou se dissimule...

**DIDIER ERIBON** ●

Pour dépasser la fiction, le père du naturalisme traquait la réalité

# Les bonnes notes de M. Zola

***Les « Carnets d'enquêtes », enfin publiés, sont une mine de portraits, de croquis et de reportages sur la société française. Pour Mona Ozouf, un travail de romancier et pas seulement d'ethnographe***

C'est une caverne d'Ali Baba, une brocante insensée amassée par un collectionneur délirant : on y trouve le Paris du Second Empire, les rues autour des Halles, les beaux quartiers, la Goutte d'Or, et puis, un peu plus loin, un village beauceron hargneux, la cour d'assises de Rouen, le plat pays minier, trois terrils, deux beffrois, un grand magasin, mille raviers de gras-double et de galantines, des intérieurs cossus, des extérieurs rustiques, la liste des journaux qu'on lit dans la bourgeoisie, le répertoire des maladies qu'on attrape à la mine, le panier de la ménagère, la coiffeuse de la cocotte, des kilomètres de soie mauve, de coutil blanc, d'alpaga gris.

De cette immense galerie souterraine, creusée sous l'œuvre romanesque d'Emile Zola, Jean Malaurie et Henri Mitterand n'ont ramené qu'un petit tas de trésors, qu'ils publient sous le titre de « Carnets d'enquêtes ». Cela fait quand même un très gros livre, dont on sort étourdi et ébloui de couleurs et de bruits : rien ne dément plus le monde poussiéreux et sec de la fiche que la *« documentation »* de Zola qu'on a si souvent dit plat compilateur. Lui-même se savait un compilateur d'une espèce particulière : *« Quand je m'attaque à un sujet, je voudrais y faire tenir le monde entier. De là mes tourments dans ce désir de l'énorme et de la totalité, qui ne se contente jamais. »* De là aussi le vertige du lecteur, saisi à la fois par la profusion et la rapacité. « Ne rien jeter ni perdre », ce vieux principe de la petite épargne, gouverne l'accumulation maniaque du romancier.

Entre tous les usages possibles de ce livre charmant, je ne suis pas sûre que Jean Malaurie et Henri Mitterand, qui ont eu la bonne idée de cette publication, suggèrent le meilleur. En s'émerveillant que Zola soit monté sur une locomotive, ait manié la lampe du mineur, visité la Beauce, consulté des dictionnaires de la langue verte et obtenu de Ludovic Halévy des tuyaux sur le monde des cocottes — qui lui était fort opaque —, en présentant ses dossiers comme une ethnographie de la France, ils les tirent vers le document brut et l'étude de terrain. Ce parti, inspiré par la religion du neutre, fait même écrire à Henri Mitterand qu'entre le monde et le texte il n'y a ici *« aucun intermédiaire »*, sinon — un sinon qui à lui seul fait lever une foule d'objections — *« les catégories de pensée naturelles à un observateur issu de la petite bourgeoisie intellectuelle »*.

N'en croyez évidemment rien. Entre le monde et le texte, Zola n'interpose pas une pensée ordinaire, mais une fantasmagorie extraordinaire. C'est déjà avec l'idée fixe de son héros ou de son héroïne — *« mon Octave »*, *« ma Denise »* — qu'il se promène, halluciné, dans les rayons du Louvre ou les fondrières de l'Argonne. Avec l'oreille de Gervaise, la blanchisseuse, qu'il entend le zingueur tomber du toit comme *« un paquet de linge jeté d'en haut »*. Avec l'œil du bourgeois, horrifié et fasciné, qu'il regarde passer les grévistes de Germinal en cortège. Ces *« Choses vues »* relèvent de la double vue plus que de la simple capacité à enregistrer.

Chacun, au « Bon Marché », peut alors noter les *« mannequins avec corset et jupe, sans tête »*. Mais qui, hors Zola, les voit *« férocement obscènes »* ? Chacun peut faire l'inventaire d'un mobilier ou d'un jardin. Et Zola, c'est vrai, a « copié » sur le jardin d'hiver du chocolatier Menier la serre de la Curée, sans oublier le moindre latanier, le plus petit glauxinia. Mais des carnets au roman, la suggestion malsaine des plantes exotiques s'est mise à proliférer en une végétation agressive et reptilienne, qui n'a plus grand-chose à voir avec le catalogue Vilmorin.

C'est pourquoi il importe au fond si peu que les informations de Zola soient de première ou de quatrième main, et que ses informateurs aient eux-mêmes été bien informés. Ce qui compte est la façon dont il aimante la grenaille de l'information. Il transforme la Renée de la serre en vénéneux nénuphar, Lisa la charcutière en jambon pris dans la gelée, la mine tout entière en bête qui mâche, digère et déglutit. Il naturalise la société, il socialise la nature, il fait bourgeonner les formes et les rôles, les déplace, les échange. De Manet il avait dit que *« toute la personnalité de l'artiste consiste dans la manière dont son œil est organisé »*. Le sien est organisé par l'imaginaire de la métamorphose.

C'est un bonheur de se promener dans les documents de Zola. Mais ils renseignent moins sur la Beauce, le chemin de fer et le commerce de nouveautés que sur la création littéraire, ce qu'avait si bien montré Colette Becker à propos de « Germinal ». Jean Malaurie se demande si Zola n'aurait pas été plus à l'aise à notre époque, à l'heure du triomphe des sciences humaines. Mais on ne rajeunit guère Zola en l'habillant en annonciateur de l'histoire des mentalités, en *« père de l'école des Annales »*. On lui taille un costume étriqué et décent, où éclate sa démesure de fripier colossal, génial et harassé.

*M. O.*

*« Carnets d'enquêtes, une ethnographie inédite de la France », par Emile Zola, Plon, « Terre humaine », 688 pages, 170 F.*

# Un certain Camus, Albert

**Albert Camus soleil et ombre,** par Roger Grenier. Gallimard, 348 p., 95 F.

Le sentiment de l'absurde atteint son comble quand on doit encore parler de Camus. Comme on dit dans les mauvais romans : le désespoir se peignit alors sur sa figure. Car le travail scolaire n'est pas le plus doux sourire que nous conservions du lycée, pour lequel cette œuvre semble avoir été écrite. Dans le rôle de penseur officiel, source inépuisable de sujets du bac, voire de l'agrégation — l'écrivain révéré des énarques et des instituteurs, à la fois, succède à Alain, qui rendait méditatifs les congrès radicaux, et au Valéry de la fin, qui ciselait des formules pour le fronton des monuments publics. On doit en être déjà à la quatrième génération de jeunes gens, fiévreux comme des nihilistes russes, qui déclament la première phrase du « Mythe de Sisyphe » : « Il n'y a qu'un problème philosophique vraiment sérieux : le suicide. » Ensuite, ils ont une maison de campagne, la Légion d'honneur et des enfants qui les blâment d'avoir laissé cette question en suspens. La République a besoin de saints, elle a transformé Camus, qui fut atteint de tuberculose, en une sorte de Traviata de l'humanitarisme. Sa vie brève et sa mort brutale, en conformité, d'ailleurs, avec un horoscope dressé par Max Jacob, s'y prêtaient. Sans oublier les amitiés et les polémiques au cœur de l'actualité qui ont permis aux professeurs de moderniser un autre parallèle qui avait trop servi : Camus peindrait les hommes tels qu'ils sont, Sartre tels qu'ils devraient être. Car il est impossible de nommer le premier sans que le second surgisse. Castor et Pollux aussi différents qu'indissociables, ils poursuivent leur dispute dans le ciel des manuels littéraires. Et au sommet des tirages devant les chiffres desquels, pénétré de son insignifiance, le réticent s'efface. Il s'est vendu, à ce jour, quatre millions et demi d'exemplaires de « La Peste ». Roger Grenier avait donc, pour sa biographie, à escalader un Himalaya de préjugés, clichés et exégèses. Il y est parvenu de la même manière que dans ses romans et nouvelles, où, partisan du moindre mot, il traite le démesuré et le sensationnel à bas bruit. Sa mémoire l'a servi également : bien que leur amitié apparaisse à peine en filigrane, si grande est sa pudeur à tous égards, il a beaucoup fréquenté Camus à l'époque où « Combat » était ce journal qui abritait Gide et Michel Leiris. Un journal comme on en rêve à 20 ans, où l'on serait avec tous les gens que l'on admire comme les chiots au fond de la même corbeille : « Je vous ferais peut-être faire des choses emmerdantes, déclarait Camus à ses stagiaires, mais jamais des dégueulasses. » Ces années-là et les suivantes, où l'on rebondit de la gloire à la mort, du Nobel à l'accident de la route, Grenier les évoque par petites touches. De même que la jeunesse en Algérie. On s'aperçoit, à la fin, qu'il a réussi, sans jamais perdre de vue l'œuvre, à remplacer une image d'Epinal par cette photo de l'album de famille où il y a une croix au-dessus de la tête de l'oncle tué à la guerre et qu'on aurait eu bien du plaisir à connaître. On se doutait quand même un peu que, pour avoir eu à ses « trousses une meute venue de tous les horizons, des surréalistes aux sartriens, de la droite aux communistes », Camus était, humainement, quelqu'un de très bien. On comprend qu'il ait préféré les acteurs à ces « intellectuels qui sont rarement aimables et n'arrivent pas à s'aimer entre eux ». On comprend aussi la lueur qui traverse les yeux bleus de Marie Susini ; elle fut de ses proches (ils avaient le soleil en commun, ils l'ont mis ensuite dans leurs livres). « Il vous aurait séduit vous aussi », dit-elle quand on se déclare excédé par la sanctification posthume, et le port illégitime de l'imperméable de Bogart. A propos du malaise qu'éprouvait un Méditerranéen d'origine et de goûts simples, au milieu de gens à l'intelligence cossue, Grenier rappelle la phrase jetée par Sartre au plus fort d'une polémique : « Vous avez peut-être été pauvre, mais, à présent, vous êtes un bourgeois comme nous. » Elle prouve une parfaite méconnaissance de la réalité humaine. La pauvreté, quand on l'a connue dans l'enfance, avec son cortège de menues humiliations, ayant la même vertu que les sacrements : elle sépare à jamais de ceux qui ne l'ont pas subie, quelle que soit la suite. Il aura manqué au génie de Sartre de ne pas s'être lavé ce que je pense dans l'évier de la cuisine. En suivant le biographe, on découvre que la tribu des mandarins supporta assez mal l'intrusion de Camus dans le sérail. Et ce fut à qui ironisa le plus quand il apporta sa collaboration à L'Express des débuts, dont la rédactrice en chef, Françoise Giroud, n'était qu'une journaliste sortie du rang. N'empêche, ces époques où l'on agitait de grandes idées sous la barbichette de M. Ramadier apparaissent comme fabuleuses, en comparaison de la nôtre où la question est de savoir si les adolescents auront une heure de rock sur telle chaîne de télévision, et le troisième âge sa ration d'Edith Piaf. Tout compte fait, ce qui pourrait arriver de mieux à Camus serait une éclipse consécutive à l'overdose. Quand on sera obligé de préciser « Albert » pour ne pas le confondre avec Jean-Pierre (1582-1652), auteur de « Marianne ou l'Innocente Victime », on verra « L'Etranger » et « La Peste » dans toute leur singularité et leur éclat. On fermera naturellement les yeux sur le reste. On sera enfin sorti de la situation paradoxale : on a gravé dans le marbre ce que n'a pas eu le temps de corriger ou d'écrire un Camus pleuré des vieillards comme Vauvenargues le fut par Voltaire. ■

# Appendix 1
# Suggested Answers

## Chapter 2

**Page**

12 rêvent – amusants – paie – allégée – réservé aux hommes – poème – plaisir – caractères – idée – plaie : were the words to be eliminated.

13 [1]partie – [2]phrase – [3]liberté – [4]recommandations – [5]sujet – [6]test – [7]limite – [8]qualité – [9]contexte – [10]faite.

16 1 – c / 2 – a / 3 – b / 4 – f / 5 – d /
6 – g / 7 – e / 8 – i / 9 – h / 10 – l /
11 – j / 12 – k.

**Page 18 – 19**

# La différence entre p

Parler, c'est exprimer sa pensée à l'aide d'un langage.

Communiquer, c'est la faire ressentir.

C'est exactement ce que vous propose Apple.

Macintosh met à votre disposition tous les outils nécessaires pour comprendre et faire comprendre davantage de choses à davantage de gens en beaucoup moins de temps.

Tout d'abord au sein de votre entreprise.

Si vous êtes nombreux, il est tout à fait inutile de vous acheter un porte-voix, les Macintosh aussi sont nombreux, il s'agit même d'une véritable famille d'ordinateurs personnels qui travaillent en groupe exactement comme les hommes le font.

Pour s'en rendre compte il suffit de retourner un Macintosh.

Vous découvrirez alors un connecteur qui permet à l'aide du câble AppleTalk de se relier à un autre Macintosh, sans intermédiaire, sans aucune forme de procédure.

32 Macintosh peuvent ainsi s'échanger dossiers, textes et images, fichiers ou périphériques divers, une imprimante LaserWriter par exemple.

AppleShare, qui est reconnu comme un des meilleurs logiciels de partage d'informations, transforme un disque dur se trouvant sur le réseau en une véritable banque de données pour les autres Macintosh connectés.

Que se passe-t-il maintenant si la moitié de vos collègues utilisent d'autres machines?

Ce n'est pas un problème pour Macintosh.

Parce qu'il n'y a aucune raison pour qu'une machine soit un obstacle entre deux hommes, il suffit d'ajouter à Macintosh SE ou Macintosh II une carte d'extension.

Vous pouvez ainsi transférer des dossiers fonctionnant avec le système d'exploitation MS/DOS, Lotus 1.2.3. par exemple, à l'intérieur d'un programme utilisant toute la puissance de Macintosh, Excel de Microsoft entre autres.

Pour être un communicateur complet il ne vous reste plus qu'à communiquer avec le reste du monde.

# er et communiquer.

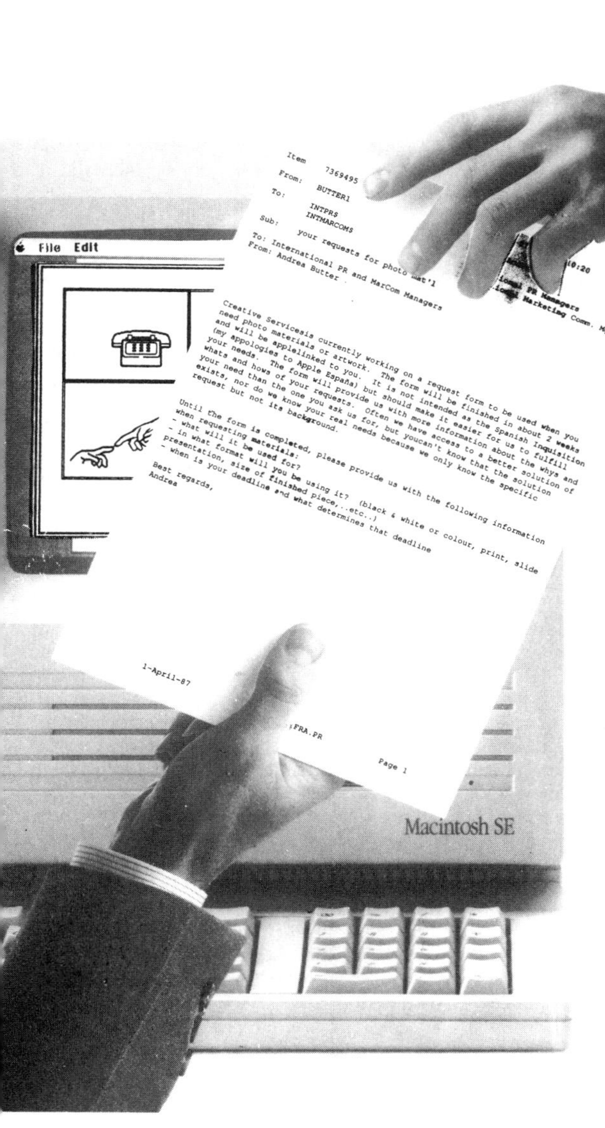


Avec un bon modem et un bon programme, vous avez le loisir de vous connecter à toutes les sources du savoir ou bibliothèques de données du monde y compris celles d'Alexandrie.

Travailler avec Macintosh cela veut dire aussi : compter sur plus de 350 concessionnaires Apple, profiter des centres de formation agréés, participer au club Apple et accéder aux services télématiques ou à son support technique par téléphone.

Si vous caressez le secret espoir d'être un jour maître du monde, de votre Macintosh, envoyez tout simplement un mémo de votre projet à chaque habitant de la planète.

Apple

## TIERS MONDE: VERS LA RICHESSE?

**par Jean-François Revel**

*Le vrai tiers monde n'est pas celui qu'on croit. L'essai de Jean-Claude Chesnais bouscule bien des idées reçues. Et l'Europe économique doit veiller à ne pas se tromper de concurrents.*

«La revanche du tiers monde», de Jean-Claude Chesnais (Robert Laffont, 336 pages).

L'information existe-t-elle pour que l'on ne s'en serve pas? La question se pose, en tout cas, à propos du tiers monde, du sous-développement, des relations entre pays riches et pays pauvres. C'est l'un des terrains les plus propices à la falsification des faits, à la propagande mensongère et à l'essor des mythes. Pourquoi? Les origines et les causes de l'idéologie tiers-mondiste mériteraient d'être étudiées à fond. Ses effets trompeurs le sont sérieusement depuis quelques années. Mais le livre de Jean-Claude Chesnais, économiste et démographe de grande valeur, va plus loin que la critique du tiers-mondisme qui s'est élaborée depuis 1975 environ. Chesnais ne se borne pas à démontrer que l'explication courante de la pauvreté du tiers monde est fausse; il prouve que cette pauvreté même est fausse. Désormais, le tiers monde décolle économiquement, son entrée dans le développement a bel et bien commencé.

Contrairement aux ritournelles sur l'écart qui ne cesserait de se creuser entre monde riche et monde pauvre, la place du monde en développement dans l'économie mondiale, mesurée par sa part de revenu, s'est accrue entre 1950 et 1985. Son niveau de vie a doublé au cours de cette période, ce qui représente une croissance moyenne de 2% par an: exactement le taux qu'a connu l'Europe au cours de son ascension économique du siècle dernier. Au demeurant, le raisonnement par l'«écart» est fallacieux: si mon revenu passe de 1 franc à 2 francs et celui de mon voisin de 4 à 6 francs, l'écart entre nous s'est creusé, mais mon niveau de vie n'en a pas moins doublé, ce qui est pour moi fort appréciable. De plus, les économies du tiers monde se diversifient. Elles dépassent le stade de l'exportation des matières premières pour prendre une part grandissante de la production mondiale des objets manufacturés et de ses parts de marché. En Inde, en Indonésie, au Pakistan, plus du tiers du produit national provient désormais de l'industrie.

Dans le secteur agricole et alimentaire, selon l'opinion dominante qui continue d'être quotidiennement martelée partout, la situation se serait dégradée et se dégraderait continuellement. Les chiffres sont pourtant là: de 1950 à 1984, la production alimentaire par habitant (c'est-à-dire en sus de l'accroissement de la population) a augmenté de 30% dans les pays en voie de développement. Le champion est l'Asie, à un moindre degré l'Amérique latine (mais qui partait d'un niveau beaucoup plus élevé). Le grand perdant est l'Afrique.

En fait, c'est la tragédie africaine, au demeurant fort récente, qui nous masque en grande partie le rattrapage global du monde développé par le monde en développement. Cette tragédie, *Le Point* y a consacré tout un dossier (n° 738, 10 novembre 1986), d'où il ressort qu'elle provient beaucoup plus d'erreurs humaines que de catastrophes naturelles ou de la légendaire inégalité des «termes de l'échange». La plupart des dirigeants africains ont mené des politiques opposées à celles des gouvernements asiatiques. Ces erreurs, ils doivent et peuvent les corriger, à condition de ne pas en attribuer les méfaits à des boucs émissaires, comme on l'a entendu faire dernièrement encore avec un rare talent d'embobineur par le président de Madagascar, Didier Ratsiraka, lors de son passage à Paris. L'endettement de l'Amérique latine, savamment exploité par les élites responsables de la dilapidation et du détournement des fonds prêtés, nous dissimule aussi la progression générale du tiers monde, et, en particulier, le prodigieux bond en avant, au cours des trente dernières années, des deux géants les plus endettés: le Brésil et le Mexique. L'afflux des capitaux ne garantit pas que leur emploi sera judicieux, comme le montre l'absence de décollage de maints pays pétroliers, malgré le pactole de la décennie 1973-1983. Les pays en développement qui ont atteint durant ces années les plus forts taux de croissance et les plus considérables améliorations du niveau de vie individuel ne figurent pas sur la liste des pays pétroliers.

Une autre idée fausse, venue de Malthus et reprise en particulier par le Club de Rome, est que la poussée démographique constituerait à la fois un signe et une cause de la pauvreté. En réalité, comme l'illustre clairement l'histoire démographique de l'humanité jusqu'au XVIIIe siècle, la pauvreté engendre la stagnation de la population, qui fut la règle pendant des millénaires. Pour que le chiffre de la population augmente, il faut d'abord que la mortalité infantile diminue et que la vie humaine s'allonge. On ne voit pas comment ces deux phénomènes peuvent avoir lieu sans que se soient améliorées les conditions alimentaires et sanitaires. L'explosion démographique commence donc par être une conséquence du progrès, que la multiplication de la population active, comme l'avait bien vu Keynes, accélère encore. Ensuite seulement, quand on parvient à un niveau élevé de bien-être, commence à se produire spontanément la stagnation démographique avec longue espérance de vie.

Elle caractérise les pays prospères et a pour cause non plus l'insuffisance des ressources et de l'hygiène, mais la restriction volontaire des naissances. Plusieurs pays dits du tiers monde commencent à entrer dans cette phase, comme y sont entrés, voilà trente ans, les pays du sud de l'Europe.

Et l'avenir de l'Europe, justement, dans cette course en avant? Il est urgent de le repenser à la lumière des nouveaux éléments de réflexion qu'apporte Chesnais, dans cet ouvrage de spécialiste que, chose rare, le grand public pourra lire et même dévorer sans difficulté. Je ne dirai pas, selon le cliché, que «ça se lit comme un roman». Car le roman, sur ce sujet, c'est l'évangile tiers-mondiste, et il est illisible. Ça se lit plutôt comme un passionnant livre d'histoire et de prospective.

L'Europe, elle, ferait bien de s'aviser au plus vite que la concurrence, demain, ne lui viendra pas seulement de ses présentes bêtes noires commerciales, l'Amérique du Nord et le Japon, mais de l'Inde, de l'Indonésie, du Brésil. Proche de nous, bientôt parmi nous, l'économie la plus ascendante va être celle de la Turquie. En outre, rappelons-nous qu'un bon tiers des pays sous-développés se situent dans le monde communiste: Chine, Vietnam, Corée du Nord, Cuba, Ethiopie, Nicaragua, etc. Le vrai tiers monde est là, sur tous les continents.

L'avenir dépend donc en grande partie du cours réformateur ou non pris par les Etats communistes: libéralisation réelle et en profondeur de l'économie, ou simple tirage de peau. Dans la première hypothèse, leur taux de croissance d'ici à 2025 serait plus que le double de celui que leur assurerait la fidélité au communisme (voir le tableau, où l'on remarquera que la RFA même n'est plus classée). Le calcul avait déjà été présenté ici (*Le Point*, 1er novembre 1982): si la Chine était capitaliste, elle équivaudrait pour nous en dynamisme concurrentiel à dix Japon, à vingt-cinq Corée du Sud et à cinquante-cinq Taiwan! (1)

On a beaucoup ressassé l'expression de «compétition économique mondiale». Et voilà, pour le coup, qu'elle va vraiment le devenir. Face au défi de ce «*tiers monde mouvant, bientôt fondant*», selon les termes de Chesnais, l'unité politique de décision et de mobilisation européenne semble aussi impérative que face au défi stratégique soviétique. Mais pour les relever l'un et l'autre, il est une condition de base, plus intellectuelle que matérielle: la connaissance des faits.

1. Sur Taiwan et son miracle, voir l'excellent livre, très à jour, de Ricardo Paseyro «Taiwan, clé du Pacifique» (PUF).

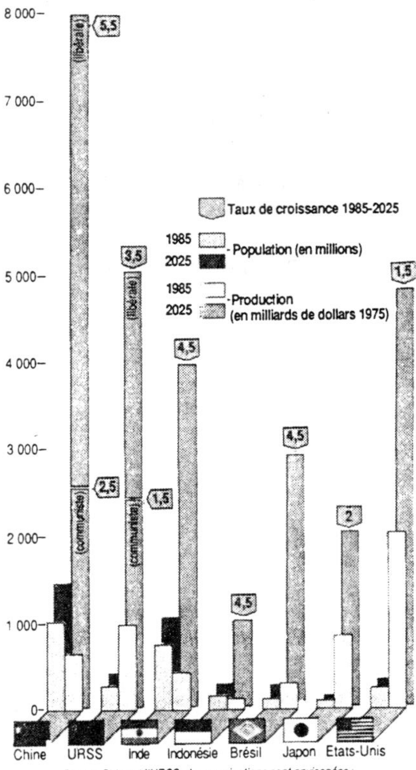

*Pour la Chine et l'URSS, deux projections sont envisagées : sans changement de régime ; avec un régime « libéralisé ».*

# L'accouchement en douceur

Une nouvelle méthode est proposée aux futures mamans pour accoucher sans souffrir : l'électrostimulation cérébrale transcutanée. Il s'agit de stimuler électriquement, grâce au ''courant de Limoges '' de basse fréquence, certaines zones privilégiées du cerveau, impliquées dans le mécanisme de la douleur.

Cette stimulation entraînerait la libération de substances endogènes à action de type morphinique (endorphines et enképhalines). Pour ce faire on utilise un appareil, l'Anesthelec, d'un maniement très facile, mis au point et fabriqué par une société française. E3 A France qui vient de créer une filiale aux Etats-Unis.

En pratique, on applique trois électrodes autocollantes, une derrière chaque oreille sur la mastoïde et une entre les sourcils, au début du travail. Il faut compter 20 à 30 minutes de stimulation avant d'obtenir les premiers effets. L'Anesthelec ne supprime pas totalement les douleurs mais en réduit considérablement l'intensité.

La parturiente est totalement consciente, elle participe plus activement à son accouchement. De ce fait la durée totale du travail et surtout le temps d'expulsion sont considérablement réduits.

Sérieuse et efficace cette nouvelle méthode est dénuée d'effets secondaires. Une sage-femme peut sans difficulté installer l'appareil et surveiller le bon déroulement de l'accouchement.

# Chapter 3

**Page**

45 (Table 4)

1. La politique est un jeu.

2. L'amour est un mythe.

3. Les médias sont américains.

4. Le bonheur est-il possible?
   Est-ce que le bonheur est possible?
   (Est-il possible d'être heureux?)

5. L'art est réservé à une élite.

6. Qu'est-ce que la démocratie?

7. Les bons romans sont (très rares.
   (extrêmement rares.

8. De nos jours, la poésie n'intéresse plus personne.
   Personne ne s'intéresse plus à la poésie.

9. L'histoire de l'Europe est à écrire.

10. Chacun rêve de devenir riche.
    Tout le monde rêve de devenir riche.
    Le rêve de (tout le monde est de devenir riche.
    (chacun.

11. Le terrorisme est un problème (des temps modernes.
    (de notre époque.

12. Les syndicats ont perdu leur crédibilité.

13. L'éducation devrait être la même pour tous.

14. Qu'est-ce que la culture populaire?

15. Quels sont les aspects négatifs du tourisme?

## Chapter 6

**Page**

99 1 – c / 2 – d / 3 – a / 4 – b / 5 – f – e /
6 – e – f / 7 – g / 8 – h / 9 – j / 10 – i /

## Chapter 9

187
1. peut-être seulement/uniquement
2. pensent/disent
3. penser convaincre
4. constater
5. plus
6. hommes
7. tort
8. sites
9. ambigu
10. aiment

190 1 – rime / 2 – alexandrin – vers – pieds /
3 – strophes – poème / 4 – sonnet – quatrains – tercets / 5 – enjambements / 6 – hémistiche / 7 rythme – césure / 8 – ode – ballade/

191 1 – d ; 2 – a ; 3 – b ; 4 – c ; 5 – e ;
6 – h ; 7 – i ; 8 – g ; 9 – j ; 10 – f.

192
1. exemples – raisonnement
2. demander – attitude
3. entendre – appelle
4. temps – cohérence – approche
5. montrer – question
6. conception
7. commencerons – définir
8. ensuite – cohérente
9. interroger – sens
10. phrase

**Page**

| | | |
|---|---|---|
| 193 | 1. | faut-il |
| | 2. | erreurs/commises |
| | 3. | erreur/unifier; systèmes/pays |
| | 4. | problème/s'interroger |
| | 5. | permis |
| | 6. | rôle |
| | 7. | matière |
| | 8. | domaine/social/faut |
| | 9. | culturelle |
| | 10. | conclusion/s'engagent/conviction/longtemps/droit. |
| 197 | 11. | **Oui...* mais alors ce serait un pastiche de Proust dans *Pastiches et Mélanges*. |

# Appendix 2
# Sources and Notes

## Chapter 2

| Page | |
|---|---|
| 11 | Un bon slogan, ça dure.<br>*Le Point,* No. 766, 25 – 31 mai 1987, pp 10 – 11 |
| 18 – 19 | La différence entre 'parler' et 'communiquer'.<br>*Le Point,* No. 766, 25 – 31 mai 1987, pp 52 – 3 |
| 20 | Hands off the Monarchy.<br>*The Sunday Times,* 8 May 1987, p.27 |
| 20 | Des vaches laitières pour la Chine.<br>*Nouvelles de France,* No. 143 (VI/86) |
| 21 | Commerce: des hommes et des femmes.<br>*Le Point,* No. 759, 6 – 12 avril 1987, p.70 |
| 22 | Consommation: l'attrait des nouveautés.<br>*Libération,* 11 – 12 avril 1987, p.14 |
| 23 | Demain le grand marché.<br>*Le Point,* No. 766, 25 – 31 mai 1987, p.21 |
| 26 | Tiers Monde: vers la Richesse?<br>*Le Point,* No. 766, 25 – 31 mai 1987, pp 147 – 8 |
| 29 | Sidney Lumet: 'En Amérique, les hommes politiques sont manipulés.'.<br>*Le Quotidien de Paris,* No. 2183, 28 novembre 1986, p.31 |
| 30 | Sollers: le couple, c'est la femme.<br>*Le Point,* No. 759, 6 – 12 avril 1987, p.122 |

**Page**

32 Nouveau. Les hommes ont des fesses.
*Le Point,* No. 766, 25 – 31 mai 1987, pp 28 – 29

34 New York: l'état d'urgence.
*Le Point,* No. 756, 6 – 12 avril 1987, p.124

35 L'accouchement en douceur.
*Nouvelles de France,* No. 143 VI/86, p.94

36 Monnai et langage.
*Le Monde,* 20 avril 1984

38 Michaux: la révolte interieure.
*L'Evénement du Jeudi,* No. 100, 2 – 8 octobre 1986, p.108

39 L'idée de beau.
*L'Événement du Jeudi,* No. 100, 2 – 8 octobre 1986, p.109

## Chapter 6

101 Francois Léotard à Nice: 'L'Europe de la communication est une urgence'.
*Nice-Matin,* No. 14300, 12 avril 1987, p.9

104 Avec l'Imperial College.
*Le Monde,* Campus supplément No. 1314, 9 avril 1987

106 Femmes Actives.
*Le Monde Campus,* 9 avril 1987

108 'Le marketing est un métier d'avenir...'.
*Le Monde Campus,* 9 avril 1987

109 Les fonctions du marketing.
*Le Monde Campus,* 9 avril 1987

110 Hauts et bas salaires.
*Le Monde Campus,* 9 avril 1987

## Chapter 7

| Page | |
|---|---|
| 130 | Une épreuve au bac en 1990.<br>*Ouest-France,* 27 – 28 mai 1987, p.5 |
| 132 | Les Accidents à moto.<br>*Ouest-France,* No. 582, 27 – 28 mai 1987, p.7 |
| 133 | Témoins de Jéhovah....<br>*Ouest-France,* 27 – 28 mai 1987, p.6 |
| 134 | L'heure d'une 'théologie de la fraternité'.<br>*Ouest-France,* 27 – 28 mai 1987, p.5 |
| 136 | Rome dans l'expectative....<br>*Le Figaro,* 3 mars 1987, p.9 |
| 137 | Elles mettent en danger l'Eglise anglicane.<br>*Le Figaro,* 3 mars 1987, p.9 |
| 139 | 'On s'ennuie presque toujours avec ceux que l'on ennuie'.<br>La Rochefoucauld.<br>*Réflexions ou Sentences et Maximes Morales,* Maximes posthumes, XXXVII, Lausanne, Guide du Livre, 1960, p.169 |
| 140 | Quotation: 'A mesure que les superstitions ...l'autorité et la discipline.'<br>Rivarol<br>*Maximes et pensées,* Editions André Silvaire, Paris, 1960, p.118 |

## Chapter 8

| | |
|---|---|
| 148 | Question posée aux interviewés ayant déclaré aller au cinéma.<br>*Le Nouvel Observateur,* 8 – 14 mai 1987, p.66 |
| 149 – 50 | Bienheureux les pauvres...<br>*L'Express,* 23 – 29.1.87, p.102 |

**Page**

| | |
|---|---|
| 151 | Structure des familles en France métropolitaine.<br>INSEE in *Tout sur la France en 100 graphiques,* AUTREMENT, 1986, p.18 |
| 152-3 | Une solution pour l'emploi?<br>UNEDIC- Fichier établissements UNETT in *Tout sur la France en 100 graphiques,* AUTREMENT, 1986, p.38 |
| 155 | Les vacances.<br>INSEE et Ministère du Tourisme in *Tout sur la France en 100 graphiques,* AUTREMENT, 1986, p.80 |
| 158 | Pourquoi nous voulons l'Europe.<br>*L'Express,* 27.2.87 – 5.3.87, p.34 |
| 172 | Quotation: 'L'historien et le romancier...l'autre pour faire croire ce qui n'est pas.'<br>Rivarol<br>*Maximes et Pensées,* Editions André Silvaire, Paris, 1960 |

## Chapter 9

| | |
|---|---|
| 179 – 80 | Production de disques/Audience Radiodiffusion.<br>Service juridique et technique de l'information in *Tout sur la France en 100 graphiques,* AUTREMENT, 1986, p.89 |
| 182 – 4 | Les livres et la lecture...<br>*Tout sur la France en 100 graphiques,* AUTREMENT, 1986 |
| 209 | Quotation: How to do things with words.<br>Austin<br>Clarendon Press, Oxford, 1962 |

## Chapter 11

| | |
|---|---|
| 232 | Eric LANDOWSKI<br>*Le Devoir de français,* Editions Pédagogie Moderne, Paris, 1980, p.198 |

# Chapter 12

**Page**

244 – 5 .....Sida: le test de Grenoble
*L'Express,* 12 Février, 1987 p.30

246 – 7 .....Fumeurs
*Le Nouvel Observateur,* 3 – 9 Juillet, 1987 pp.43 – 44

248 .....Chômeurs de longue durée
*Ouest-France,* 25 Mai, 1987 p.5

249 .....Des chrétiens contre la torture
*Ouest-France,* 25 Mai, 1987 p.3

250 – 1 .....L'hiver des réformes
*L'Express,* 16 – 22 Janvier, 1987 p.21

251 .....L'équivoque libérale
*Le Monde Supplément,* 24 – 25 Mai, 1987 p.24

252 .....La Semaine de Wolinski
*Le Nouvel Observateur,* 3 – 9 Juillet, 1987 p.25

253 – 4 .....Vues illusoires sur la dette
*Le Monde,* 10 Avril, 1987 p.2

255 – 6 .....Hommages du vice à la vertu
*L'Express,* 6 Au 12 Février, 1987 pp.90 – 91

257 .....Attention au paratexte!
*Le Nouvel Observateur,* 20 – 26 Fevrier, 1987 p.88

258 – 9 .....Les bonnes notes de M. Zola: pour dépasser la fiction, le père du naturalisme traquait la réalité
*Le Nouvel Observateur,* 27 Mars – 2 Avril, 1987 p.96

260 .....Un certain Camus, Albert
*L'Express,* 6 – 12 Mars, 19087 p.126

# Mini-Dictionary

**abonné**, n.m. (a) subscriber – **s'abonner**: to subscribe
**abord**, n.m. access, approach – **au premier abord**: at first sight, initially
**aborder**, v. to approach/tackle/take up – **aborder sans détour**: to tackle something head one/without beating about the bush
**abrutissement**, n.m. mindless/moronic state
**accéder à**, v. to have access to
**accouchement**, n.m. childbirth
**accoucher**, v. to give birth
**accoutumance**, n.f. addiction
**acquérir**, v. to acquire
**acte**, n.m. action/act – **acte de bravoure**: act of bravery
**actionnaire**, n.m. shareholder
**actualité**, n.f. topicality/current events – **les actualités**: the news (tv/press)
**adepte**, n.m. follower
**adhérent**, n.m. member
**adhérer à**, v. to adhere to/hold to
**affichage**, n.m. billing/billposting
**afflux**, n.m. influx/flood – **l'afflux des capitaux**: the influx of capital
**affronter**, v. to confront/face/meet – **s'affronter**: to face, to confront each other/to be in confrontation
**afin de**, conj. in order to – **afin de mieux . . .**: so as to (verb) better
**âgé**, adj. old/aged – **personnes âgées**: old people/the elderly
**agence**, n.f. agency – **agence de travail intérimaire**: temping agency
**agir**, v. to act/operate – **il s'agit de . . .**: it is a matter of/a question of
**agrémenté (de)**, adj. accompanied by/adorned with/supplemented by
**aide**, n.f. help/assistance/aid
**aiguiser**, v. to stimulate/whet/sharpen
**air**, n.m. air/way/tune – **avoir l'air de**: to look/to seem
**aisance**, n.f. ease/facility/affluence
**allégé**, adj. lightened/reduced/alleviated
**allégement**, n.m. reduction
**alléger**, v. to lighten/to relieve/to reduce
**aller**, v. to go – **aller de pair**: to go hand in hand/together; **aller ensemble**: to go together
**allocation**, n.f. benefit – **allocation de chômage**: unemployment benefit
**amalgame**, n.m. mixture/blend/hotchpotch
**âme**, n.f. soul
**amélioration**, n.f. improvement
**amour**, n.m. love
**analphabétisme**, n.m. illiteracy
**ancien**, adj. old – **ancien élève des "Grandes Écoles"**: former student of the "Grandes Écoles"

**anglophone**, adj. English-speaking
**angoisse**, n.f. anguish/distress/dread/fear
**animation**, n.f. entertainment/show/liveliness
**annuel**, adj. annual/yearly
**anonymat**, n.m. anonymity
**aperçu**, n.m. superficial view
**appareil**, n.m. piece of apparatus/telephone
**appartenance**, n.f. membership
**appât**, n.m. bait/lure
**archi-**, pref. tremendously/enormously – **archi-faux**: totally false
**argent**, n.m. money – **argent de poche**: pocket-money
**arme**, n.f. weapon
**article**, n.m. item/article
**ascension**, n.f. rise
**asiatique**, adj. Asian
**assistance**, n.f. presence/audience/aid – **assistance juridique gratuite**: free legal aid
**associé**, adj. associated
**assombri**, adj. darkened/gloomy/sombre
**assumer**, v. to take on
**attacher**, v. to tie up/to fasten
**attiser**, v. to poke/stir up/ fan the flame of
**attrait**, n.m. attraction/appeal
**attribuer**, v. to award/grant/attribute/ascribe
**auditeur/trice**, n. listener
**autant plus . . . que, (d')**, adv. all the more so . . . since/because
**autochtone**, n.m. (a) native/autochton
**autocollant**, n.m. sticker
**automatisation**, n.f. automation
**autre**, adj. other/different – **autre**, pron. (a) other – **les uns les autres**: each other; **les uns envers les autres**: towards/with each other
**autrui**, pron. others
**auxiliaire**, n.m. (a) auxiliary/temporary (civil servant)
**avachi**, adj. slumped
**avant**, prep. before
**avenir**, n.m. future
**avis**, n.m. opinion
**avoir**, v. to have – **avoir cours à un moment donné**: to be current at a given moment in time; **avoir de l'ordre**: to be tidy/orderly/systematic/methodical; **avoir l'air . . .**: to look/seem . . .; **avoir tort**: to be wrong
**avorter**, v. to abort

**baisser**, v. to lower/open – **baisser les bras devant quelque chose**: to give up/ throw in the sponge
**balance**, n.f. scales (weighing)
**bande**, n.f. band/strip/party/troop – **bande dessinée**: comic strip/ strip cartoon

**barber**, v. (slang) to annoy/bore
**barrières douanières**, n.f.pl. trade barriers
**bataille**, n.f. battle
**bavard**, adj. talkative
**besoin**, n.m. need
**bête**, n.f. beast/animal
**bien-être**, n.m. wellbeing
**biens**, n.m.pl. goods/possessions/property – **biens manufacturés**: manufac-tured goods
**bienvenu**, adj. welcome – **être le/la/les bienvenu/e/s/** to be welcome
**bienvenue**, n.f. welcome – **souhaiter la bienvenue à qn**: to welcome someone
**blague**, n.f. joke
**borné**, adj. narrow-minded/short-sighted/limited
**borner à (se)**, v. to confine/limit oneself to – **ne se borne pas à démontrer que . . .**: does not confine himself/herself to showing that . . .
**bouc**, n.m. goat – **bouc émissaire**: scapegoat
**bouleversement**, n.m. upheaval/disruption
**bref**, adj. brief – **en bref**: in short
**brimade**, n.f. harassment/victimisation – **faire subir des brimades à qn**: to harass somebody
**brio**, n.m. brilliance/virtuosity
**brouillard**, n.m. fog
**but**, n.m. goal/aim/purpose

**cacher**, v. to hide
**cadre**, n.m. executive/manager/framework – **dans le cadre de**: as part of/within the scope of/within the context of
**calcul**, n.m. calculation
**camp**, n.m. side/camp (fig.)
**camping**, n.m. camping site
**canaliser**, v. to canalise – **canaliser leur énergie**: to channel their energy
**capital**, n.m. capital – **investir des capitaux**: to invest money/capital
**carte**, n.f. card – **carte de crédit**: credit card
**casanier**, adj. stay-at-home
**centrale**, n.f. power-station/exchange – **centrale syndicale**: group of affiliated trade unions
**cependant**, adv. however
**certes**, adv. certainly/admittedly
**cesser**, v. to stop – **l'écart ne cesse de s'accroître**: the gap is growing constantly
**chacun**, pron. each – **chacun pour soi**: every man for himself
**chagrin**, n.m. grief/sorrow
**chaîne**, n.f. chain/series – **chaîne nationale**: national tv channel
**chair**, n.f. flesh/meat – **chair à canon**: cannon fodder
**changement**, n.m. change

**chef**, n.m. leader/manager/head – **chef d'enterprise**: company manager; **chef de file**: leader; **chef de produit**: head of product information; **chef de publicité**: head of publicity; **chef-d'œuvre (pl. chefs d'œuvre)**: masterpiece
**chiffre**, n.m. number/figure – **chiffre d'affaires**: turnover
**chimérique**, adj. fanciful/wild/imaginary
**choir**, v. to fall
**citadin**, n.m. (a) city dweller
**citation**, n.f. quotation
**clivage**, n.m. cleavage/split/division/distinction
**clore**, v. to close – **pour clore cette discussion**: to bring this discussion to a close
**cocasse**, adj. comical/funny
**cochon**, adj. dirty/blue (joke)
**coléreux**, adj. quick-tempered/irascible
**collectivité**, n.f. group/community
**combat**, n.m. fight
**comique**, adj. comic
**comité**, n.m. committee – **comité de sages**: committee of wise men
**comme**, adv/conj. as – **comme bon leur semble**: as they think best
**comment**, adv. how/what – **comment . . . alors que . . .**: how . . . while/when..
**commerce**, n.m. commerce/trade – **commerce de gros**: wholesale trade; **commerce de détail**: retail trade
**commis**, n.m. clerk – **les grand commis de l'État**: top-ranking/senior civil servants
**commun**, adj. common – **le commun des mortels**: the ordinary/average person
**communauté**, n.f. community
**communication**, n.f. communication – **la communication de masse**: mass media
**comparer**, v. to compare
**complainte**, n.f. lament
**complot**, n.m. plot
**comportement**, n.m. behaviour
**compte**, n.m. count/account
**concerner**, v. to concern – **en ce qui nous concerne**: as far as we are concerned
**concessionnaire**, n.m. dealer/agent
**concitoyen**, n.m. fellow citizen
**concours**, n.m. competition/contest
**concurrence**, n.f. competition
**concurrentiel**, adj. competitive
**condamnation**, n.f. sentence/conviction (criminal)/condemnation
**condamné**, n.m. (a) convict/convicted
**condamner**, v. to condemn/convict
**conflit**, n.m. conflict/clash

**congé**, n.m. holiday – **congés payés**: paid holiday/paid leave; **congé sabbatique**: sabbatical leave
**congelé**, adj. frozen
**conjoint**, n.m. (a) spouse/united
**connaissance**, n.f. knowledge
**connaître**, v. to know
**connecter**, v. to connect
**consacré**, adj. consecrated/sanctioned – **consacré à quelque chose**: given over to sth/devoted to sth
**conscience**, n.f. consciousness/awareness/conscience
**consommateur**, n.m. (a) consumer
**consommation**, n.f. consumption
**constat**, n.m. state of affairs/judgment/opinion
**constamment**, adv. constantly/continuously
**contemporain**, adj. contemporary
**contestation**, n.f. dispute/contesting/questioning
**contrainte**, n.f. constraint
**contrairement**, adv. contrary to/unlike – **contrairement à ce que l'on pense/croit généralement**: contrary to popular belief/to what most people think
**contrepartie**, n.f. compensation – **en contrepartie**: in return/in compensation for/to make up for
**contrepèterie**, n.f. spoonerism
**convention**, n.f. covenant/agreement/understanding
**corvée**, n.f. chore/drudgery
**coup**, n.m. knock/blow/shock – **être dans le coup**: to be with it/to be up to the minute
**coupable**, n.m. (a) culprit/guilty
**cours**, n.m. course/lecture – **cours du soir**: evening classes; **avoir cours**: to be current; **cours d'une monnaie**: exchange rate of a currency
**course**, n.f. race – **course en avant**: race ahead/forward
**court**, adj. short – **à court terme**: in the short term
**crainte**, n.f. fear
**crédule**, adj. credulous/gullible
**creuser**, v. to hollow/to dig
**crime**, n.m. crime/offence
**crise**, n.f. crisis
**critère**, n.m. criterion/test
**critique**, n.f. (a) criticism/critical – **la critique littéraire**: literary criticism
**croisière**, n.f. cruise – **partir en croisière**: to go on a cruise
**croyance**, n.f. belief
**culte**, n.m. cult – **le culte de la force**: the worship of strength
**cultiver**, v. to cultivate/to grow – **se cultiver**: to improve/to educate oneself
**culture**, n.f. cultivation/culture

**débat**, n.m. discussion/debate – **mettre un terme au débat**: to put an end to the debate
**débattu**, adj. discussed/debated
**débloquer**, v. to unblock/to release – **débloquer des crédits**: to release funds
**décennie**, n.f. decade
**déchet**, n.m. loss – **déchets**, n.m.pl. waste/refuse
**déclin**, n.m. decline – **être sur le déclin**: to be on the decline/to be deteriorating
**défaut**, n.m. flaw/defect – **à défaut**: failing
**défavorisé**, adj. disadvantaged/underprivileged
**défense**, n.f. defense – **défense du patrimoine**: protection of inheritance
**défenseur**, n.m. defender/champion
**défi**, n.m. challenge
**défigurer**, v. to disfigure/spoil/mar
**définitif**, adj. final – **en définitive**: finally/when all is said and done
**défoncé**, adj. full of potholes/broken up
**défouler, (se)**, v. to unwind/let off steam/work off one's frustrations
**dégénérer**, v. to degenerate
**dégrader**, v. to degrade/debase/damage – **se dégrader**: to deteriorate
**degré**, n.m. degree/stage
**délinquance**, n.f. delinquency/criminality
**demande**, n.f. demand/request
**démarche**, n.f. gait/walk/step/approach/strategy
**demi**, adj. half – **faire demi-tour**: to do an about turn
**démontrer que**, v. to show/demonstrate that
**démuni**, adj. impoverished
**dénigrement**, n.m. denigration/defamation
**denrée**, n.f. food, foodstuffs
**déprimer**, v. to depress
**dérisoire**, adj. derisory/pathetic
**dérive**, n.f. drift
**dernier**, adj. last/latter
**désaffection**, n.f. loss of interest/affection
**désavoué (être)**, to be disowned/repudiated
**désarroi**, n.m. helplessness/disarray/confusion
**désir**, n.m. wish/desire
**dessein**, n.m. design/plan/purpose – **à dessein**: deliberately
**destin**, n.m. fate/destiny
**détachement**, n.m. detachment/indifference
**détrôner**, v. to oust/dethrone
**deuil**, n.m. bereavement/mourning – **être en deuil**: to be in mourning
**deuxièmement**, adv. secondly
**devant**, prep. in front of/before – **devant l'ampleur de ...**: in the face of the sheer scale/extent of
**devise**, n.f. currency

**devoir**, n.m. duty/homework
**diabolique**, adj. diabolical
**dieu**, n.m. a god – **Dieu**: God
**diffusion**, n.f. broadcasting/diffusion/spreading/dissemination/distribution
**digne de**, adj. worthy of
**dîner**, n.m. dinner
**diplôme**, n.m. diploma/exam/qualification
**diplômé**, n.m. (a) holder of a diploma/graduate – **un diplômé universitaire**: a university graduate
**dirigeant**, n.m. leader/ruler
**discours**, n.m. speech/discourse
**dispenser**, v. to exempt/excuse
**dispositif**, n.m. device/mechanism/plan of action
**disposition**, n.f. disposition/arrangement – **mettre à votre disposition**: to place at your disposal
**disque dur**, n.m. hard disk
**dissertation**, n.f. essay
**dissimuler**, v. to conceal/hide
**divertir, (se)**, v. to amuse/enjoy oneself
**doigt**, n.m. finger – **mettre le doigt sur**: to put the finger on
**domaine**, n.m. estate/field/province/sphere
**don**, n.m. gift/talent – **don du ciel**: gift from heaven/god-given
**donnée**, n.f. a fact/piece of information
**donner**, v. to give
**dorénavant**, adv. henceforth/from now on
**dos**, n.m. back – **sur le dos de** (fig.): at the expense of
**douane**, n.f. customs
**doué**, adj. gifted/talented
**douillet**, adj. cosy/soft/weak
**doute**, n.m. doubt/uncertainty – **sans doute**: undoubtedly; **sans aucun doute**: without a doubt
**drogue**, n.f. drug – **drogues douces**: soft drugs; **drogues dures**: hard drugs
**droit**, n.m. right/law

**écart**, n.m. distance/gap – **grand écart**: discrepancy; **mettre quelqu'un à l'écart**: to keep someone aside/in the background/to hold someone back
**échappatoire**, n.f. evasion/way out
**échec**, n.m. failure
**échelle**, n.f. scale/ladder – **à l'échelle internationale**: on an international scale; **échelle sociale**: social ladder/scale
**échiquier**, n.m. chessboard/scene (fig.) – **l'échiquier politique**: political scene
**école maternelle**, n.f. nursery school
**écrivain**, n.m. writer
**édition de poche**, n.f. paperback edition
**effectivement**, adv. indeed/actually/in fact

**effet**, n.m. effect – **effets désastreux de la drogue**: disastrous effects of drugs
**efficacité**, n.f. effectiveness/efficiency
**égard**, n.m. consideration
**élan**, n.m. vigour/spirit – **élan du corps**: bodily vigour
**électrochoc**, n.m. electric shock treatment
**élégance**, n.f. elegance/generosity
**éluder**, v. to evade/elude/dodge
**embaucher**, v. to take on/to employ
**emblée, (d')**, adv. straightaway/at once
**embryonnaire**, adj. embryonic
**embryon**, n.m. embryo
**émission**, n.f. programme (tv)
**émotion**, n.f. emotion/feeling
**émousser**, v. to blunt/take the edge off/to dull
**emploi**, n.m. work/job – **être sans emploi**: to be out of work
**emprunt**, n.m. borrowing/loan
**en ce qui nous concerne**, as far as we are concerned
**endettement**, n.m. getting into debt
**endroit**, n.m. place/spot
**enfer**, n.m. hell
**engager, (s')**, v. to commit oneself
**engendré**, adj. created/bred/engendered
**englober**, v. to include/embrace/take in/incorporate
**énigme**, n.f. enigma/riddle/puzzle
**enjeu**, n.m. stake
**ennemi**, n.m. enemy
**énoncé**, n.m. exposition/utterance/statement
**enquête**, n.f. inquiry/investigation/survey – **enquête scientifique**: scientific investigation
**enraciné**, adj. entrenched/deep rooted
**ensemble**, n.m. unity/whole/group/outfit (fashion) – **dans l'ensemble**: on the whole/in the main/by and large
**ensuite**, adv. next/after/afterwards
**entrecoupé de**, interspersed by
**entretenu**, adj. – **être entretenu**: to be supported/kept/looked after; **mal entretenu**: badly tended/kept
**entretien**, n.m. discussion/conversation/interview
**envahir**, v. to invade – **envahir notre vie**: to overrun our life
**envisager**, v. to view/consider – **envisager des solutions**: to envisage/consider solutions
**épaulette**, n.f. shoulder pad
**épidémie**, n.f. epidemic
**épineux**, adj. thorny/tricky
**épopée**, n.f. epic
**époque**, n.f. age/era/epoch

**époustouflant**, adj. staggering/amazing
**épreuve**, n.f. test/ordeal/trial
**éprouver**, v. to suffer/experience
**épuisement**, n.m. exhaustion
**équilibre**, n.m. balance/equilibrium
**équivaloir à**, v. to be equivalent to/amount to
**erroné**, adj. false/wrong/mistaken
**espace**, n.m. space – **espace vital**: living space
**espérance**, n.f. hope/expectation – **espérance de vie**: life expectancy
**espoir**, n.m. hope
**esprit**, n.m. mind/spirit – **esprit d'enterprise**: entrepreneurial spirit
**essor**, n.m. flight/rapid development/blossoming
**esthétique**, n.f. aesthetics/design/attractiveness
**établir**, v. to establish/set up
**étalé**, adj. spread out/staggered
**étape**, n.f. stage/stopping place
**état**, n.m. state
**étonnement**, n.m. surprise/amazement/astonishment
**être**, v. to be – **un être humain**: a human being
**étude**, n.f. study
**évaluer**, v. to assess/evaluate
**évoqué**, adj. touched on/conjured up
**exemplaire**, n.m. copy (in publishing)/sample
**exercer**, v. to exercise/practise – **exercer une fonction**: to carry on a job/carry out a duty
**exode**, n.m. exodus/emigration – **exode rural**: rural depopulation
**extrait**, n.m. extract/excerpt

**façon**, n.f. way/manner
**facteur**, n.m. factor
**faillite**, n.f. bankruptcy/downfall – **faire faillite**: to go bankrupt/collapse
**fainéant**, adj. lazy
**fait**, n.m. fact
**fantaisiste**, n.m. (a) variety artist/entertainer/whimsical
**farce**, n.f. joke/prank/farce (theatre)
**fauché**, adj. broke/hard up (slang)
**faute**, n.f. mistake/error
**favoriser**, v. to favour
**fesses**, n.f.pl. bottom/buttocks
**feuilleton**, n.m. series (radio/tv)
**figurer**, v. to appear/be mentioned – **se figurer**: to imagine/consider
**filière**, n.f. path/way/channel/stream/programme/scheme
**fils**, n.m. son
**finalement**, adv. finally/in the end
**financement**, n.m. financing

**fléau**, n.m. scourge/plague/curse
**florissant**, adj. flourishing
**flou**, n.m. (a) wolliness/fuzziness/vagueness
**fluctuer**, v. to fluctuate
**folie**, n.f. madness
**fonction**, n.f. function/office – **la fonction publique**: Civil Service; **fonction subalterne**: low status position/office
**fonctionnement**, n.m. working/functioning – **bon fonctionnement**: smooth-running/efficiency
**fond**, n.m. background/back/bottom (of sth.) – **au fond**: basically/at the basis/underneath it all
**fondé sur, être fondé sur**: to be founded on/based on
**formation**, n.f. formation – **formation complémentaire**: supplementary/further training; **formation permanente**: continuing education; **solide formation**: solid training/high qualifications
**formule**, n.f. formula/phrase/expression – **formule concise**: concise turn of phrase
**fourberie**, n.f. deceitfulness/treachery
**foutre de quelque chose (se)**, v. not to give a damn about sth. (slang)
**foyer**, n.m. home
**frappant**, adj. striking
**frein**, n.m. brake/bit – **mettre un frein à**: to put a brake/curb/check on
**fréquenter**, v. to associate with sb./visit somewhere frequently

**gâché**, adj. spoiled
**gaspillage**, n.m. waste/wastage
**géant**, n.m. giant – **à pas de géant**: advancing by leaps and bounds/taking gigantic steps forward
**généralisé**, adj. widespread
**gens**, n.m.pl. people – **gens de couleur**: coloured people
**gérer**, v. to manage/administer
**gestion**, n.f. management
**glaive**, n.m. sword
**goût**, n.m. taste
**grâce à**, prep. thanks to/owing to
**grain**, n.m. grain/corn – **un grain de folie**: a touch of madness
**grandeur**, n.f. greatness/magnitude
**grignoter**, v. to nibble/eat/erode/win gradually
**gros**, adj. big/large – **gros salaire**: large salary; **avoir une grosse fortune**: to be very wealthy
**guère**, adv. scarcely/hardly
**gueule**, n.f. face/look/mug (slang)
**gueux**, n.m. beggar/rogue/villain

**habitude**, n.f. habit
**hâtif**, adj. hurried/premature
**haut**, adj. high
**heure**, n.f. hour/time
**Hexagone**, n.m. France (fig.)
**homme**, n.m. man – **homme politique**: politician
**honte**, n.f. shame
**horaire**, n.m. timetable/schedule
**horreur**, n.f. horror
**hors**, prep. out of/outside – **hors-saison**: low season/off-season
**humain/e**, adj. human – **être humain**: human being
**humeur**, n.f. humour/mood/spirits

**idée**, n.f. idea – **idée reçue**: cliché
**illogisme**, n.m. illogicality
**impasse**, n.f. dead end/deadlock/cul de sac – **faire l'impasse sur**: to miss out on
**impliqué**, adj. involved – **être impliqué**: to be involved
**impôt**, n.m. tax
**imputable à . . .**, adj. ascribable/attributable to . . .
**incitation**, n.f. incitement
**inciter à**, v. to prompt/incite/encourage to
**incommensurable**, adj. immeasurable
**incontestablement**, adv. unquestionably/indisputably
**incorrection**, n.f. impropriety/incorrectness
**indéniablement**, adv. undeniably/indisputably
**indice**, n.m. indication/sign/clue
**indigne de . . .**, adj. unworthy/not worthy of . . .
**induire**, v. to induce – **induire quelqu'un en erreur**: to mislead sb./lead sb. astray
**informatique**, n.f. data processing/computer science
**instar de**, prep. – **à l'instar de. . .**: following the example of/after the fashion of
**instruire**, v. to teach/educate – **s'instruire**: to learn/educate oneself
**intégrer**, v. to integrate – **s'intégrer**: to become integrated; **être intégré**: to be integrated
**interdiction**, n.f. banning/ban
**interdit**, n.m. (a) prohibition/forbidden/taboo
**interlocuteur**, n.m. speaker/person one is speaking to
**interroger**, v. to question/ask – **s'interroger sur**: to ponder over/to question oneself about
**isolément**, adv. in isolation
**issu**, adj. generated – **être issu de . . .**: to be descended from/born of; **issu de milieu favorisé**: coming from a privileged background/environment
**itinéraire**, n.m. route/itinerary

**jeton**, n.m. token/chip
**jeu**, n.m. game – **jeu de mots**: pun/play on words; **jeu télévisé**: tv game/quiz
**jouir (de)**, v. to enjoy
**jugement**, n.m. judgment/trial
**jumelage**, n.m. twinning

**laisser-aller**, n.m. casualness/carelessness/slovenliness
**lamenter (se)**, v. to moan/lament
**langue**, n.f. language/tongue
**leçon**, n.f. lesson/class
**lecture**, n.f. reading
**légitimement**, adv. justifiably/legitimately
**légitimer**, v. to legitimate/justify
**leurre**, n.m. delusion/illusion/deception
**lexique**, n.m. vocabulary/lexicon
**libre-concurrence**, n.f. unrestricted/free competition
**libre-échange**, n.m. free trade
**licencié**, adj. graduate/sacked/put off (employment) – **licencié ès lettres**: bachelor of arts
**lien**, n.m. bond/link/connection
**lieu**, n.m. place – **lieu commun**: commonplace
**liquider**, v. settle/pay/liquidate/sell off
**livre**, n.m. book
**livre**, n.f. currency unit/½kilo – **une Livre sterling**: a Pound (£); **une livre de pommes**: half a kilo of apples
**logement**, n.m. accommodation/housing/lodging
**loi**, n.f. law
**loin**, adv. far
**loisir**, n.m. leisure/free time/time off work
**loque**, n.f. rag/wreck
**lot**, n.m. share/batch/set/lot
**lourdeur**, n.f. heaviness/weight
**lutte**, n.f. struggle/fight
**lutter contre**, v. to fight against
**luxe**, n.m. luxury

**magnat**, n.m. tycoon/magnate
**main-d'oeuvre**, n.f. work force/labour/manpower
**maint**, adj. a great/good many
**malentendu**, n.m. misunderstanding
**malgré**, prep. in spite of/despite
**manière**, n.f. way – **les bonnes manières**: good manners
**manifestement**, adv. manifestly/obviously/evidently
**manifester**, v. to show/demonstrate – **se manifester**: to manifest/show/express oneself/to emerge/to arise

**manipulé**, adj. manipulated
**manque**, n.m. lack – **manque d'égards**: lack of consideration
**marché**, n.m. market – **bon marché**: cheap/inexpensive
**marcher**, v. to walk – **ça marche**: it works, it's fine/OK
**marque**, n.f. mark/make – **marque de produit**: product brand
**marrant**, adj. funny (slang)
**matériel**, n.m. equipment
**matière**, n.f. matter/subject – **matière première**: raw material
**mauviette**, n.f. weakling
**mécène**, n.m. patron (of the arts)
**méfait**, n.m. damage/ravage/misdemeanour
**même**, adj/adv. same/very/even – **être à même de**: to be in a position to/to be able to; **il en va de même**: the same applies
**ménage**, n.m. housekeeping/household – **faire le ménage**: to do the housework
**mener**, v. to lead – **mener un débat**: to lead a discussion/debate
**mensonger**, adj. false/deceitful/deceptive
**mensuellement**, adv. monthly
**mentir**, v. to lie
**mépris**, n.m. contempt – **au mépris de**: regardless of
**mesure**, n.f. measurement/measure – **à mesure que**: as; **dans quelle mesure**: to what extent
**métier**, n.m. job/work – **métier d'avenir**: job with a future/with prospects
**métissage**, n.m. cross-breeding
**metteur en scène**, n.m. producer/director
**mi-**, adv. half/mid – **mi-temps**: half-time; **à mi-temps**: part-time
**mise**, n.f. setting/placing/dress – **la mise en place du projet**: the setting up of the plan; **être de mise**: to be acceptable
**mobile**, n.m. motive
**mode**, n.m. form/mode/method/way – **mode de vie**: way of life/lifestyle
**mode**, n.f. fashion
**moindre**, adv. less/lesser/lower
**moins**, adv. less – **de moins en moins**: less and less
**moment**, n.m. moment – **pour le moment**: for the time being
**monde**, n.m. world
**mondial**, (m.pl. = **aux**), adj. world/worldwide
**monnaie**, n.f. money/change – **monnaie flottante**: floating currency
**moquer**, v. to mock – **se moquer de**: to make fun of/laugh at
**moral**, n.m. state of mind
**morale**, n.f. morality/morals/ethics
**mort**, n.f./adj. death/dead – **mort-vivant**: n.m. living-dead/(sb.) more dead than alive
**mot**, n.m. word
**moyen**, n.m. means/way, (a) medium/average
**mûrir**, v. to ripen/mature

**néanmoins**, adv. nevertheless
**nécessiter**, v. to necessitate/require
**néfaste**, adj. harmful/ill-fated
**négliger**, v. to neglect
**nettement**, adv. clearly/decidedly
**niaiserie**, n.f. silliness/simpleness/inaneness
**niveau**, n.m. level/standard – **niveau de vie**: standard of living
**nocif**, adj. harmful/noxious
**nouveauté**, n.f. novelty/newness/something new
**nouvelle**, n.f. piece of news/short story
**nuire**, v. to be harmful – **nuire à quelque chose/quelqu'un**: to harm/injure sth/sb.

**occidental**, adj/n. western/Westerner
**occuper**, v. to occupy/hold – **s'occuper de ses affaires**: to mind one's own business
**oeil**, n.m. eye – pl. **yeux; mon oeil!**: my eye/my foot! (slang); **les yeux bandés**: blindfolded
**oeuvre**, n.f. work – **être mis en oeuvre**: to be brought into play/to be implemented
**opacité**, n.f. opaqueness
**opter**, v. to opt for/choose
**optique**, n.f. perspective/angle/viewpoint
**or**, conj. now/so
**ordinateur**, n.m. computer
**ordre**, n.m. order – **avoir de l'ordre**: to be tidy
**outre**, prep. besides/as well as
**ouvrier**, n.m. manual worker/blue collar worker

**pair**, adj. equal/even – **aller de pair**: to go hand in hand
**paresse**, n.f. laziness/sloth/sluggishness
**pari**, n.m. bet/wager
**part**, n.f. share/part – **part de marché**: market share
**parti**, n.m. party
**partie**, n.f. part/amount/game
**partir**, v. to go – **partir en croisière**: to go on a cruise
**pas**, n.m. step
**passer**, v. to pass/go – **passer à l'acte**: to act; **passer quelque chose sous silence**: to pass over sth. in silence/ignore sth.
**patrimoine**, n.m. inheritance/patrimony
**pays**, n.m. country – **pays en voie de développement**: developing country
**paysage**, n.m. landscape
**peine**, n.f. sorrow/sadness/effort/trouble – **peine de mort**: death penalty
**péjoratif**, adj. pejorative/derogatory
**perdant**, n.m. loser

**péricliter**, v. to collapse
**périmé**, adj. old fashioned/out-of-date
**perte**, n.f. loss – **à perte de vue**: as far as the eye can see
**pertinent**, adj. relevant
**petit**, adj. little/small – **petit à petit**: gradually
**pingre**, adj. stingy/mean
**pire**, adj. worse
**pis-aller**, n.m. last resort/stopgap
**pittoresque**, adj. picturesque – **site pittoresque**: beauty spot
**plaidoyer**, n.m. speech for the defence
**plaisanterie**, n.f. joke
**place**, n.f. seat
**planche**, n.f. board/plank – **planche à voile**: windsurfing board
**plus**, adv. more – **de plus en plus**: more and more; **plus . . . plus**: the more . . . the more
**plupart (la)**, n.f. most/the greatest part/number
**poids**, n.m. weight – **argument de poids**: strong argument/point
**point**, n.m. point/place – **un point c'est tout!**: that's all there is to it/that's that; **point de vue**: point of view
**politique**, n.f. politics/policy – **politique à courte vue**: short-sighted policy
**porte-voix**, n.m. loudhailer/megaphone
**porter**, v. to carry
**poste**, n.m. position/job/post/appointment – **poste mal rémunéré**: a badly-paid job/position; **poste-clé**: key post/position
**postulat**, n.m. assumption
**pourvoyeur**, n.m. supplier
**poussée**, n.f. pressure/increase – **poussée démographique**: population increase
**poussière**, n.f. dust
**pouvoir**, n.m. power/ability/capacity
**pouvoir**, v. to be able to – **il se peut que**: it may be that
**préalablement**, adv. beforehand/first
**préciser**, v. to specify/clarify – **précisons que . . .**: let us make it clear that . . .
**préjugé**, n.m. prejudice
**premier**, adj/n.m. first
**premièrement**, adv. firstly
**prendre**, v. to take
**pression**, n.f. pressure – **faire pression sur quelqu'un**: to put pressure on sb./ to bring pressure to
**présupposé**, n.m. (a) presupposition/presupposed
**prise**, n.f. hold/grasp – **prise de position**: stand
**prix**, n.m. price – **à tout prix**: at all costs/at any price
**processus**, n.m. process
**procurer**, v. **(qqch. à qqn.)** to provide sb. with sth.; **se procurer**: to obtain/get
**proie**, n.f. prey – **être en proie à**: to be a victim of/be prey to
**projet**, n.m. plan

**promesse**, n.f. promise
**propice**, adj. favourable/auspicious – **être propice à quelque chose**: to be favourable to sth.
**propos**, n.m. purpose/intention/aim
**proposer**, v. to suggest/offer
**pulvériser**, v. to demolish/smash

**quant à . . .**, adv. as for . . .
**quartier**, n.m. district/area/neighbourhood/quarter
**quasi**, adv. almost – **quasi-totalité**: almost the whole/the near total
**quête**, n.f. quest/pursuit
**quitte**, adj. **être quitte envers quelqu'un**: to be quits/all square with sb.
**quotidien**, n.m. newspaper
**quotidiennement**, adv. daily

**rage (faire)**, v. to be popular/prevalent/dominant/in fashion
**rapport**, n.m. relationship/link/connection – **par rapport à**: in relation to; **rapport de causalité**: causal relationship; **rapport de force**: balance of power
**rattraper**, v. to catch up
**ravage**, n.m. devastation/ravages – **faire des ravages**: to wreak havoc
**recéler**, v. to conceal
**recherche**, n.f. research
**récit**, n.m. story/account
**reconnaître**, v. to recognise – **il faut reconnaître que**: we must realise that
**recruter**, v. to recruit
**recueil**, n.m. book/collection
**recueillement**, n.m. meditation/contemplation
**recyclage**, n.m. reorientation/retraining/recycling
**redoubler**, v. to redouble/increase/repeat – **redoubler d'effort**: to redouble/ step up one's effort/try extra hard
**réduire**, v. to reduce
**réfléchi**, adj. reflective/thoughtful/well thought-out
**réflexion**, n.f. thought/reflection
**régime**, n.m. system of government/diet – **suivre un régime**: to be on a diet
**règle**, n.f. rule
**réimpression**, n.f. reprint
**réinsertion**, n.f. rehabilitation
**rejet**, n.m. rejection/repulsion/expulsion
**relever**, v. (fig.) react to/reply to/take up/answer
**relier**, v. to bind/tie/to connect/link up to
**remaniement**, n.m. revision/reshaping
**remanier**, v. to revise/reshape/recast/reorganise
**remettre**, v. to put back – **remettre en question**: to challenge/question
**rencontre**, n.f. meeting/encounter

**rendement**, n.m. yield/encounter
**rendre**, v. to give back – **rendre quelqu'un heureux**: to make sb. happy; **rendre compte de . . .**: to give an account of . . .; **rendre des comptes à qun.**: to give sb. an explantion
**rentabilité**, n.f. profitability
**répandu**, adj. widespread
**répartition**, n.f. sharing out/dividing up/distribution/allocation
**réparti**, adj. shared/divided
**répertorier**, v. to index/list/itemize
**reproduire**, v. to reproduce – **se reproduire**: to breed/reproduce
**réseau**, n.m. network
**résidence**, n.f. residence – **résidence secondaire**: second home/weekend house
**résoudre**, v. to resolve/solve/settle/sort out
**ressasser**, v. to keep repeating/dwelling on
**ressentir**, v. to feel/experience
**résultat**, n.m. result/outcome
**retrancher**, v. to cut off sth. from sth. – **se retrancher derrière un jargon**: to hide behind jargon
**revalorisation**, n.f. revaluation
**revaloriser**, v. to revalue/reassert the value of
**réveil**, n.m. alarm clock/waking/reawakening
**revendiquer**, v. to claim/demand
**revenir**, v. to come back/return – **revenons maintenant à . . .**: let us now come back to . . .
**réviser**, v. to review/revise
**risée**, n.f. laughing-stock
**roman**, n.m. novel
**romanesque**, adj. novelistic
**route**, n.f. road – **route défoncée**: road full of potholes
**rupture**, n.f. breaking off/severing/rupture
**rusé**, adj. cunning/crafty

**sacerdoce**, n.m. priesthood/calling/vocation
**sain**, adj. healthy
**sage**, adj. wise
**sage-femme**, n.f. midwife (**sages-femmes** = pl.)
**sagesse**, n.f. wisdom/sense
**salaire**, n.m. wage/salary – **salaire minimum garanti**: (SMIG) guaranteed minimum wage
**sauvegarde**, n.f. safeguard – **sauvegarde d'un héritage**: safeguarding/protection of a heritage
**savamment**, adv. skilfully/cleverly
**savoir**, v. to know
**savoir**, n.m. learning/knowledge
**schéma**, n.m. diagram/sketch/outline

**scolarité**, n.f. schooling
**scrutin**, n.m. poll – **scrutin majoritaire à un tour**: single majority ballot
**secteur**, n.m. sector/area
**sein**, n.m.breast – **au sein de**: within
**séjour**, n.m. stay
**sembler**, v. to seem
**sens**, n.m. sense/meaning
**sentiment**, n.m. feeling
**série**, n.f. set/series
**seuil**, n.m. threshold
**siècle**, n.m. century/age
**site pittoresque**, n.m. beauty spot
**société**, n.f. society/company – **société anonyme (S.A.)**: limited liability company
**soif**, n.f. thirst/desire/craving
**songe**, n.m. dream
**sort**, n.m. lot/fate
**soudé**, adj. welded/joined together/fused
**soumettre**, v. to refer/submit
**sous**, prep. under/beneath – **sous contrôle médical**: under medical supervision; **sous-développement**: underdevelopment; **sous-estimer**: to underestimate/underrate; **sous-payé**: underpaid; **sous-tendre**: to underlie; **sous-titrage**: sub-titling
**spectacle**, n.m. sight/spectacle/show
**stade**, n.m. stage/period/stadium
**stage**, n.m. training period/course – **stage de recyclage**: retraining/reorientation course
**subvenir**, v. to provide for/meet
**subvention**, n.f. grant/subsidy
**subventionner**, v. to subsidise
**suite**, n.f. sequel/continuation/following episode
**super-puissance**, n.f. superpower
**supprimer**, v. to remove/abolish/put an end to
**surmenage**, n.m. overwork/stress/strain
**surchargé**, adj. overloaded/overcrowded
**surnombre**, n.m. – **en surnombre**: too many
**surproduction**, n.f. overproduction
**survol**, n.m. flying over/skimming through
**syndicalisme**, n.m. trade unionism

**tabou**, n.m. taboo
**tâche**, n.f. task/job
**tard**, adv. late – **sur le tard**: late in life
**tare**, n.f. defect/flaw
**tas**, n.m. heap/pile

**taux**, n.m. rate
**témoignage**, n.m. account/testimony
**temps**, n.m. time – **dans un premier temps**: to start/begin with/at first
**tendre**, v. to stretch/tend – **tendre à faire**: to tend to do
**tenté**, adj. tempted
**térébenthine**, n.f. turpentine
**terme**, n.m. term – **pour mettre une terme à**: to put an end to; **à court terme**: in the short term
**terrain**, n.m. ground/area
**terre**, n.f. earth/soil – **les terres**: land/estate
**terroir**, n.m. native soil/land
**tiers**, adj. third – **le tiers monde**: third world
**tirage**, n.m. circulation (newpaper) – **le tirage est en baisse**: circulation is falling
**titre**, n.m. title – **à titre exceptionnel**: in this exceptional case; **à titre d'exemple**: by way of example
**titulaire**, n.m. (a) holder (of a diploma, etc.)
**tort**, n.m. – **avoir tort**: to be wrong/be in the wrong
**tournure**, n.f. turn of phrase/form
**tout**, adv. any/every/all – **tout d'abord**: first of all/in the first place; **tout ou rien**: all or nothing
**toutefois**, adv. however
**toxicomane**, n.m. drug addict
**trafiquant**, n.m. trafficker (drug trafficker)
**traité**, adj. treated/processed – **être traité d'idiot**: to be called an idiot
**traiter**, v. to treat/handle/deal with – **le livre traite de**: the book deals with
**tranché**, adj. clear-cut/definite
**travail**, n.m. work – **travaux domestiques**: domestic chores
**travailleur**, n.m. worker – **travailleur immigré**: immigrant worker
**tremblement de terre**, n.m. earthquake
**trimestre**, n.m. quarter (period)/term (school)
**triomphe**, n.m. triumph
**trouver**, v. to find – **se trouver confronté à**: to find oneself confronted with
**truc**, n.m. way/knack

**uniformisation**, n.f. standardisation
**universitaire**, n.m/f. (an) academic – **cité universitaire**: students' hall of residence
**un**, adj/n. one – **les uns les autres**: each other; **les uns envers les autres**: towards/with each other

**vacancier**, n.m. holiday-maker
**vache**, n.f. cow – **vache laitière**: milk cow
**valoir**, v. to cost/be worth
**vanté**, adj. extolled/praised/recommended

**valeur**, n.f. value – **valeur marchande**: market value
**vedette**, n.f. star
**vérité**, n.f. truth
**vertu**, n.f. virtue
**vessie**, n.f. bladder
**vétuste**, adj. ancient/timeworn
**veulerie**, n.f. spinelessness
**vide**, adj. empty – **vide de sens**: meaningless
**vieux**, adj. (**vieil**, adj. m. before n.m. beginning with a vowel – **un vieil arbre**, or h mute – **un vieil homme; vieux** = adj.m.pl.), old/ancient/former/ previous – **mes vieux amis**: my long-standing friends
**ville**, n.f. town – **ville morte**: ghost town
**violé**, adj. raped/violated
**vis-à-vis de**, prep. in relation to
**vision**, n.f. sight/vision (eye)/vision (conception/picture)
**vitre**, n.f. window/pane – **vitre arrière**: back window (of car)
**vivre**, v. to live
**voire**, adv. indeed/nay
**voix**, n.f. voice – **à haute voix**: out loud
**volet**, n.m. section/shutter
**volonté**, n.f. will/wish
**voyage organisé**, n.m. package tour
**voyou**, n.m. hooligan/lout
**vue**, n.f. sight – **à perte de vue**: as far as the eye can see

abbreviations used:

(a) = adjective
abbrev'. = abbreviation
adj. = adjective including past participle used as adjectives (only masculine given)
adj. inv. = invariable adjective
adv. = adverb
fig. = figuratively
ling. = linguistics
n.m. = masculine noun
n.f. = feminine noun
pl. = plural
pref. = prefix
prep. = preposition
pron. = pronoun
sb. = somebody
sth. = something

Grandes Ecoles: prestigious and highly competitive state-run schools of university level
C.A.P., n.m. (abbrev.): **certificat d'aptitude professionnelle**: diploma obtained after vocational training
FR3, France Régions 3: a French TV channel
OTAN: NATO
Pacte de Varsovie: Warsaw Pact
SMIG (abbrev.): **salaire minimum garanti**: guaranteed minimum wage

# Bibliography

All the books listed are paperbacks available in most bookshops and 'grandes surfaces' supermarkets in France.

Publication dates have not been given but the name of the series (collection), the publisher and the number in the series are given for easy reference.

AUTHOR, TITLE, SERIES, PUBLISHER, SERIAL NO.

In the case of very recently published books, which do not have a serial number at the time of writing, the date of publication has been given.

Should you wish to order any of these books direct from the publishers, you will find the relevant address at the end of this bibliography.

Although some books cover several fields of interest, we have classified them under the following headings:

POLITICS, ECONOMICS, SOCIETY, PHILOSOPHY, CULTURE, THE MEDIA, TOURISM AND LEISURE, ASPECTS OF FRENCH CULTURE AND SOCIETY.

We hope that this selection of books will enable you to acquire facts and information, and assist you in becoming more familiar with certain issues and topics, the art of debate, and successful essay-writing.

## POLITICS

ARON Raymond, *Démocratie et totalitarisme,* Folio, Editions Gallimard, No 88.

ARON Raymond, *Essai sur les libertés,* Pluriel, Editions Hachette, No 8301.

BADIE Bertrand et BIRNBAUM Pierre, *Sociologie de l'Etat,* Pluriel, Editions Hachette, No 8402.

BAECHLER Jean, *Qu'est-ce-que l'idéologie?,* Idées, Editions Gallimard, No 345.

BOUTHOUL Gaston, *La guerre,* Que sais-je?, Editions des Presses Universitaires de France, No 577.

CONDAMINES Charles (en collaboration avec J.Y. CARFANTAN), *Qui a peur du tiers monde? Rapports Nord-Sud: les faits,* Points, Editions du Seuil, No 107.

COTTA Alain, *Le capitalisme,* Que sais-je?, Editions des Presses Universitaires de France, No 315.

DELMAS Claude, *La coexistence pacifique,* Que sais-je?, Editions des Presses Universitaires de France, No 1895.

DELMAS Claude, *Le désarmement,* Que sais-je?, Editions des Presses Universitaires de France, No 1792.

DOMENACH Jean-Marie, *La propagande politique,* Que sais-je?, Editions des Presses Universitaires de France, No 448.

DONNEDIEU de VABRES Jacques, *L'Etat,* Que sais-je?, Editions des Presses Universitaires de France, No 616.

DUVERGER Maurice, *Introduction à la politique,* Folio, Editions Gallimard, No 23.

FLAMANT Maurice, *Le libéralisme,* Que sais-je?, Editions des Presses Universitaires de France, No 1797.

JOUVENEL de Bertrand, *Du pouvoir,* Pluriel, Editions Hachette, No 8302.

LACOSTE Yves, *Les pays sous-développés,* Que sais-je?, Editions des Presses Universitaires de France, No 853.

LEFEBVRE Henri, *Le Marxisme,* Que sais-je?, Editions des Presses Universitaires de France, No 300.

MASCLET Jean-Claude, *L'union politique de l'Europe,* Que sais-je?, Editions des Presses Universitaires de France, No 1527.

REVEL Jean-François, *Comment les démocraties finissent,* Pluriel, Editions Hachette, No 8422.

SAUVY Alfred, *La Machine et le Chômage,* Pluriel, Editions Hachette, No 8384.

SAUVY Alfred, *La tragédie du pouvoir,* Pluriel, Editions Hachette, No 52.

SEILIER Daniel, *Les partis politiques en Europe,* Que sais-je?, Editions des Presses Universitaires de France, No 1733.

TORRELLI Maurice, *Le droit international humanitaire,* Que sais-je?, Editions des Presses Universitaires de France, No 2211.

ZORGBIBE Charles, *La paix,* Que sais-je?, Editions des Presses Universitaires de France, No 1600.

ZORGBIBE Charles, *Les organisations internationales,* Que sais-je?, Editions des Presses Universitaires de France, No 792.

## ECONOMICS

ALBERTINI Jean-Marie et SILEM Ahmed, *Comprendre les théories économiques,* T. 1: *Clés de lecture,* T. 2: *Petit guide des grands courants,* Points, Editions du Seuil, Nos E 16 E 17.

BERGER Pierre, *La monnaie et ses mécanismes,* Que sais-je?, Editions des Presses Universitaires de France, No 1217.

BERTIN Gilles-Yves, *L'investissement international,* Que sais-je?, Editions des Presses Universitaires de France, No 1256.

BETTATI Mario, *Le nouvel ordre économique,* Que sais-je?, Editions des Presses Universitaires de France, No 2088.

BIZEC René-François, *Les transferts de technologie,* Que sais-je?, Editions des Presses Universitaires de France, No 1915.

BRETAUDEAU Henri, *La Banque mondiale,* Que sais-je?, Editions des Presses Universitaires de France, No 2330.

CAMOUS Paul, *Le commerce dans la société de consommation,* Que sais-je?, Editions des Presses Universaires de France, No 2369.

COLLI Jean-Claude, en collaboration avec Y. BERNARD, *Vocabulaire économique et financier,* Points, Editions du Seuil, No E 5.

DELFAUD Pierre, *Les Théories économiques,* Que sais-je?, Editions des Presses Universitaires de France, No 2289.

FLAMANT Maurice, *Les fluctuations économiques,* Que sais-je?, Editions des Presses Universitaires de France, No 2253.

FLAMANT Maurice et SINGER KEREL Jeanne, *Les crises économiques,* Que sais-je?, Editions des Presses Universitaires de France, No 1295.

GHERTMAN Michel, *Les multinationales,* Que sais-je?, Editions des Presses Universitaires de France, No 2068.

GODET Michel et RUYSSEN Olivier, *Les échanges internationaux,* Que sais-je?, Editions des Presses Universitaires de France, No 1727.

JOUANNEAU Daniel, *Le GATT,* Que sais-je?, Editions des Presses Universitaires de France, No 1858.

MAGNAN de BORGNIER Jean, *Le Monopole,* Que sais-je?, Editions des Presses Universitaires de France, No 2324.

MAILLET Pierre, *La croissance économique,* Que sais-je?, Editions des Presses Universitaires de France, No 1210.

MAILLET Pierre, *La structure économique de la France,* Que sais-je?, Editions des Presses Universitaires de France, No 791.

MOSCHETTO Bruno et PLAGNOL André, *Les activités bancaires internationales,* Que sais-je?, Editions des Presses Universitaires de France, No 1635.

MOSSE Eliane, *Comprendre l'économie, T.1: Comprendre la politique économique,* T.2: *Comprendre la politique économique, Les riches et les pauvres,* Points, Editions du Seuil, Nos 8, 13, 14, 20.

RIVOIRE Jean, *L'Economie mondiale depuis 1945,* Que sais-je?, Editions des Presses Universitaires de France, No 1856.

SCHNERB Robert, *Libre-échange et protectionnisme,* Que sais-je?, Editions des Presses Universitaires de France, No 1032.

SCHOR Armand-Denis, *Le système monétaire européen,* Que sais-je?, Editions des Presses Universitaires de France, No 2225.

## SOCIETY

ANCEL Marc, *La défense sociale,* Que sais-je?, Editions des Presses Universitaires de France, No 2204

ARON Jean-Paul, *Les modernes,* Folio, Editions Gallimard, No 44.

ARON Raymond, *Dix-huit leçons sur la société industrielle,* Folio, Editions Gallimard, No 33.

ARVON Henri, *L'athéisme,* Que sais-je?, Editions des Presses Universitaires de France, No 1291.

BAUDRILLARD Jean, *La société de consommation, ses mythes, ses structures,* Folio, Editions Gallimard, No 35.

BEAUVOIR de Simone, *Le Deuxième sexe,* T 1: *Les faits et les mythes,* T 2: *L'expérience vécue,* Folio, Editions Gallimard, Nos 37/38.

BENSADON Ney, *Les droits de la femme,* Que sais-je?, Editions des Presses Universitaires de France, No 1842.

BERGERET Jean, *Toxicomanie et personnalité,* Que sais-je?, Editions des Presses Universitaires de France, No 1941.

BIRNBAUM Pierre, *Le peuple et les gros,* Pluriel, Editions Hachette, No 8411.

BOUDON Raymond, *L'inégalité des chances.* Pluriel, Editions Hachette, No 8440.

BOUDON Raymond, *La logique du social,* Pluriel, Editions Hachette, No 8417.

BRAS Le Hervé, *Population,* Pluriel, Editions Hachette, No 8449.

CAS Gérard, *La défense du consommateur,* Que sais-je?, Editions des Presses Universitaires de France, No 1611.

CHAMBON Jean-Louis, DAVID Alix et DEVEVEY Jean-Marie, *Les innovations sociales,* Que sais-je?, Editions des Presses Universitaires de France, No 2014.

CHAMPAGNE Guy, *Après la drogue,* Points, Editions du Seuil, No 8.

CHAMPAGNE Guy, *J'étais un drogué,* Points, Editions du Seuil, No 2.

CHERKAOUI Mohamed, *Sociologie de l'education,* Que sais-je?, Editions des Presses Universitaires de France, No 2270.

COLLECTIF, *Fini le féminisme?,* Idées, Editions Gallimard, No 494.

DEFRASNE Jean, *Le pacifisme,* Que sais-je?, Editions des Preses Universitaires de France, No 2092.

DAUMAS Maurice, *Les grandes étapes du progrès technique,* Que sais-je?, Editions des Presses Universitaires de France, No 1960.

FONTETTE de François, *Le racisme,* Que sais-je?, Editions des Presses Universitaires de France, No 1603.

FOURASTIE Jean, *La civilisation de 2001,* Que sais-je?, Editions des Presses Universitaires de France, No 279.

GEORGE Pierre, *Sociétés en mutation,* Que sais-je?, Editions des Presses Universitaires de France, No 1852.

GIROD Roger, *Les inégalités sociales,* Que sais-je? Editions des Presses Universitaires de France, No 2154.

GUERON Jules, *L'énergie nucléaire,* Que sais-je?, Editions des Presses Universitaires de France, No 317.

JOUVE Edmond, *Le droit des peuples,* Que sais-je?, Editions des Presses Universitaires de France, No 2315.

KELLERHALS Jean, *Microsociologie de la famille,* Que sais-je?, Editions des Presses Universitaires de France, No 2148.

LAROQUE Pierre, *Les classes sociales,* Que sais-je?, Editions des Presses Universitaires de France, No 341.

LEVI-STRAUSS Claude, *Race et histoire,* Folio, Editions Gallimard, No 58.

LUSTIGER Cardinal Jean-Marie, *Oser croire, oser vivre,* Folio, Editions Gallimard, No 8.

MICHAUD Yves, *La violence,* Que sais-je?, Editions des Presses Universitaires de France, No 2251.

MICHEL Andrée, *Le féminisme,* Que sais-je? Editions des Presses Universitaires de France, No 1782.

MORANGE Jean, *Les libertés publiques,* Que sais-je?, Editions des Presses Universitaires de France, No 1804.

MOURGEON Jacques, *Les droits de l'homme,* Que sais-je?, Editions des Presses Universitaires de France, No 1728.

MUCCHIELLI Alex, *Les mentalités,* Que sais-je?, Editions des Presses Universitaires de France, No 545.

NORMAND Marcel, *La peine de mort,* Que sais-je?, Editions des Presses Universitaires de France, No 1834.

PELICIER Yves et THUILLIER Guy, *La drogue,* Que sais-je?, Editions des Presses Universitaires de France, No 1514.

POLIN Claude, *Le totalitarisme,* Que sais-je?, Editions des Presses Universitaires de France, No 2041.

POUPARD Paul, *Les religions,* Que sais-je? Editions des Presses Universitaires de France, No 9.

SAUVY Alfred, *L'opinion publique,* Que sais-je?, Editions des Presses Universitaires de France, No 701.

SCHNAPPER Dominique, *L'épreuve du chômage,* Idées, Editions Gallimard, No 444.

TEILLAC Jean, *Les déchets nucléaires,* Que sais-je?, Editions des Presses Universitaires de France, No 2385.

THIBAULT Laurence, *La peine de mort en France et à l'étranger,* Idées, Editions Gallimard, No 378.

WEISS Pierre, *La mobilité sociale,* Que sais-je?, Editions des Presses Universitaires de France, No 2266.

ZIEGLER Jean, *Sociologie et contestation,* Idées, Editions Gallimard, No 192.

## PHILOSOPHY

ALAIN, *Propos sur le bonheur,* Folio, Editions Gallimard, No 21.

ALAIN, *Propos sur les pouvoirs,* Folio, Editions Gallimard, No 1.

BATAILLE Georges, *L'expérience intérieure,* Idées, Editions Gallimard, No 23.

BATAILLE Georges, *Théorie de la religion,* Idées, Editions Gallimard, No 106.

BAUDRILLARD Jean, *De la séduction,* Folio, Editions Gallimard, No 81.

BLANCHE Robert, *L'épistémologie,* Que sais-je?, Editions des Presses Universitaires de France, No 1475.

CAMUS Albert, *L'envers et l'endroit,* Folio, Editions Gallimard, No 41.

CAMUS Albert, *L'homme révolté,* Folio, Editions Gallimard, No 15.

CAMUS Albert, *Le mythe de Sisyphe,* Folio, Editions Gallimard, No 11.

CHAMFORT, *Maximes et pensées. Caractères et anecdotes (Produits de la civilisation perfectionnée),* Folio, Editions Gallimard, No 1356.

CIORAN E – M, *Histoire et utopie,* Folio, Editions Gallimard, No 53.

CIORAN E – M, *Syllogismes de l'amertume,* Folio, Editions Gallimard, No 79.

CIORAN E – M, *Précis de décomposition,* Tel, Editions Gallimard, No 18.

CIORAN E – M, *De l'inconvénient d'être né,* Idées, Editions Gallimard, No 480.

CIORAN E – M, *La tentation d'exister,* Tel, Editions Gallimard, No 103.

CIORAN E – M, *Exercices d'admiration,* Arcades, Editions Gallimard, No 8.

DESCAMPS Christian, *Les idées philosophiques contemporaines,* Philosophie, Editions Bordas, 1986.

FOULQUIE Paul, *L'existentialisme,* Que sais-je?, Editions des Presses Universitaires de France, No 253.

GREGOIRE François, *Les grandes doctrines morales,* Que sais-je?, Editions des Presses Universitaires de France, No 658.

GRENIER Jean, *Entretiens sur le bon usage de la liberté,* Idées, Editions Gallimard, No 456.

KREMER-MARIETTI Angèle, *L'éthique,* Que sais-je?, Editions des Presses Universitaires de France, No 2383.

KREMER-MARIETTI Angèle, *La morale,* Que sais-je?, Editions des Presses Universitaires de France, No 2003.

LE GOFF Jacques, *Histoire et mémoire,* Folio, Editions Gallimard, No 20.

MERLEAU-PONTY Maurice, *Eloge de la philosophie et autres essais,* Idées, Editions Gallimard, No 75.

RONY Jérôme-Antoine, *Les passions,* Que sais-je?, Editions des Presses Universitaires de France, No 943.

WAHL Jean, *Tableau de la philosophie française,* Idées, Editions Gallimard, No 16.

WEIL Simone, *La condition ouvrière,* Idées, Editions Gallimard, No 52.

WEIL Simone, *L'enracinement,* Idées, Editions Gallimard, No 10

WEIL Simone, *Réflexions sur les causes de la liberté et de l'oppression sociale,* Idées, Editions Gallimard, No 422.

## CULTURE


ADAM Jean-Michel, *Le récit,* Que sais-je?, Editions des Presses Universitaires de France, No 2149.

BARON CARVAIS Annie-Isabelle, *La bande dessinée,* Que sais-je?, Editions des Presses Universitaires de France, No 2212.

BARTHES Roland, *Le degré zéro de l'écriture,* suivi de: *Nouveaux essais critiques,* Points, Editions du Seuil, No 35.

BARTHES Roland, *Le plaisir du texte,* Points, Editions du Seuil, No 135.

BARTHES Roland, *Système de la mode,* Points, Editions du Seuil, No 147.

BARTHES Roland, en collaboration avec L. BERSANI, Ph. HAMON, M. RIFFATERREM, I. WATT, *Littérature et réalité,* Points, Editions du Seuil, No 142.

BARTHES Roland, *Mythologies,* Points, Editions du Seuil, No 10.

BARTHES Roland, en collaboration avec Ph. HAMON, W. KAYSER, W. BOOTH, *Poétique du récit,* Points, Editions du Seuil, No 78.

BARTHES Roland, *Essais critiques,* Points, Editions du Seuil, No 127.

BATAILLE Georges, *La littérature et le mal,* Idées, Editions Gallimard, No 128.

BELLEMIN-NOEL Jean, *Psychanalyse et littérature,* Que sais-je?, Editions des Presses Universitaires de France, No 1752.

BETTON Gérard, *L'esthétique du cinéma,* Que sais-je?, Editions des Presses Universitaires de France, No 751.

BLANCHOT Maurice, *L'espace littéraire,* Folio, Editions Gallimard, No 155.

BOILEAU Pierre et NARCEJAC Thomas, *Le roman policier,* Que sais-je?, Editions des Presses Universitaires de France, No 1623.

BOILEAU, *Oeuvres. 1: Satires — Le Lutrin.* Ed. J. Vercruysse (avec index des noms propres), Editions Garnier-Flammarion, No 205.

BOILEAU, *Oeuvres. 2: L'Art Poétique — Oeuvres diverses* — Ed. S. Menant, Editions Garnier-Flammarion, No 206.

BRETON André, *Manifestes du surréalisme,* Folio, Editions Gallimard, No 5.

CAILLOIS Roger, *L'Homme et le sacré,* Idées, Editions Gallimard, No 357.

CAILLOIS Roger, *Le Mythe et l'homme,* Idées, Editions Gallimard, No 262.

CAILLOIS Roger, *Les Jeux et les hommes,* Idées, Editions Gallimard, No 125.

CHAMFORT, *Produits de la civilisation perfectionnée — Maximes et pensées — Caractères et anecdoctes.* Ed. J. Dagen (avec notes, index des noms cités), Editions Garnier-Flammarion, No 188.

CLAIR René, *Cinéma d'hier, d'aujourd'hui,* Idées, Editions Gallimard, No 227.

CLAUDEL Paul, *Réflexions sur la poésie,* Idées, Editions Gallimard, No 29.

DIDEROT, *Entretiens sur le fils naturel — Paradoxe sur le comédien,* Ed. R. Laubreaux, Editions Garnier-Flammarion, No 164.

DIDEROT, *Jacques le Fataliste,* Ed. P. Vernière, Editions Garnier-Flammarion, No 234.

DIDEROT, *Le neveu de Rameau,* Ed. J – C Bonnet, Editions Garnier-Flammarion, No 143.

DOLLOT Louis, *Les relations culturelles internationales,* Que sais-je? Editions des Presses Universitaires de France, No 1142.

DUFOURCQ Norbert, BENOIT Marcelle et GAGNEPAIN Bernard, *Les grandes dates de l'histoire de la musique,* Que sais-je? Editions des Presses Universitaires de France, No 1333.

ELIADE Mircea, *Aspects du mythe,* Idées, Editions Gallimard, No 32.

ELIADE Mircea, *Le Sacré et le profane,* Idées, Editions Gallimard, No 76.

ELIADE Mircea, *Mythes, rêves et mystères,* Idées, Editions Gallimard, No 271.

ESCARPIT Robert, *Sociologie de la littérature,* Que sais-je?, Editions des Presses Universitaires de France, No 777.

FAURE Elie, *Histoire de l'art,* T 1:*L'Art antique,* T 2: *L'Art médiéval,* T 3: *L'Art renaissant,* T 4: *L'Art moderne 1,* T 5: *L'Art moderne 2,* Folio Essais, Editions Gallimard, Nos 417 – 421.

FLAUBERT Gustave, *Bouvard et Pécuchet,* suivi de *Le Sottisier,* de *L'Album de la Marquise,* de *Le Dictionnaire des idées reçues* et de *Le Catalogue des idées chic,* Folio, Editions Gallimard, No 137.

GATTEGNO Jean, *La science-fiction,* Que sais-je?, Editions des Presses Universitaires de France, No 1426.

HELL Victor, *L'idée de culture,* Que sais-je?, Editions des Presses Universitaires de France, No 1942.

HUISMAN Denis, *L'esthétique,* Que sais-je?, Editions des Presses Universitaires de France, No 635.

JOUBERT Jean-Louis, *La Poésie,* Cursus, Editions Armand Colin, 1988.

LA ROCHEFOUCAULD François de, *Maximes et réflexions diverses,* Folio, Editions Gallimard, No 728.

LACOSTE Jean, *La philosophie de l'art,* Que sais-je?, Editions des Presses Universitaires de France, No 1887.

MIGNON Paul-Louis, *Le théâtre au XXe siècle,* Folio, Editions Gallimard, No 36.

MONTAIGNE Michel de, *Essais,* Tome I, II, III, Folio, Editions Gallimard, Nos 289, 290, 291.

MONTESQUIEU Charles de, *De L'esprit des lois,* Idées, Editions Gallimard, No 211.

PONGE Francis, *Méthodes,* Idées, Editions Gallimard, No 249.

QUENEAU Raymond, *Bâtons, chiffres et lettres,* Idées, Editions Gallimard, No 70.

RICHARD André, *La critique de l'art,* Que sais-je?, Editions des Presses Universitaires de France, No 806.

RICHARD Jean-Pierre, *Onze études sur la poésie moderne,* Points, Editions du Seuil, No 131.

RICHARD Jean-Pierre, *Poésie et profondeur,* Points, Editions du Seuil, No 71.

ROBERT Marthe, *Roman des origines et origines du roman,* Tel, Editions Gallimard, No 13.

ROUSSEAU Jean-Jacques, *Du contrat social,* 10/18, Editions U.G.E., No 89.

ROY Claude, *Défense de la littérature,* Idées, Editions Gallimard, No 161.

ROY Claude, *L'amour de la peinture,* Folio Essais, Editions Gallimard, No 435.

RUDEL Jean, *Les grandes dates de l'histoire de l'art,* Que sais-je?, Editions des Presses Universitaires de France, No 1433.

SARRAUTE Nathalie, *L'ère du soupçon,* Folio Essais, Editions Gallimard, No 748.

SARTRE Jean-Paul, *Critiques littéraires,* Idées, Editions Gallimard, No 340.

SARTRE Jean-Paul, *L'Imaginaire,* Folio, Editions Gallimard, No 47.

SARTRE Jean-Paul, *Qu'est-ce-que la littérature?,* Folio, Editions Gallimard, No 19.

SARTRE Jean-Paul, *Questions de méthode,* Idées, Editions Gallimard, No 370.

SARTRE Jean-Paul, *Réflexions sur la question juive,* Folio, Editions Gallimard, No 10.

SARTRE Jean-Paul, *Un théâtre de situations,* Idées, Editions Gallimard, No 295.

SARTRE Jean-Paul, *Plaidoyer pour les intellectuels,* Idées, Editions Gallimard, No 274.

TARDIEU Jean, *La comédie du langage,* Folio, Editions Gallimard, No 861.

TODOROV Tzvetan, *La notion de littérature,* Points, Editions du Seuil, No 188.

TODOROV Tzvetan, *Poétique de la prose,* suivi de: *Nouvelles recherches sur le récit* Points, Editions du Seuil, No 120.

TODOROV Tzvetan, *Théories du symbole,* Points, Editions du Seuil, No 176.

VALERY Paul, *Regards sur le monde actuel et autres essais,* Idées, Editions Gallimard, No 9.

VALERY Paul, *Tel Quel,* T 1: *Choses tues — Moralités — Littérature — Cahier B1910,* T 2: *Rhumbs — Autres rhumbs — Analecta — Suite,* Idées, Editions Gallimard, Nos 240/241.

VALERY PAUL, *Variété I et II,* Idées, Editions Gallimard, No 394.

VILAR Jean, *De la tradition théâtrale,* Idées, Editions Gallimard, No 33.

VOLTAIRE, *Dictionnaire philosophique,* Ed. R. Pomeau, Editions Garnier-Flammarion, No 28.

VOLTAIRE, *Lettres philosophiques,* Ed. R. Pomeau, Editions Garnier-Flammarion, No 15.

VOLTAIRE, *Romans et contes,* Ed. R. Pomeau, Editions Garnier-Flammarion, No 111.

## THE MEDIA

ALBERT Pierre et TUDESQ André, *Histoire de la radio-télévision,* Que sais-je?, Editions des Presses Universitaires de France, No 1904.

ALBERT Pierre, *La presse,* Que sais-je?, Editions des Presses Universitaires de France, No 414.

BAKIS Henri, *Géopolitique de l'information,* Que sais-je?, Editions des Presses Universitaires de France, No 2353.

BALLE Francis et EYMERY Gérard, *Les nouveaux médias,* Que sais-je?, Editions des Presses Universitaires de France, No 2142.

BONVOISIN Samra Martine et MAIGNIEN Michèle, *La presse féminine,* Que sais-je?, Editions des Presses Universitaires de France, No 2305.

CAZENEUVE Jean, *Sociologie de la radio-télévision,* Que sais-je?, Editions des Presses Universitaires de France, No 1026.

DAYAN Armand, *La publicité,* Que sais-je?, Editions des Presses Universitaires de France, No 274.

DOLLOT Louis, *Culture individuelle et culture de masse,* Que sais-je?, Editions des Presses Universitaires de France, No 1552.

ESCARPIT Robert, *L'écrit et la communication,* Que sais-je?, Editions des Presses Universitaires de France, No 1546.

JULLIAN, Marcel, *La Télévision 'libre',* Idées, Editions Gallimard, No 454.

LAGNEAU Gérard, *La sociologie de la publicité,* Que sais-je?, Editions des Presses Universitaires de France, No 1678.

MATHIEN Michel, *La presse quotidienne régionale,* Que sais-je?, Editions des Presses Universitaires de France, No 2074.

MATRAS Jean-Jacques, *L'Audio-visuel,* Que sais-je?, Editions des Presses Universitaires de France, No 1575.

TERROU Fernand, *L'information,* Que sais-je?, Editions des Presses Universitaires de France, No 1000.

TOUSSAINT Nadine, *L'économie de l'information,* Que sais-je?, Editions des Presses Universitaires de France, No 1701.

## TOURISM LEISURE

CAZES Georges, LANQUAR Robert et RAYNOUARD Yves, *L'aménagement touristique,* Que sais-je?, Editions des Presses Universitaires de France, No 1882.

CAZES Georges, *Le tourisme en France,* Que sais-je?, Editions des Presses Universitaires de France, No 2147.

LANQUAR Robert et HOLLIER Robert, *Le marketing touristique,* Que sais-je?, Editions des Presses Universitaires de France, No 1911.

LANQUAR Robert et HOLLIER Robert, *Le marketing touristique,* Que sais-je?, Editions des Presses Universitaires de France, No 1911.

LANQUAR Robert, *L'économie du tourisme,* Que sais-je?, Editions des Presses Universitaires de France, No 2065.

LANQUAR Robert, RAYNOUARD Yves, *Le tourisme social,* Que sais-je?, Editions des Presses Universitaires de France, No 1725.

LANQUAR Robert, *Sociologie du tourisme et des voyages,* Que sais-je?, Editions des Presses Universitaires de France, No 2213.

SUE Roger, *Le Loisir,* Que sais-je?, Editions des Presses Universitaires de France, No 1871.

THOMAS Raymond, *Psychologie du sport,* Que sais-je?, Editions des Presses Universitaires de France, No 2110.

## ASPECTS OF FRENCH CULTURE AND SOCIETY

ALBERT Michel, *Le pari français,* Points, Editions du Seuil, No 127.

BECKOUCHE Pierre, SAVY Michel, *Atlas des Français,* Pluriel, Editions Hachette, No 8462.

BORELLA François, *Les partis politiques dans la France d'aujourd'hui,* Points, Editions du Seuil, No 56.

CALVET Louis-Jean, en collaboration avec C. BRUNSCHWIG et J – C. KLEIN, *Cent ans de chanson française,* Points, Editions du Seuil, No 45.

CHAUNU Pierre, DUMONT Gérard-François, LEGRAND Jean et SAUVY Alfred, *La France ridée* (nouvelle édition), Pluriel, Editions Hachette, No 8489.

CHAUNU Pierre, *La France,* Pluriel, Editions Hachette, No 8398.

CURTIS Jean-Louis, *La France m'épuise,* Points Roman, Editions du Seuil, No 130.

EXPANSION, (magazine), *Demain la France, Une enquête de l'Expansion,* Pluriel, Editions Hachette, No 8476.

FOURASTIE Jean et BAZIL Béatrice, *Le jardin du voisin, Les inégalités en France,* Pluriel, Editions Hachette, No 8359.

GUILLAUME Henri, Préface de MASSE Pierre, *Faire gagner La France,* Pluriel, Editions Hachette, No 8477.

JEANNENEY Jean-Noël, *L'argent caché, Milieux d'affaires et pouvoirs politiques dans la France du XXéme siécle,* Points, Editions du Seuil, No 70.

LAFONT Robert, *Autonomie,* Idées, Editions Gallimard, No 355.

LAFONT Robert, *Décoloniser en France,* Idées, Editions Gallimard, No 231.

LAFONT Robert, *La Révolution régionaliste,* Idées, Editions Gallimard, No 123.

LE BRAS Hervé et TODD Emmanuel, *L'invention de la France,* Pluriel, Hachette, No 8365.

REYNAUD Jean-Daniel, T 1: *Les syndicats en France,* T 2: *Les syndicats en France,* - Points, Editions du Seuil, Nos 72/73.

SARDE Michèle, *Regard sur les Françaises,* Points, Editions du Seuil, No 68.

## LIST OF PUBLISHERS

U.G.E: Union générale d'éditions
8 Rue Garancière
75285 PARIS Cedex 06

EDITIONS DU SEUIL
27 Rue Jacob
75261 PARIS Cedex 06

EDITIONS DES PRESSES UNIVERSITAIRES DE FRANCE
108 Boulevard Saint-Germain
75279 PARIS Cedex 06

EDITIONS HACHETTE
79 Boulevard Saint-Germain
75288 PARIS Cedex 06

EDITIONS GALLIMARD
5 Rue Sébastien-Bottin
75007 PARIS

EDITIONS GARNIER – FLAMMARION
26 Rue Racine
75278 PARIS Cedex 06

EDITIONS BORDAS
17 Rue Rémy-Dumoncel
75661 PARIS Cedex 14

EDITIONS ARMAND COLIN
103 Boulevard Saint-Michel
75240 PARIS

# Index